#홈스쿨링
#혼자공부하기

우등생
해법국어

Chunjae
Makes
Chunjae

▼

우등생 국어 1-2

편집개발   김동렬, 김주남, 안정아
디자인총괄   김희정
표지디자인   윤순미, 강태원
내지디자인   박희춘, 우혜림
제작   황성진, 조규영

발행일   2022년 6월 1일 초판   2022년 6월 1일 1쇄
발행인   (주)천재교육
주소   서울시 금천구 가산로9길 54
신고번호   제2001-000018호
고객센터   1577-0902

우등생 해법국어 1-2 붙임딱지 · 붙임 1

1단원 14쪽 15번

2단원 27쪽 10번

3단원 37쪽 2번

3단원 38쪽 8번

"	"	"	"
'	'	'	'

4단원 53쪽 1번

4단원 53쪽 2번

* 책과 공책에 붙여 쓰세요.

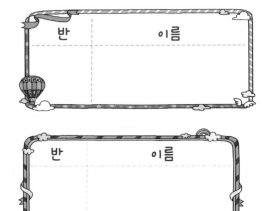

반   이름

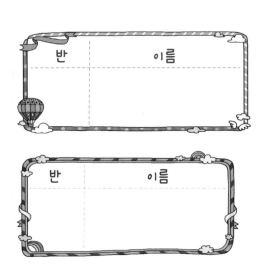

반   이름

5단원 71쪽 10번

꾀꼬리   노랑나비

참새   원숭이

6단원 87쪽 15번

자랑스럽다.   걱정스럽다.

7단원 103쪽 22번

8단원 118쪽 21번

9단원 130쪽 5번

10단원 146쪽 13번

쫑긋쫑긋   뾰족뾰족

북슬북슬   길쭉길쭉

학용품에 붙여 쓰세요.

우등생 국어 1-2
홈스쿨링 꼼꼼 스케줄표(30회)

꼼꼼 스케줄표는 교과서 진도북과 온라인 학습북을
30회로 나누어 꼼꼼하게 공부하는 학습 진도표입니다.

우등생 홈스쿨링 홈페이지에는
다양한 스케줄표가
있어요.

● 교과서 진도북　● 온라인 학습북

1. 소중한 책을 소개해요

1회 교과서 진도북 8~15쪽	**2**회 교과서 진도북 16~21쪽	**3**회 온라인 학습북 4~8쪽
월　　일	월　　일	월　　일

2. 소리와 모양을 흉내 내요

4회 교과서 진도북 22~28쪽	**5**회 교과서 진도북 29~33쪽	**6**회 온라인 학습북 9~13쪽
월　　일	월　　일	월　　일

3. 문장으로 표현해요

7회 교과서 진도북 34~41쪽	**8**회 교과서 진도북 42~49쪽	**9**회 온라인 학습북 14~18쪽
월　　일	월　　일	월　　일

4. 바른 자세로 말해요

10회 교과서 진도북 50~58쪽	**11**회 교과서 진도북 59~65쪽	**12**회 온라인 학습북 19~24쪽
월　　일	월　　일	월　　일

5. 알맞은 목소리로 읽어요

13회 교과서 진도북 66~71쪽	**14**회 교과서 진도북 72~79쪽	**15**회 온라인 학습북 25~30쪽
월　　일	월　　일	월　　일

절취선

어떤 교과서를 쓰더라도 언제나 **우등생 국어 1-2**

홈스쿨링 30회
꼼꼼 스케줄표

· 꼼꼼하게 공부하는 30회 **꼼꼼 스케줄표**　· 전과목 시간표인 **통합 스케줄표**
· 빠르게 공부하는 10회 **스피드 스케줄표**　· 자유롭게 **내가 만드는 스케줄표**

● 교과서 진도북　● 온라인 학습북

6. 고운 말을 해요

16회 교과서 진도북 80~86쪽	**17**회 교과서 진도북 87~93쪽	**18**회 온라인 학습북 31~36쪽
월　일	월　일	월　일

7. 무엇이 중요할까요

19회 교과서 진도북 94~101쪽	**20**회 교과서 진도북 102~109쪽	**21**회 온라인 학습북 37~41쪽
월　일	월　일	월　일

8. 띄어 읽어요

22회 교과서 진도북 110~117쪽	**23**회 교과서 진도북 118~125쪽	**24**회 온라인 학습북 42~46쪽
월　일	월　일	월　일

9. 겪은 일을 글로 써요

25회 교과서 진도북 126~133쪽	**26**회 교과서 진도북 134~139쪽	**27**회 온라인 학습북 47~51쪽
월　일	월　일	월　일

10. 인물의 말과 행동을 상상해요

28회 교과서 진도북 140~146쪽	**29**회 교과서 진도북 147~152쪽	**30**회 온라인 학습북 52~56쪽
월　일	월　일	월　일

온라인 학습이 강화된

우등생 국어 사용법

QR로 학습 스케줄을 편하게 관리!

공부하고 나서 날개에 있는 QR코드를 스캔하면
온라인 스케줄표에 학습 완료 자동 체크!

3회
학습 완료!
국어
4회
국어
1. 소중한 책을...
교과서 진도북 20~25쪽

※ 스케줄표에 따라 해당 페이지 날개에
[진도 완료 체크] QR이 들어가 있어요!

우등생 온라인 학습

동영상 강의
온라인 개념 강의

온라인 채점과 성적 피드백
정답을 올리기만 하면 채점과 성적 분석이 자동으로

온라인 학습 스케줄 관리
밀린 공부는 없나 내 스케줄표로 꼼꼼히 체크하기

교과서에 실린 작품소개

단원	영역	제재 이름	지은이	나온 곳	우등생
1 단원	국어㉮	발가락	이상교	『까르르 깔깔』 　　　　　　　　 – (주)미세기, 2015.	12쪽
	국어 활동	지구 시간 (원제목: 「EARTH HOUR」)	황중환	『동아일보』 2011. 3. 26.	13쪽
	국어㉮	나는 책이 좋아요	앤서니 브라운 글, 공경희 옮김	『나는 책이 좋아요』 　　　　　　　　 – 웅진주니어, 2017.	16쪽
2 단원	국어㉮	동물 농장	전석환 작사, 로드바기스 작곡	『유치원 인기 동요 BEST 50』 　　　　　　　　 – 웅진주니어, 2014.	25쪽
	국어 활동	방귀	신현림	『초코파이 자전거』 　　　　　　　　 – (주)비룡소, 2007.	28쪽
4 단원	국어㉮	딴생각하지 말고 귀 기울여 들어요	서보현	『딴생각하지 말고 귀 기울여 들어요』 　　　　　　　　 – 상상스쿨, 2010.	54쪽
		콩 한 알과 송아지	한해숙	『콩 한 알과 송아지』 　　　　　　　　 – 애플트리테일즈, 2015.	60쪽
5 단원	국어㉮	똑같아요	윤석중 작사, 외국곡	『우리 동요–랄랄라 신나는 인기 동요 60곡–』 　　　　　　　　 – (주)애플비북스, 2015.	69쪽
		너도 와	이준관	『1학년 동시 교실』 　　　　　　　　 – 주니어김영사, 2016.	71쪽
		슬퍼하는 나무	이태준	『몰라쟁이 엄마』 　　　　　　　　 – (주)우리교육, 2002.	72쪽
	국어 활동	아침	김상련	『내 마음의 동시 1학년』 　　　　　　　　 – (주)계림북스, 2002.	78쪽

단원	영역	제재 이름	지은이	나온 곳	우등생
6 단원	국어 🕒	몽몽 숲의 박쥐 두 마리	이혜옥 글, 이은진 그림	『몽몽 숲의 박쥐 두 마리』 – (주)한국차일드아카데미, 2013.	84쪽
7 단원	국어 🕒	소금을 만드는 맷돌	홍윤희	『소금을 만드는 맷돌』 – 예림아이, 2012.	98쪽
8 단원	국어 🕒	나는 자라요	김희경	『나는 자라요』 – (주)창비, 2016.	121쪽
	국어 활동	표지판이 말을 해요	장석봉	『표지판이 말을 해요』 – 웅진다책, 2008.	118쪽
		119쪽 27번 글	서경석	『역사를 바꾼 위대한 알갱이, 씨앗』 – 미래아이, 2013.	119쪽
10 단원	국어 🕒	별을 삼킨 괴물	민트래빗 플래닝	『별을 삼킨 괴물』 –민트래빗, 2015.	143쪽
		숲속 재봉사	최향랑	『숲속 재봉사』 – (주)창비, 2010.	147쪽

구성과 특징 / 교과서 진도북

1 쉽고 재미있게 개념 익히기

✓ 재미있는 개념 만화도 함께 보아요!

2 『국어』, 『국어 활동』교과서 학습하기

국어 교과서

국어 활동 교과서

3 교과서에 실린 문제는 자습서로 꼼꼼하게!

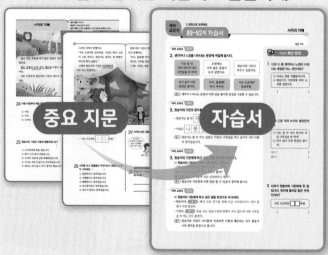

중요 지문

자습서

✓ 「자습서」는 국어 교사용 지도서를 반영한 <교과서 문제 답안 모음집> 입니다.

1 개념 학습

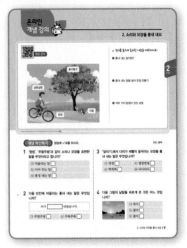

✅ 선생님의 강의를 듣고 확인 문제를 풀어요!

2 단원 평가 풀고 성적 피드백 받기

✅ 채점과 성적 분석이 한번에!

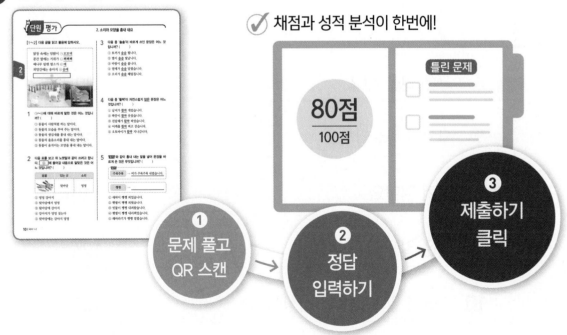

① 문제 풀고 QR 스캔 → ② 정답 입력하기 → ③ 제출하기 클릭

차례

1-2 가

1	소중한 책을 소개해요	8쪽
2	소리와 모양을 흉내 내요	22쪽
3	문장으로 표현해요	34쪽
4	바른 자세로 말해요	50쪽
5	알맞은 목소리로 읽어요	66쪽

1-2 나

6	고운 말을 해요	80쪽
7	무엇이 중요할까요	94쪽
8	띄어 읽어요	110쪽
9	겪은 일을 글로 써요	126쪽
10	인물의 말과 행동을 상상해요	140쪽

등장인물 소개

"사람이 되고 싶어요"

곰과 호랑이가 사람이 되기 위해서는 쑥과 마늘 외에도 사람 친구가 필요하대요.
친구를 찾아 학교에 간 곰과 호랑이, 과연 아이들과 친구가 될 수 있을까요?

곰

영리하고 호기심이 많아요.
마음도 따뜻해서 항상 사고
뭉치 호랑이를 챙겨 주어요.

호랑이

덩치만 컸지 사실은 아주 소심
해요. 사람들은 호랑이라고 무
서워하지만 알고 보면 말과 행
동이 귀여운 친구랍니다.

예준

학교에 온 곰과 호랑이를
보고 깜짝 놀란 예준이예요.
함께 학교에 다니면서 곰과
호랑이에게 마음을 열게 되
지요.

민서

예쁘고 똑똑한 민서는 예준이와
둘도 없는 단짝이에요. 예준이와
함께 곰과 호랑이의 학교생활을
많이 도와주어요.

선생님

우락부락하게 생겼지만 마음씨
는 세심하고 부드러운 선생님
이에요. 아이들을 늘 사랑하고
아껴 주세요.

소중한 책을 소개해요

개념① 글을 읽고 재미있는 부분 찾기

① 글을 읽고 재미있는 말을 찾습니다.
② 글을 읽고 재미있는 표현을 찾습니다.
③ 글을 읽고 재미있는 장면을 떠올려 봅니다.

● 시 「발가락」의 재미있는 부분

심심할 때면
저희끼리
꼼질꼼질.

꼼질꼼질 움직인다는 말이 재미있어요!

개념② 글을 읽고 새롭게 알게 된 점 말하기

① 자신이 이미 알고 있는 점을 생각합니다.
② 알고 싶은 점은 무엇인지 생각합니다.
③ 글을 읽고 이전에 몰랐던 내용을 찾아 봅니다.
④ 새롭게 알게 된 점은 무엇인지 생각합니다.

● 「돌잡이」를 읽고 새롭게 알게 된 점 말하기

돌잡이는 아기가 여러 가지 물건 가운데에서 한두 개를 잡는 것입니다.

글을 읽고 돌잡이가 무엇인지 새롭게 알게 되었어요!

개념③ 낱말의 받침에 주의하며 글 쓰기

① 'ㄲ', 'ㅆ'과 같이, 같은 자음자가 두 번 쓰이는 받침을 '쌍받침'이라고 합니다.
② 낱말의 받침에 주의해서 읽고 씁니다.

내 이름은 쌍기역이야!

내 이름은 쌍시옷이야! 나는 아주 많은 낱말에 쓰이지!

● ㄲ, ㅆ이 들어간 낱말

| 낚 | 시 |

| 맛 | 있 | 다 |

1 단원

---

1 어떤 경험을 나타낸 그림인지 ○표를 하세요.

(1) 책을 읽은 경험 ( )

(2) 운동을 한 경험 ( )

(3) 소풍을 간 경험 ( )

(4) 이야기를 한 경험 ( )

3 다음 그림에서 들려주고 있는 이야기에는 누가 나올까요? ( )

① 왕자

② 호랑이

③ 인어 공주

④ 백설 공주

⑤ 흥부와 놀부

2 ❶~❹의 장소는 어디인지 선으로 이으세요.

(1) ❶ • • ㉠ 집

(2) ❷ • • ㉡ 공원

(3) ❸ • • ㉢ 교실

(4) ❹ • • ㉣ 서점

4 내가 재미있게 읽은 책의 제목과 주인공을 써 보세요.

(1) 책 제목	(2) 주인공

발가락

· 글쓴이: 이상교
· 글의 종류: 시
· 중심 글감: 발가락

심심할 때면
저희끼리
꼼질꼼질.

서로서로
예쁘다, 예쁘다
꼼질꼼질.

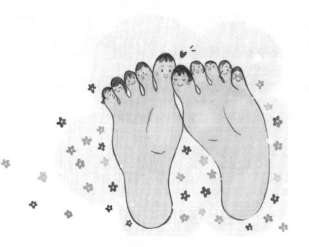

꼼질꼼질 몸을 계속 천천히 조금씩 움직이는 모양. 꼼지락꼼지락.
㉔ 아기가 <u>꼼질꼼질</u> 손가락을 움직여요.

5 발가락은 어떤 때면 꼼질꼼질하나요?

(   )

6 발가락은 어떻게 움직이는지 ○표를 하세요.

(1) 시끄럽게 움직인다. (   )
(2) 아주 빠르게 움직인다. (   )
(3) 천천히 조금씩 움직인다. (   )

7 발가락들이 꼼질꼼질하면서 서로에게 하는 말은 무엇인가요? (   )

① 빨리, 빨리   ② 예쁘다, 예쁘다
③ 고마워, 고마워   ④ 미안해, 미안해
⑤ 재잘재잘, 재잘재잘

8 이 시의 재미있는 부분과 재미있는 까닭을 선으로 이으세요.

(1) | 저희끼리 꼼질꼼질. | •

• ㉠ | 서로 예쁘다고 칭찬해 주어서 재미있어요.

(2) | 서로서로 예쁘다, 예쁘다 | •

• ㉡ | '꼼질꼼질' 움직이는 게 재미있어요.

🧢 교과서 문제

9 보기와 같이 발가락을 보고 떠오르는 장면을 재미있게 그려 보세요.

보기

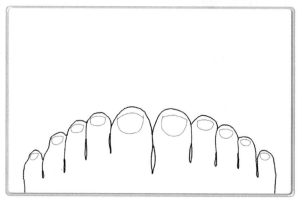

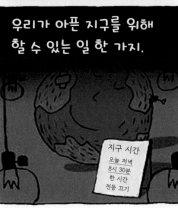

우리가 아픈 지구를 위해 할 수 있는 일 한 가지.

지구 시간
오늘 저녁
8시 30분
한 시간
전등 끄기

💡 만화의 내용 생각하기

① 밤에 전등이 켜져 있고, 텔레비전도 켜져 있어요.

② 아이가 전등을 끄고 텔레비전도 껐어요.

③ 지구에 수많은 전등이 켜져 있고, 지구가 아파해요.

④ 전등이 꺼지자 지구가 편하게 잠을 자요.

지구를 위해 한 시간 전등 끄기를 하자고 말하고 있어요!

10 아이가 불을 끈 까닭은 무엇일까요? (   )

① 학교에 가려고
② 전기를 아끼려고
③ 책을 읽고 싶어서
④ 음식을 골고루 먹으려고
⑤ 운동을 해야 건강하니까

🔖 교과서 문제

11 지구가 아프다고 한 까닭으로 알맞은 것을 찾아 ○표를 하세요.

(1) 사람들이 큰 소리로 노래해서 (   )
(2) 사람들이 쓰레기를 함부로 버려서 (   )
(3) 사람들이 전기를 아껴 쓰지 않아서 (   )

12 만화의 재미있는 부분과 재미있는 까닭을 선으로 이으세요.

(1) •

• ㉠ 편안하게 잠을 자는 모습이 재미있어요.

(2) •

• ㉡ 아파하는 지구의 얼굴이 실감 나요.

13 지구를 아프게 하지 않는 또 다른 방법으로 알맞으면 ○, 그렇지 않으면 ×표를 하세요.

(1) 꽃을 함부로 꺾지 않는다. (   )
(2) 쓰레기를 아무 곳에나 버린다. (   )
(3) 빈 병은 모아서 재활용을 한다. (   )

돌잡이

우리 조상들은 아기의 첫 번째 생일에 돌잔치를 했습니다. 돌잔치에서는 맛있는 음식을 차려 나누어 먹고 돌잡이도 했습니다. 돌잡이는 아기가 여러 가지 물건 가운데에서 한두 개를 잡는 것입니다.
_{돌잔치 때 하는 것}

돌잡이상 위에는 쌀, 떡, 책, 붓, 돈, 활, 실 등을 올려놓았습니다. 실을 잡는 아이는 오래 살 것이라고 생각했습니다. 책을 잡는 아이는 공부를 잘하게 될 것이라고 여겼습니다. 또 쌀을 잡는 아이는 부자가 될 것이라고 했습니다.
_{생각했습니다.}

우리 조상들은 돌잔치를 하면서 아기가 건강하고 행복하게 자라기를 바랐습니다.

- **글의 종류**: 설명하는 글
- **중심 글감**: 돌잡이, 돌잔치
- **중심 내용**: 우리 조상들은 돌잔치를 하면서 아기가 건강하고 행복하게 자라기를 바랐습니다.

📍 돌잡이상에 놓는 것

조상 한 집안이나 민족의 옛 어른들.
　예 김치는 우리 조상의 지혜가 담겨 있는 음식입니다.

돌잔치 아이의 첫 번째 생일에 하는 잔치.

---

14 아기의 첫 번째 생일에 하는 잔치를 무엇이라 하나요?

(　　　　　　　　)

15 돌잡이에서 아기가 어떤 물건을 잡았을 때 다음과 같은 생각을 하였는지 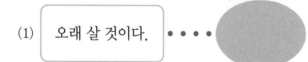에서 찾아 붙이세요.

교재 앞에 있는 붙임 ❶을 사용하세요.

(1) | 오래 살 것이다. | • • • • ○

(2) | 공부를 잘하게 될 것이다. | • • • • ○

(3) | 부자가 될 것이다. | • • • • ○

16 이 글을 읽고 새롭게 알 수 있는 점을 두 가지 고르세요. (　 , 　)

① 돌잔치는 아기가 태어나자마자 한다.
② 돌잡이는 아기의 첫 번째 생일에 한다.
③ 오늘날은 대부분 돌잔치를 하지 않는다.
④ 돌잡이상에는 쌀, 떡, 책, 붓 등이 놓였다.
⑤ 돌잔치에는 여러 가지 모양의 돌이 쓰인다.

📝 서술형·논술형 문제

17 우리 조상들은 돌잔치를 하면서 무엇을 바랐나요?

• 아기가 ＿＿＿＿＿＿＿＿＿＿＿＿＿＿

＿＿＿＿＿＿＿＿＿＿＿＿＿＿＿＿＿＿

18 그림을 보고 알맞은 글자에 ○표를 하세요.

(1)

(낙 / 낚)시를 해요.

(2)

생선이 맛(잇 / 있)어요.

19 같은 받침이 들어간 파란색 낱말끼리 선으로 이으세요.

(1)

끈을 묶는다.

⊙ 모자를 썼다.

(2)

잠을 잤다.

ⓒ 책상을 닦는다.

🍙 교과서 문제

20 ☐에 들어갈 알맞은 글자를 풀밭에서 골라 써넣으세요.

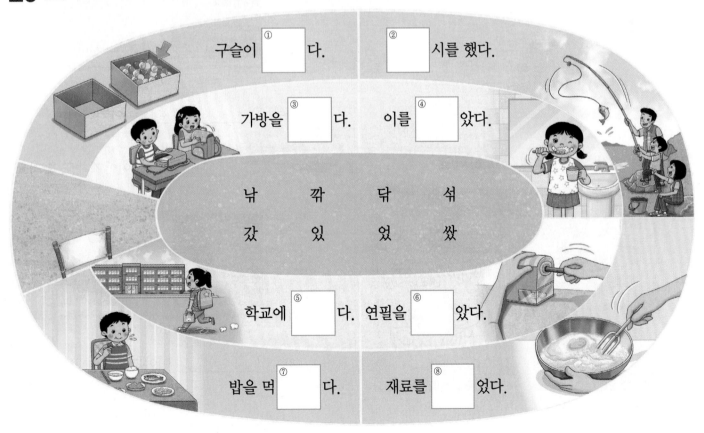

구슬이 ① ☐ 다.

② ☐ 시를 했다.

가방을 ③ ☐ 다.

이를 ④ ☐ 았다.

낚 깎 닦 섞
갔 있 었 쌌

학교에 ⑤ ☐ 다.

연필을 ⑥ ☐ 았다.

밥을 먹 ⑦ ☐ 다.

재료를 ⑧ ☐ 었다.

나는 책이 좋아요

- 글쓴이: 앤서니 브라운
- 중심 글감: 책을 좋아하는 나
- 글의 내용: 나는 여러 가지 책을 모두 좋아해요.

나는 책이 좋아요.

만화책이나 색칠하기 책도 좋아요.
두꺼운 책도 얇은 책도 좋아요.
공룡 이야기책이나 괴물 이야기책도
물론 좋지요.
우주 이야기책도 좋고 해적이 나오
는 책도 좋아요.
<u>배를 타고 재물을 빼앗는 도적</u>
노래책, 이상한 이야기책까지!

맞아요, 난 책이 정말 좋아요.

❂ 여러 가지 모양의 책

21 '나'는 무엇을 좋아한다고 하였나요? (   )

① 책   ② 우주
③ 그림   ④ 공룡
⑤ 노래

22 다음 중 색칠하기 책에 ○표 하세요.

(1) (   )   (2) (   )

23 그림을 보고 '나'는 어떤 책을 좋아한다고 하였
는지 쓰세요.

나는 ①_____ 이야기책이나

②_____ 이야기책도 좋지요.

③_____ 이야기책도 좋고

④_____ 이 나오는 책도 좋아요.

24 위 그림을 보고 물음에 답하세요.

(1) 잃어버린 강아지를 찾아 위 그림에 빨간색으로 ○표를 하세요.

> 강아지를 찾아 주세요
>
> 이름: 하늘이
>
> 특징: 털이 꼬불꼬불하고 덩치가 작습니다. 목에 리본을 달고 있습니다.

(2) 건강하게 생활하기 위해 알아 두면 좋은 내용을 찾아 파란색으로 ○표를 하세요.

(3) 다음 가게의 이름을 찾아 쓰세요.

> ㉠ 빵 가게: ＿＿＿＿＿＿＿＿＿＿
>
> ㉡ 통닭 가게: ＿＿＿＿＿＿＿＿＿

25 여러 가지 모양의 책을 보고 물음에 답하세요.

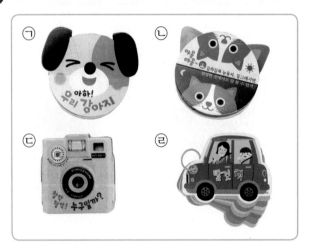

(1) 귀여운 동물 모양의 책은 ㉠~㉣ 중 무엇무엇인가요?

(,   )

(2) ㉢은 어떤 모양의 책인가요?

(   )

(3) ㉣의 책은 어떤 그림들이 많이 있을까요?

(   )

26 책을 읽고 몰랐던 것을 알게 된 친구는 누구일지 ○표 하세요.

(1)　　　　　　　　(2)

(　　)　　　　　　(　　)

27 재미있고 신나는 책을 읽는 친구는 누구일지 ○표 하세요.

(1)　　　　　　　　(2)

(　　)　　　　　　(　　)

28 책을 소개할 때 말할 내용으로 알맞지 <u>않은</u> 것은 어느 것인가요? (　　　　)

① 책의 제목　　　　② 책의 줄거리
③ 책을 읽은 사람　　④ 재미있었던 부분
⑤ 책을 읽고 느낀 점

🔧 서술형·논술형 문제

29 재미있게 읽었던 이야기책을 떠올려 보고, 친구들에게 소개할 내용을 쓰세요.

(1) 책의 제목	
(2) 등장인물	
(3) 재미있었던 부분	
(4) 생각하거나 느낀 점	

1~2

1 친구들은 어디에서 책을 읽고 있는지 보기에서 찾아 쓰시오.

보기

집   서점   도서관

(1) ❶ : (   )
(2) ❷ : (   )

2 그림 ❷와 같은 곳에서 주의할 점에 ○표 하시오.

(1) 조용히 한다.   (   )
(2) 친구와 장난을 친다.   (   )
(3) 소리 내어 책을 읽는다.   (   )

3 책을 읽으면 좋은 점에 모두 ○표 하시오.

(1) 몸이 더 튼튼해진다.   (   )
(2) 재미를 느낄 수 있다.   (   )
(3) 몰랐던 것을 알 수 있다.   (   )
(4) 친구들과 사이좋게 지낼 수 있다.   (   )

4~6   발가락

심심할 때면
저희끼리
꼼질꼼질.

서로서로
예쁘다, 예쁘다
꼼질꼼질.

4 무엇에 대해 쓴 시입니까? (   )

① 양말   ② 신발   ③ 선생님
④ 발가락   ⑤ 손가락

5 발가락이 움직이는 모양을 어떤 말로 표현하였는지 쓰시오.

(   )

6 지호가 이 시를 읽고 재미있는 부분에 대해 말하고 있습니다. 빈칸에 알맞은 말을 써넣으시오.

발가락들이 서로 [   ]
고 칭찬하는 모습이 떠올라서 재미있어요.

1 단원

7~8

9~12 돌잡이

우리 조상들은 아기의 첫 번째 생일에 돌잔치를 했습니다. 돌잔치에서는 맛있는 음식을 차려 나누어 먹고 돌잡이도 했습니다. 돌잡이는 아기가 여러 가지 물건 가운데에서 한두 개를 잡는 것입니다.

돌잡이상 위에는 쌀, 떡, 책, 붓, 돈, 활, 실 등을 올려놓았습니다.

9 무엇에 대해 설명하고 있는 글입니까? (   )

① 아기   ② 돌잡이
③ 생일 선물   ④ 조상의 지혜
⑤ 여러 가지 음식

7 그림 ❶과 ❷에서 지구는 어떤 표정을 지었을지 선으로 이으시오.

(1)  •   • ㉠ 웃는 표정

(2)  •   • ㉡ 찡그린 표정

10 '돌잔치'는 언제 한다고 하였습니까?

(   )

11 '돌잡이'는 무엇을 말합니까? (   )

① 아기가 처음으로 걷는 것
② 아기가 처음으로 하는 노래
③ 아기가 자면서 방긋 웃는 것
④ 아기가 돌잔치 때 돌멩이를 잡는 것
⑤ 아기가 돌잔치 때 물건 한두 개를 잡는 것

8 전기를 마구 쓰면 지구가 아파하는 까닭은 무엇이겠습니까? (   )

① 지구가 전기에 감전되기 때문에
② 전등의 불빛이 지구를 빛나게 해서
③ 전기를 만드느라 지구의 자원을 많이 써서
④ 전기를 마구 쓰면 지구가 작아지기 때문에
⑤ 전기를 많이 쓰면 공기가 맑아지기 때문에

12 돌잡이를 할 때 상 위에 올려놓는 것을 모두 고르시오. (,   ,   )

① 쌀   ② 빵   ③ 책   ④ 실   ⑤ 죽

1
단원

진도 완료
체크

13~15 돌잡이

실을 잡는 아이는 오래 살 것이라고 생각했습니다. 책을 잡는 아이는 공부를 잘하게 될 것이라고 여겼습니다. 또 쌀을 잡는 아이는 부자가 될 것이라고 했습니다.

우리 조상들은 돌잔치를 하면서 아기가 건강하고 행복하게 자라기를 바랐습니다.

13 돌잡이에서 쌀을 잡은 아이를 보고 조상들은 어떤 생각을 하였을지 ○표 하시오.

(1) 오래 살겠구나. ( )

(2) 부자가 되겠구나. ( )

(3) 건강하게 살겠구나. ( )

14 돌잡이에서 아이가 무엇을 잡아야 공부를 잘하겠다고 생각하였습니까?

( )

15 이 글을 읽고 새롭게 알게 된 점으로 알맞으면 ○, 그렇지 않으면 ×표를 하시오.

(1) 옛날에는 부잣집에서만 돌잔치를 할 수 있었다. ( )

(2) 돌잡이에서 아기가 실을 잡으면 오래 살 것이라고 여겼다. ( )

(3) 우리 조상들은 돌잔치를 하면서 아기가 건강하고 행복하게 자라기를 바랐다. ( )

16 그림에 알맞은 글자를 써넣으시오.

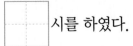 시를 하였다.

[17~19] 그림을 보고 밑줄 그은 부분을 바르게 고쳐 쓰시오.

17

재료를 <u>석었다</u>.

→ ( )

18

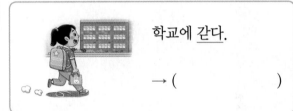

학교에 <u>간다</u>.

→ ( )

19

이를 <u>닥았다</u>.

→ ( )

🍱 서술형·논술형 문제

20 재미있게 읽은 책을 떠올려 책의 제목과 소개하고 싶은 까닭을 쓰시오.

(1) 책의 제목	
(2) 소개하고 싶은 까닭	

2 소리와 모양을 흉내 내요

퀴즈

1. 빈칸에 들어갈 알맞은 흉내 내는 말은 무엇인가요?

　　　　 비가 옵니다.

(　　　　　　　)

개념① 흉내 내는 말 알아보기

① '멍멍', '주렁주렁'과 같이 소리나 모양을 표현한 말을 흉내 내는 말이라고 합니다.
② 흉내 내는 말을 사용하면 소리나 모양을 실감 나게 나타낼 수 있습니다.

● 여러 가지 흉내 내는 말

개념② 흉내 내는 말을 넣어 문장 만들기

① 그림이나 문장의 내용을 보고 무엇을 흉내 내면 좋을지 생각합니다.
② 빈칸에 어떤 흉내 내는 말을 넣을지 생각합니다.
③ 흉내 내는 말을 넣어 문장이 자연스러운지 확인합니다.

● 알맞은 흉내 내는 말 넣기

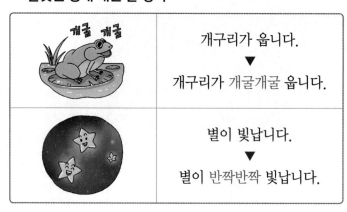

개념③ 여러 가지 받침이 있는 낱말 알기

① 'ㄳ, ㄵ, ㄶ, ㄺ……'과 같이 서로 다른 두 개의 자음자가 쓰이는 받침을 '겹받침'이라고 합니다.
② 낱말의 받침에 주의해서 읽고 씁니다.

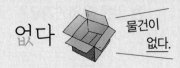
물건이 없다.

● 'ㄶ, ㄼ'이 들어간 낱말

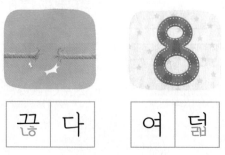
끊다 여덟

동물 농장

닭장 속에는 암탉이 꼬꼬댁
문간 옆에는 거위가 꽥꽥꽥
배나무 밑엔 염소가 매
외양간에는 송아지 음매

오 히 야하 오 오오 오오

흥내 내는 말
'멍멍', '주렁주렁'과 같이 소리나 모습을 표현한 말을 흥내 내는 말이라고 합니다.

문간 출입문이 있는 곳.
외양간 소나 말을 기르는 곳.

2단원

교과서 문제

1 동물들은 어디에 있나요?

(1) 암탉: (   )

(2) 거위: (   )

(3) 염소: (   )

(4) 송아지: (   )

3 「동물 농장」에 나오는 동물의 울음소리를 바꾸어 쓰세요.

(1) 거위 ┄┄┄ [   ]

(2) 염소 ┄┄┄ [   ]

(3) 송아지 ┄┄┄ [   ]

2 동물의 울음소리를 흥내 내는 말을 찾아 선으로 이으세요.

(1) 암탉 •   • ① 매

(2) 거위 •   • ② 꽥꽥꽥

(3) 염소 •   • ③ 음매

(4) 송아지 •   • ④ 꼬꼬댁

4 다음 물건이 어떻게 움직이는지 흥내 내는 말을 선으로 이으세요.

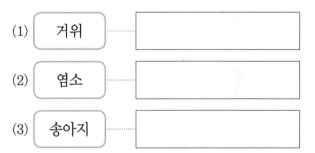

(1)   • ① 퉁퉁

(2)   • ② 흔들흔들

(3)    • ③ 빙글빙글

5 그림을 보고 보기 에서 알맞은 흉내 내는 말을 찾아 쓰세요.

보기
멍멍 반짝반짝 주렁주렁 살금살금

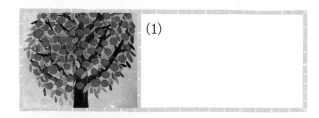
(1)

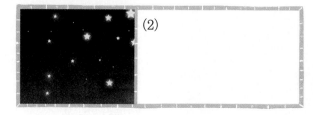
(2)

6 보기 에서 그림과 어울리는 흉내 내는 말을 찾아 쓰세요.

보기
주룩주룩 쨍쨍 쏙쏙 활짝

(1) 해바라기가 _____ 싹을 틔웠습니다.

▼

(2) 비가 _____ 내렸습니다.

▼

(3) 햇볕이 _____ 내리쬐었습니다.

▼

(4) 해바라기는 꽃을 _____ 피웠습니다.

7 그림과 어울리는 흉내 내는 말을 쓰세요.

(1) 고양이가 [   ] 웁니다.

(2) 구름이 [   ] 떠 있습니다.

(3) 자전거를 탄 사람이 [   ] 지나갑니다.

교과서 문제

8 흉내 내는 말을 넣어 친구의 얼굴 표정을 나타내어 보세요.

(1) 신기한 이야기를 들으면 두 눈이 (   ) 빛납니다.

(2) 슬픈 이야기를 들으면 (   ) 웁니다.

(3) 재미있는 이야기를 들으면 (   ) 웃습니다.

달리기

준비!
가슴이 ㉠벌렁벌렁

삑!
호루라기 소리

내 발이 다다다다
다리가 재빨리 움직이는 모양
바람이 씽씽
바람이 지나가는 소리

나도
친구도
헉헉헉.

• 글의 종류: 시
• 중심 글감: 달리기
• 글의 특징: 달리기를 할 때의 모습을 흉내 내는 말로 재미있게 표현한 시입니다.

벌렁벌렁 몸의 일부가 가볍고 재빠르게 잇따라 움직이는 모양.
㉔ 가슴이 벌렁벌렁 뛰었습니다.
헉헉헉 몹시 놀라거나 숨이 차서 숨을 자꾸 몰아쉬는 소리나 모양.

9 '나'와 친구들은 무엇을 하고 있나요?

(   )

교재 앞에 있는 붙임 ❶을 사용하세요.

10 다음 흉내 내는 말과 어울리는 그림을 붙임딱지에서 찾아 붙여 보세요.

(1) 벌렁벌렁

(2) 삑

(3) 다다다다

(4) 헉헉헉

11 ㉠과 바꾸어 쓸 수 있는 말은 무엇인가요?

(   )

① 씽씽
② 후다닥
③ 살금살금
④ 출렁출렁
⑤ 쿵쾅쿵쾅

12 보기 와 같이 「달리기」에 쓰인 흉내 내는 말로 문장을 만들어 쓰세요.

> 보기
> 출발선에서 가슴이 벌렁벌렁 뛰었습니다.

(1) 호루라기를 _____

(2) 온 힘을 다해 _____

(3) 바람이 _____

(4) 달리기가 끝나고 _____

방귀

아빠 방귀 **우르르 쾅** 천둥 방귀
엄마 방귀 **가르르릉 광** 고양이 방귀
내 방귀 **삘리리리** 피리 방귀

• 글쓴이: 신현림
• 글의 특징: 아빠, 엄마, '나'의 방귀 소리를 천둥, 고양이, 피리 소리에 빗대어 재미있게 표현한 시입니다.

즐거운 단풍 구경

우리 가족은 공원에 갔다. 단풍이 ㉠ 예쁘게 물들어 있었다. 고추잠자리가 ㉡ 날아다니고 우리 강아지도 신이 나서 ㉢ 짖었다. 동생도 깔깔 웃으며 이리저리 뛰어다녔다. 우리 가족은 단풍을 보며 즐거운 시간을 보냈다.

---

13 아빠 방귀는 어떤 소리가 난다고 하였나요?
( )

① 숨소리　② 빗소리　③ 파도 소리
④ 천둥소리　⑤ 바람 소리

14 엄마의 방귀 소리는 어떤 동물의 소리와 비슷한가요? ( )

① 개　② 소　③ 염소
④ 병아리　⑤ 고양이

📋 **서술형·논술형 문제**

15 내 방귀는 어떤 소리가 나는지 이 시처럼 표현해 보세요.

> 내 방귀 삘리리리 피리 방귀

> 내 방귀 _____

16 ㉠ ~ ㉢ 에 알맞은 흉내 내는 말을 선으로 이으세요.

(1) ㉠ •　　• ① 윙윙
(2) ㉡ •　　• ② 멍멍
(3) ㉢ •　　• ③ 울긋불긋

17 다음 그림에 어울리는 흉내 내는 말을 보기 에서 찾아 쓰세요.

보기
찰칵　　냠냠　　윙윙

(1) 　(2)
( )　　　( )

| 20○○년 9월 15일 금요일 | 날씨: 맑음 |

나는 바닷가 모래밭에 ⊙앉아서 친구와 놀았다.
우리는 모래성을 ⓒ만이 쌓았다.

2
단원

겹받침
서로 다른 두 개의 자음자로 이루어진 받침.

ㄳ ㄵ ㄶ ㄺ ㄻ
ㄼ ㄾ ㅄ

18 '나'는 친구와 무엇을 쌓으며 놀았나요?

(   )

19 ⊙ 글자의 짜임입니다. 빈칸에 알맞은 받침을 써넣으세요.

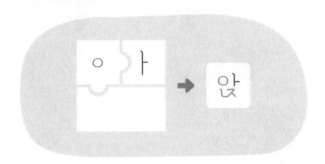

ㅇ ㅏ → 앉

20 ⓒ '만' 자를 바르게 고쳐 쓰세요.

21 글자를 자음자와 모음자로 풀어쓰세요.

(1) 몫 → ㅁ ㅗ
(2) 없 → ㅇ

22 그림을 보고 알맞은 받침을 써넣으세요.

(1)
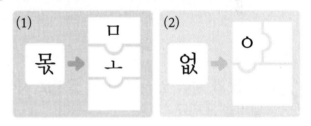
여 더

(2)
끄 다

(3)
가

(4)
어 다

23 빈칸에 알맞은 낱말을 넣어 끝말잇기를 하세요.

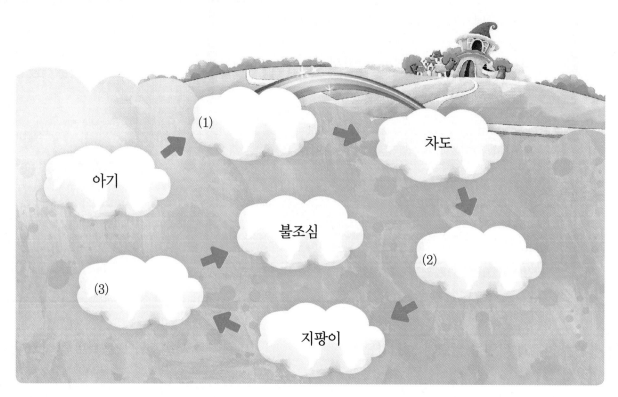

아기 → (1) → 차도 → (2) → 지팡이 → 불조심 → (3)

24 보기 와 같이 앞 낱말의 끝 글자로 시작하는 낱말을 쓰세요.

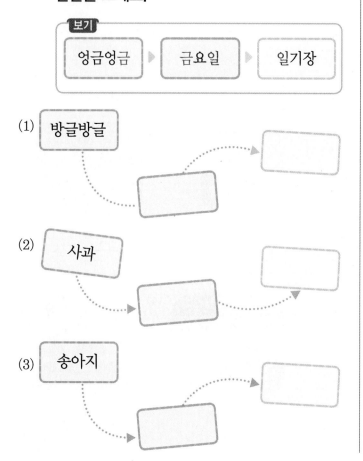

보기

| 엉금엉금 ▶ 금요일 ▶ 일기장 |

(1) 방글방글

(2) 사과

(3) 송아지

25 빈칸에 알맞은 낱말을 넣어 끝말잇기를 하세요.

(1)
물고기
풍선
(2)
단풍
(3)

끝말잇기를 많이 하면 어휘력도 좋아져요!

단원 평가

2. 소리와 모양을 흉내 내요

1 다음 노랫말의 빈칸에 어울리는 말을 써넣으시오.

> 닭장 속에는 암탉이 꼬꼬댁
> 문간 옆에는 거위가 꽥꽥꽥
> 배나무 밑엔 염소가 매
> 외양간에는 송아지 ☐

2 다음 그림에 어울리는 흉내 내는 말 두 가지를 고르시오. (　,　)

① 팡팡 ② 윙윙 ③ 졸졸
④ 솔솔 ⑤ 퉁퉁

3 다음 그림에 가장 알맞은 문장은 어느 것입니까? (　)

① 열매가 출렁출렁 달렸습니다.
② 열매가 주렁주렁 떨어집니다.
③ 열매가 뭉게뭉게 달렸습니다.
④ 열매가 주룩주룩 열렸습니다.
⑤ 열매가 주렁주렁 달렸습니다.

4 보기 처럼 흉내 내는 말을 넣어 문장을 만들어 쓰시오.

보기

해바라기가 쑥쑥 싹을 틔웠습니다.

(1) 비가 ＿＿＿＿ 내렸습니다.

(2) 햇볕이 ＿＿＿＿ 내리쬐었습니다.

5 밑줄 그은 흉내 내는 말이 어울리지 않는 문장은 어느 것입니까? (　)

① 고양이가 야옹야옹 웁니다.
② 자전거가 씽씽 지나갑니다.
③ 구름이 둥실둥실 떠 있습니다.
④ 나뭇잎이 살랑살랑 움직입니다.
⑤ 단풍이 뭉게뭉게 물들었습니다.

📚 서술형·논술형 문제

6 다음 그림을 보고 흉내 내는 말을 넣어 문장을 만드시오.

＿＿＿＿＿＿＿＿

＿＿＿＿＿＿＿＿

7~8 내 친구

⊙ 신기한 이야기를 들으면 두 눈이 빛납니다.
슬픈 이야기를 들으면 훌쩍훌쩍 웁니다.
재미있는 이야기를 들으면 까르르 웃습니다.

7 글에 쓰인 흉내 내는 말 두 가지는 무엇과 무엇입니까?

(,   )

8 ⊙ 문장에 들어갈 수 있는 흉내 내는 말 두 가지를 고르시오. (,   )

① 엉엉   ② 초롱초롱   ③ 살금살금
④ 퐁당퐁당   ⑤ 반짝반짝

9 다음 그림에 어울리는 흉내 내는 말을 쓰시오.

🎲 서술형·논술형 문제

10 다음 그림을 보고 흉내 내는 말을 넣어 문장을 만드시오.

11~13 달리기

준비! 가슴이 벌렁벌렁 삑! 내 발이 ⊙다다다다 바람이 씽씽	나도 친구도 헉헉헉.

11 이 시에 쓰인 흉내 내는 말이 <u>아닌</u> 것은 어느 것입니까? (   )

① 삑   ② 준비   ③ 씽씽
④ 헉헉헉   ⑤ 벌렁벌렁

12 ⊙에서 떠오르는 모습으로 알맞은 것에 ○표 하시오.

(1) (   )   (2) (   )

13 보기 와 같이 문장을 만들어 보시오.

보기
바람이 *씽씽* → 바람이 *씽씽* <u>불었습니다.</u>

• 친구도 *헉헉* → 친구도 *헉헉* _____

14 다음 시의 ㉠ ~ ㉢ 에 들어갈 알맞은 말을 선으로 이으시오.

아빠 방귀 ㉠ 천둥 방귀
엄마 방귀 ㉡ 고양이 방귀
내 방귀 ㉢ 피리 방귀

(1) ㉠ •   • ① 삘리리리

(2) ㉡ •   • ② 우르르 쾅

(3) ㉢ •   • ③ 가르르릉 광

15 밑줄 그은 흉내 내는 말이 어울리지 <u>않는</u> 것은 어느 것입니까? (   )

우리 가족은 공원에 갔다. 단풍이 ①울긋불긋 예쁘게 물들어 있었다. 고추잠자리가 ②윙윙 날아다니고 우리 강아지도 신이 나서 ③폴짝폴짝 짖었다. 동생도 ④깔깔 웃으며 이리저리 뛰어다녔다.

16 보기 와 같이 맞춤법에 맞지 않는 흉내 내는 말을 바르게 고쳐 쓰시오.

보기
• 토끼가 깡충깡충 뛰었습니다. → 깡충깡충

(1) 둘이서 소근소근 이야기합니다.

→ _____

(2) 동생과 티격티격 다투었습니다.

→ _____

17 ☐에 모두 들어가는 받침은 무엇입니까?

 아☐다   어☐다

(   )

18 그림에 알맞은 낱말은 어느 것입니까? (   )

① 끈다   ② 끊다
③ 끌다   ④ 끓다
⑤ 끎다

19 다음 문장의 ㉠ ~ ㉢ 에 들어갈 글자를 보기 에서 찾아 쓰시오.

누나는 울고 있는 고양이를 가슴에 ㉠고 의자에 ㉡았습니다.
고양이는 더 이상 울지 ㉢았습니다.

보기
안   않   앉   앓

㉠: (   ) ㉡: (   ) ㉢: (   )

20 다음 글에서 잘못 쓴 낱말 두 가지를 찾아 바르게 고쳐 쓰시오.

놀이터에는 친구들이 만이 와 있었습니다. 얇븐 옷을 입은 나는 조금 추웠습니다.

	잘못 쓴 낱말	바르게 고쳐 쓰기
(1)		
(2)		

3 문장으로 표현해요

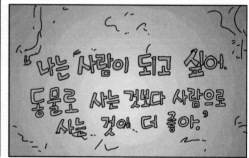

찾았다!

읽어 줘!

100일간 쑥과 마늘을 먹은 후 진정한 인간 친구를 만들면 사람이 될 것이다.

이제 진정한 친구를 만들면 사람이 되는 거구나.

그런가 봐.

그런데 어떻게 진정한 친구를 구하지?

그건 문제없어!

어흥~ 진정한 친구가 되면 안 잡아먹~지!

아이고, 깜짝이야. 그, 그래! 친구로 지내자.

될 리가 있냐?

친구를 만들기 위해서 학교에 가자.

학교? 난 공부 하기 싫은데……

예전 우리 할아버지가 썼던 방법인데……

오! 자세히 설명해 줘.

그러면 평생 호랑이로 살든지~

같이 가!!

정답 7쪽

퀴즈

1. 더 자세하게 표현한 문장에 ○ 표 하세요.

(1) 호랑이는 산골에 삽니다.

(　　　)

(2) 호랑이는 산골에 삽니다. 맑은 물과 공기를 마시며 행복하게 삽니다. (　　　)

개념① 따옴표의 종류와 쓰임

작은따옴표	큰따옴표
' '	" "
인물이 마음속으로 한 말을 적을 때 씁니다.	인물이 소리 내어 한 말을 적을 때 씁니다.

작은따옴표와 큰따옴표

㉠ '어떤 마술을 보여 줄까?'
우리는 궁금했습니다.
㉡ "여러분, 모두 여기를 보세요."

• ㉠은 아이들이 속으로 생각한 말입니다.
• ㉡은 마술사가 아이들에게 소리 내어 한 말입니다.

개념② 생각을 문장으로 나타내기

① 하고 싶은 말을 떠올립니다.
② 자신의 생각을 간단히 말해 봅니다.
③ 자신의 생각이 분명히 드러나도록 문장을 만들어 씁니다.

그림에 대한 생각을 문장으로 표현하기

사이좋게 지내면 좋을 텐데……

➡ 친구는 소중하다고 생각한다.
  친구들이 사이좋게 지내면 좋겠다.

개념③ 받침에 주의하며 문장 쓰기

① 두 개의 자음자로 이루어진 받침이 들어간 글자를 주의하여 씁니다.
② 낱말의 받침에 주의해서 문장을 바르게 읽고 씁니다.

뚫 다

받침에 주의하여 문장 쓰기

읽 다

• 동생이 책을 읽고 있습니다.
• 책을 읽는 것은 즐겁습니다.
• 나는 재미있는 책을 읽었습니다.

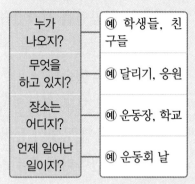

♀ 그림을 보고 문장 말하기

❶ 그림을 보고 떠오르는 낱말을 자유롭게 말해 봅니다.

누가 나오지?	예 학생들, 친구들
무엇을 하고 있지?	예 달리기, 응원
장소는 어디지?	예 운동장, 학교
언제 일어난 일이지?	예 운동회 날

3
단원

❷ 떠올린 낱말을 넣어 문장을 만들 수 있습니다.

- 운동회 날 달리기를 하고 있습니다.
- 학교 운동장에서 가을 운동회가 열렸습니다.

1 그림 속 장면은 언제일까요?

(   )

교재 앞에 있는 붙임 ❶을 사용하세요.

2 문장에 알맞은 그림을 찾아 붙임딱지를 붙이세요.

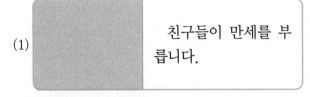

(1) 친구들이 만세를 부릅니다.

(2) 친구들이 달릴 준비를 합니다.

3 그림에 알맞은 말을 골라 ○표 하세요.

친구들이 (응원을 / 달리기를) 합니다.

🧢 교과서 문제

4 그림의 내용을 문장으로 써 보세요.

(1) 아이들이 줄넘기를 ＿＿＿＿＿＿.

(2) ＿＿＿＿＿＿ 넘어졌습니다.

마술사

마술사가 공연을 시작했습니다.
㉠'어떤 마술을 보여 줄까?'
우리는 궁금했습니다.
㉡"여러분, 모두 여기를 보세요."
㉢"모자 속에 무엇이 들어 있을까요?"
마술사의 한마디에 모두 숨죽여 기다렸습니다.
펑!
㉣"토끼가 나왔네요!"
우리는 모두 손뼉을 쳤습니다.

• 생각할 점: 문장에 어떤 문장 부호가 있는지 살피며 읽어 보세요.

📍 문장 부호의 쓰임

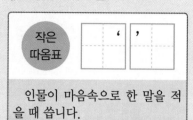

| 작은 따옴표 | ' | ' |

인물이 마음속으로 한 말을 적을 때 씁니다.

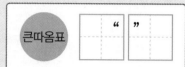

| 큰따옴표 | " | " |

인물이 소리 내어 한 말을 적을 때 씁니다.

---

5 마술사의 모자 속에서 무엇이 나왔나요?

( )

6 ㉠과 ㉡에 어떤 문장 부호가 있는지 선으로 이으세요.

(1) ㉠ •
(2) ㉡ •

• ① `!`
• ② `' '`
• ③ `" "`

7 ㉠~㉣을 다음과 같이 나누어 기호를 쓰세요.

(1) 마음속으로 한 말	(2) 소리 내어 한 말

교재 앞에 있는 붙임 ❶을 사용하세요.

🏷️교과서 문제

8 빈칸에 알맞은 따옴표를 찾아 붙임딱지를 붙이세요.

(1)

오늘 이야기 재미있었나요?

네!

(2)

흥부는 정말 착하구나!

9 문장 부호의 이름과 그에 알맞은 설명을 찾아 ○표 하세요.

(1)

`' '`

- ㉠ 작은따옴표 ☐
- ㉡ 큰따옴표 ☐
- ㉢ 물음표 ☐

- ㉮ 소리 내어 말한 것을 적을 때 써요. ☐
- ㉯ 궁금한 점을 물어볼 때 써요. ☐
- ㉰ 마음속으로 말한 것을 적을 때 써요. ☐

(2)

`" "`

- ㉠ 작은따옴표 ☐
- ㉡ 큰따옴표 ☐
- ㉢ 물음표 ☐

- ㉮ 소리 내어 말한 것을 적을 때 써요. ☐
- ㉯ 궁금한 점을 물어볼 때 써요. ☐
- ㉰ 마음속으로 말한 것을 적을 때 써요. ☐

(3)

`?`

- ㉠ 작은따옴표 ☐
- ㉡ 큰따옴표 ☐
- ㉢ 물음표 ☐

- ㉮ 소리 내어 말한 것을 적을 때 써요. ☐
- ㉯ 궁금한 점을 물어볼 때 써요. ☐
- ㉰ 마음속으로 말한 것을 적을 때 써요. ☐

3 단원

10 ☐ 안에 알맞은 문장 부호를 써 보세요.

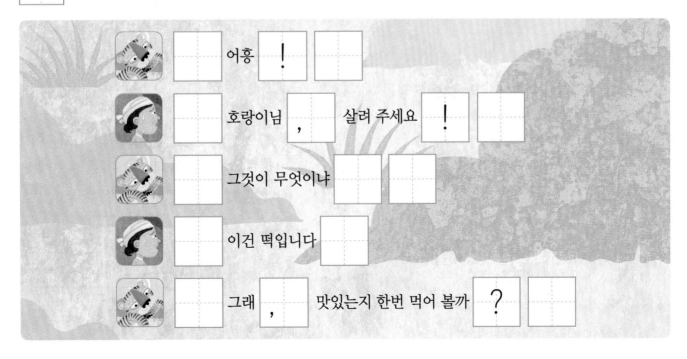

☐ 어흥 **!** ☐

☐ 호랑이님 **,** 살려 주세요 **!** ☐

☐ 그것이 무엇이냐 ☐ ☐

☐ 이건 떡입니다 ☐

☐ 그래 **,** 맛있는지 한번 먹어 볼까 **?** ☐

국어

가

책을 주워 줘서 고마운데 뭐라고 말해야 하지? 말이 잘 안 나와.

?

남자아이가 여자아이에게 할 말이 있는 것 같아요.

나

다

🧢 교과서 문제

11 가에서 남자아이는 어떤 말을 하고 싶었을까요? (　　　)

① "내 놔."
② "이게 뭐야?"
③ "만나서 반가워."
④ "책을 주워 주어서 고마워."
⑤ "왜 내 책을 함부로 만지니?"

🧢 교과서 문제

12 가에서 여자아이가 어리둥절한 표정을 지은 까닭은 무엇일까요? (　　　)

> 남자아이가 (　　　　　) 무엇을 말하려는지 알 수 없었기 때문입니다.

① 너무 크게 말해서
② 자기 생각을 당당하게 말해서
③ 자기 생각을 씩씩하게 말해서
④ 자기 생각을 또박또박 말해서
⑤ 자기 생각을 제대로 말하지 못해서

---

13 나와 다 중 어떤 그림을 보고 떠올린 생각일지 선으로 이으세요.

(1) 밝은 표정으로 대화하는 친구들이 보기 좋습니다. · ・ 나

(2) 싸우는 친구들을 보니 내가 싸운 일이 생각났습니다. · ・ 다

---

14 나와 다를 보고 보기와 같이 자신의 생각을 문장으로 표현해 보세요.

> 보기
>
> 친구들이 사이좋게 지내면 좋겠다.

(1) 친구는 _____

(2) 웃는 얼굴이 _____

진도 완료
체크

15 그림의 내용을 문장으로 표현한 것으로 알맞지 **않은** 것은 무엇인가요? (   )

① 계절은 가을입니다.

② 가족이 밥을 먹고 있습니다.

③ 장소는 호수가 있는 공원입니다.

④ 아이들이 물놀이를 하고 있습니다.

⑤ 아버지, 어머니, 남자아이, 여자아이가 나옵니다.

16 ㉮와 ㉯ 중에서 더 자세한 것은 어느 것인가요?

단풍이 물든 모습을 표현할 때

㉮ 단풍이 들었습니다.

㉯ 단풍이 들었습니다. 나뭇잎이 꽃잎처럼 보입니다.

(   )

17 보기 의 말을 넣어 그림의 내용을 문장으로 써 보세요.

보기

배를 동생이 웃습니다 잔잔합니다

(1) _____ 김밥을 먹습니다.

(2) 모두 즐겁게 _____.

(3) 호수가 _____.

(4) 사람들이 _____ 탑니다.

18 문장을 자세하게 쓰는 방법으로 알맞은 것에 ○표 하세요.

(1) 문장에 상황을 생생하게 나타내는 낱말을 넣습니다. (   )

(2) 문장에 낱말을 썼을 때 틀린 문장이 되더라도 길게 씁니다. (   )

잠자리

맑은 가을 하늘에 잠자리가 날아다닙니다.
잠자리의 배는 굵은 나뭇가지를 ㉠닮았습니다.
날개는 ㉡얇은 그물처럼 생겼습니다.

여러 가지 받침이 쓰인 글자

받침	낱말
ㄺ	흙, 맑다
ㅀ	잃다, 앓다
ㄼ	밟다, 엷다
ㄻ	옮다, 닮다

19 잠자리의 배와 날개는 무엇 같다고 하였는지 선으로 이으세요.

(1)  ·

(2)  ·

· ㉠ 얇은 그물

· ㉡ 굵은 나뭇가지

20 ㉠과 ㉡에 들어간 받침을 쓰세요.

(1)
다	았	습	니	다

(2)
야	은

21 받침 'ㄺ'이 들어 있는 글자 두 개를 찾아 쓰세요.

	,	

🍙교과서 문제

22 그림에 어울리는 낱말을 **보기**에서 찾아 쓰세요.

보기

끓다   볶다   넓다   좁다

(1)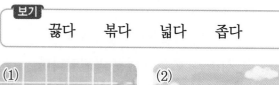

(2)

23 알맞은 받침을 넣어 그림에 어울리는 문장을 완성하세요.

• 아버지께서 달걀을 〔사〕〔아〕 주셨습니다.

사자의 지혜

- **글의 종류**: 이야기
- **글쓴이**: 이솝(김문주 옮김)
- **글의 내용**: 다투던 동물들이 사자 덕분에 화해한 이야기

넓고 푸른 초원에 아주 많은 동물이 모여 살았어요.

<u>많은 동물이 모여 살기 때문에</u> 다툼도 많았어요.
<small>다툼이 많은 까닭</small>

이른 아침부터 원숭이와 기린이 싸우고 있었어요.

"나는 좀 더 자야 하니까 다른 나뭇잎을 따 먹어!" → 원숭이가 한 말

나무 밑에서 잠을 자던 원숭이가 기린에게 버럭 소리를 질렀어요.

"여기 잎이 가장 맛있단 말이야." → 기린이 한 말

기린도 물러나지 않았어요.

"얘들아, 싸우지 마!"

코끼리와 악어가 말렸지만 듣지 않았어요.

---

24 이른 아침부터 싸운 동물은 누구누구인가요?

(,)

① 기린 ② 악어
③ 사자 ④ 원숭이
⑤ 코끼리

25 원숭이와 기린은 어떻게 행동하였나요?

( )

① 코끼리에게 화를 냈습니다.
② 화가 나서 울어 버렸습니다.
③ 코끼리 덕분에 금방 화해하였습니다.
④ 다시는 싸우지 않기로 약속하였습니다.
⑤ 양보는 하지 않고 자기 생각만 했습니다.

🐚 **교과서 문제**

26 빈칸에 알맞은 말을 넣어 원숭이와 기린의 생각을 써 보세요.

(1) ⬚⬚⬚⬚ 는 좀 더 자고 싶었어요.

(2) 기린은 ⬚⬚⬚⬚ 을 먹고 싶었어요.

그러자 사자가 말했어요.
"서로 조금씩만 양보하렴. 기린은 배가 고파서 그런 것이고, 원숭이는 잠자는 데 방해가 되니까 화가 났잖아."
그제야 원숭이와 기린은 머쓱해하며
어색해 부끄러워하며
마주 보고 웃었어요.

원숭이와 기린이 화해하는 모습을 보고 코끼리가 말했어요.
"우아, 훌륭해! 역시 사자야."
악어도 사자를 칭찬했지요.
"그래, 사자는 정말 지혜롭다니까."

27 사자가 원숭이와 기린에게 한 말은 무엇인가요?

• "서로 조금씩만 ☐☐ 하렴."

28 사자를 보고 동물들은 무엇이라고 말했는지 모두 고르세요. (　,　)

① 훌륭하다고 말하였습니다.
② 지혜롭다고 말하였습니다.
③ 뻔뻔하다고 말하였습니다.
④ 욕심쟁이라고 말하였습니다.
⑤ 싸우지 말라고 말하였습니다.

29 사자와 같은 경험을 말한 친구의 이름을 쓰세요.

(　　　　　)

📋 서술형·논술형 문제

30 원숭이나 기린에게 하고 싶은 말을 문장으로 써 보세요.

_____

_____

정답 7쪽

국어 교과서 89쪽

2. 생각이나 느낌을 나타내는 문장에 색칠해 봅시다.

> 나는 좀 더
> 자야 하니까 다른
> 나뭇잎을 따 먹어!

> 초원에는
> 아주 많은 동물이
> 모여 살았어요.

> 원숭이와 기린이
> 싸우고 있었어요.

> 여기 잎이 가장
> 맛있단 말이야.

> 우아, 훌륭해!
> 역시 사자야.

> 서로 조금씩만
> 양보하렴.

(풀이) 생각이 드러나는 문장과 어떤 일을 풀이한 문장을 구분할 수 있습니다.

국어 교과서 90쪽

3. 원숭이와 기린의 생각을 알아봅시다.

• 원숭이는 좀 더 | 자 | 고 | 싶 | 었 | 어 | 요 |.

• 기린은 | 나 | 뭇 | 잎 | 을 | 먹고 싶었어요.

(풀이) 원숭이는 좀 더 자고 싶었고 기린은 나뭇잎을 먹고 싶어서 서로 다툼
이 일어났습니다.

국어 교과서 91쪽

3. 원숭이와 기린에게 하고 싶은 말을 쪽지에 써 봅시다.

(1) 원숭이와 기린에게 어떤 말을 하고 싶은가요?

• 기린에게 조금만 기다렸다가 먹으라고 할까?

• 원숭이에게 다른 곳에 가서 자라고 할까?

(예시 답안) 둘 다 사이좋게 서로 양보하라고 할까?

(풀이) 원숭이와 기린에게 어떤 말을 할 수 있을지 생각해 봅니다.

국어 교과서 92쪽

(2) 원숭이와 기린에게 하고 싶은 말을 문장으로 써 보세요.

• 원숭이야, (예시 답안) 배가 고픈 친구를 위해 조금 시끄럽더라도 네가 좀
참아 주면 좋겠어.

• 기린아, (예시 답안) 잠을 자는 원숭이에게 방해가 되지 않도록 다른 나뭇잎
을 따 먹는 것이 좋겠어.

(풀이) 원숭이와 기린이 사이좋게 지내려면 어떻게 행동하는 것이 좋을지
나의 생각을 문장으로 씁니다.

자습서 확인 문제

1 ㉠과 ㉡ 중 생각이나 느낌이 드러
나는 문장은 어느 것인가요?

> ㉠ 사자는 정말 지혜롭다니까.
> ㉡ 원숭이가 기린에게 버럭 소
> 리를 질렀어요.

( )

2 ㉠과 ㉡은 각각 누구의 생각인가
요?

> ㉠ 나는 좀 더 자야 하니까 다
> 른 나뭇잎을 따 먹어!
> ㉡ 여기 잎이 가장 맛있단 말이
> 야.

(1): ( )
(2): ( )

3 사자가 원숭이와 기린에게 한 말
입니다. 빈칸에 들어갈 말은 무엇
인가요?

> 서로 조금씩만 □□하렴.

( )

[1~2] 다음 그림을 보고 물음에 답하시오.

1 그림의 내용을 문장으로 **잘못** 나타낸 것은 어느 것입니까? (   )

① 친구들이 응원을 합니다.
② 남자아이가 만세를 부릅니다.
③ 선생님이 출발 신호를 보냅니다.
④ 출발선에서 달릴 준비를 합니다.
⑤ 선생님이 아이들의 사진을 찍습니다.

2 그림에 알맞은 문장이 되도록 알맞은 말에 ○표 하시오.

• 선생님이 (깃발을 / 수건을) 들고 있습니다.

3 문장 부호의 이름과 문장 부호가 알맞게 짝 지어진 것에 ○표 하시오.

(1) 물음표	?	(2) 마침표	,
( )		( )	

4 작은따옴표가 쓰인 문장을 찾아 기호를 쓰시오.

> ㉠ "토끼가 나왔네요!"
> ㉡ 우리는 궁금했습니다.
> ㉢ '어떤 마술을 보여 줄까?'

(   )

5 작은따옴표나 큰따옴표는 문장의 어느 곳에 쓰여 있습니까? (   )

① 문장의 처음
② 문장의 끝
③ 문장의 가운데
④ 문장의 처음과 끝
⑤ 띄어쓰기를 하는 곳마다

6 작은따옴표는 어떤 경우에 쓰는 문장 부호인지 ○표 하시오.

(1) 인물이 소리 내어 한 말을 적을 때 씁니다.
(   )

(2) 인물이 마음속으로 한 말을 적을 때 씁니다.
(   )

7 ㉠과 ㉡에 모두 쓰인 문장 부호의 이름은 무엇인지 ○표 하시오.

> ㉠ "여러분, 모두 여기를 보세요."
> ㉡ "모자 속에 무엇이 들어 있을까요?"
> 마술사의 한마디에 모두 숨죽여 기다렸습니다.

| 쉼표 | 큰따옴표 | 작은따옴표 |

8 문장을 쓸 때 문장 부호를 <u>잘못</u> 사용하면 어떤 일이 일어나겠습니까? (   )

① 글씨를 잘 쓰게 됩니다.
② 뜻을 쉽게 이해할 수 있습니다.
③ 글쓴이의 마음을 잘 이해할 수 있습니다.
④ 글쓴이가 누구인지 파악하기 어렵습니다.
⑤ 읽는 사람이 뜻을 쉽게 파악하기 어렵습니다.

9 그림을 보고 빈칸에 알맞은 따옴표를 써넣으시오.

□ 집에 가서 뭐 할 거야? □

□ 동화책 읽을 거야. 재미있겠지? □

3 단원

10 ㉠, ㉡에 들어갈 문장 부호가 바르게 연결된 것은 어느 것입니까? (   )

> "어흥!"
> "호랑이님, 살려 주세요!"
> "그것이 무엇이냐 ㉠ ㉡
> "이건 떡입니다."
> "그래, 맛있는지 한번 먹어 볼까?"

① ㉠ - ?   ㉡ - '
② ㉠ - ?   ㉡ - '
③ ㉠ - ?   ㉡ - "
④ ㉠ - ?   ㉡ - "
⑤ ㉠ - !   ㉡ - ?

11 혜미는 어떻게 자신의 생각을 말해야 할지 ○표 하시오.

아이,
정말 너무 더워.

혜미

(1) 아빠, 창문 좀 열어. ( )

(2) 아빠, 더워요. 창문을 열어 주세요. ( )

12 다음 문장을 더 자세하게 늘여서 써 보시오.

주영이가 뛰어갑니다.

→ 주영이가 _____ 뛰어갑니다.

13 빈칸에 알맞은 받침을 넣어 문장을 완성하시오.

• 너 은 운동장에서 아이들이 놀고 있

습니다.

14 그림에 어울리는 낱말을 찾아 따라 쓰시오.

• 어머니께서 (볶 음 밥 /

볶 금 밥)을 만들어 주셨습니다.

15 빈칸에 알맞은 받침을 넣어 그림에 어울리는 낱말을 쓰시오.

(1)

이 다

(2)

바 다

16~17 잠자리

㉠맑은 가을 하늘에 잠자리가 날아다닙니다. 잠자리의 배는 굵은 나뭇가지를 닮았습니다. 날개는 (㉡) 그물처럼 생겼습니다.

16 ㉠ '맑' 자와 같은 받침이 쓰인 글자를 글에서 찾아 쓰시오.

17 다음 낱말의 뜻을 보고, 알맞은 받침을 넣어 (㉡)에 들어갈 말을 쓰시오.

야 은 : 두께가 두껍지 않은

18~20 사자의 지혜

넓고 푸른 초원에 아주 많은 동물이 모여 살았어요.

많은 동물이 모여 살기 때문에 다툼도 많았어요.

이른 아침부터 원숭이와 기린이 싸우고 있었어요.

"나는 좀 더 자야 하니까 다른 나뭇잎을 따 먹어!"

나무 밑에서 잠을 자던 원숭이가 기린에게 버럭 소리를 질렀어요.

"여기 잎이 가장 맛있단 말이야."

㉠ 기린도 물러나지 안았어요.

18 초원에 사는 동물끼리 다툼이 많은 까닭은 무엇입니까? (   )

① 나뭇잎이 맛있기 때문에
② 초원이 넓고 푸르기 때문에
③ 동물들이 잠이 많기 때문에
④ 기린이 소리를 지르기 때문에
⑤ 많은 동물들이 모여 살기 때문에

19 ㉠에서 잘못 쓴 낱말을 찾아 바르게 고친 것은 어느 것입니까? (   )

① 물러나지 → 물러난지
② 물러나지 → 묾러나지
③ 안았어요 → 안았써요
④ 안았어요 → 앉았어요
⑤ 안았어요 → 않았어요

서술형·논술형 문제

20 원숭이나 기린이 다투지 않으려면 어떻게 해야 할지 자신의 생각을 문장으로 써 보시오.

3 단원

진도 완료 체크

바른 자세로 말해요

정답 **9**쪽

퀴즈

1. 자신 있게 말하는 방법으로 알맞은 것에 ○표 하세요.

(1) 듣는 사람을 바라보고 말합니다. (　　)

(2) 말끝을 흐리며 우물쭈물 말합니다. (　　)

4. 바른 자세로 말해요 | **51**

개념 ① 여럿이 함께 들을 때의 바른 자세

① 말하는 사람을 바라보며 듣습니다.
② 말하는 사람의 말을 귀 기울여 듣습니다.

● 여럿이 함께 들을 때의 바른 자세

개념 ② 바른 자세로 자신 있게 말하기

① 고개를 들고 말합니다.
② 듣는 사람을 바라보며 말합니다.
③ 바른 자세로 서서 말합니다.
④ 모두 들을 수 있도록 큰 소리로 말합니다.

● 말할 때의 바른 자세

➡ 바른 자세로 서서 말합니다.

모두가 들을 수 있도록 ⬅
큰 소리로 말합니다.

개념 ③ 느낌을 살려 이야기 읽어 주기

① 인물의 마음을 생각하며 이야기를 읽습니다.
② 인물의 마음에 어울리는 표정과 목소리로 읽습니다.

● 느낌을 살려 이야기 읽어 주기

국어 🌼

4 단원

📖교과서 문제   ⌐• 교재 앞에 있는 붙임 ❶을 사용하세요.

1 선생님의 말씀을 열심히 듣고 있는 사람은 누구누구인지 붙임딱지를 붙이세요.

📖교과서 문제   ⌐• 교재 앞에 있는 붙임 ❶을 사용하세요.

2 선생님의 말씀을 열심히 듣지 않는 사람은 누구누구인지 붙임딱지를 붙이세요.

3 동물원에서 설명을 들을 때의 바른 예절이 아닌 것은 무엇인가요? (   )

① 친구와 장난을 치면 안 됩니다.

② 선생님을 바라보며 설명을 귀담아듣습니다.

③ 선생님이 안 보실 때 친구와 이야기합니다.

④ 선생님의 허락 없이 다른 곳으로 가면 안 됩니다.

⑤ 선생님이 설명하실 때 자기 말을 하면 안 됩니다.

4 들을 때의 예절을 지키지 못한 사람은 누구인가요? (   )

5 여럿이 함께 들을 때의 바른 예절로 알맞은 것에 ○표, 바르지 않은 것에 ×표 하세요.

(1)	말하는 사람을 바라보며 듣습니다.	
(2)	이해가 되었으면 고개를 끄덕여도 좋습니다.	
(3)	할 말이 있으면 이야기를 듣는 중간에 말을 잠시 끊습니다.	

딴생각하지 말고 귀 기울여 들어요

- 글쓴이: 서보현
- 글의 종류: 이야기
- 글의 내용: 귓속에 사는 말 벌레를 쫓아내는 토토 이야기

① 토토는 귀가 아주 큰 꼬마 토끼예요.

하지만 귀가 크다고 잘 듣는 건 아닌가 봐요. 만날 남이 하는 말을 못 듣고 엉뚱한 일을 벌이곤 했거든요.

_{매일같이 계속}

한번은 엄마가 없어졌다며 엉엉 운 적이 있어요.

"앙앙, 엄마는 말도 안 하고 나가시면 어떡해요?"

"엄마가 쓰레기 버리고 온다고 말했잖니?"

"언제요?"

"아까 너 기차놀이 할 때."

토토는 고개를 갸우뚱거렸어요.

'어휴, 엄마 말이 귀로 들어오지 않고 어디로 간 거야?'

중심 내용 1 토토는 쓰레기를 버리고 온다는 엄마의 말을 듣지 못하고, 엄마가 없어졌다며 엉엉 울었어요.

② 어떤 때는 친구들이 놀고 있는 곳을 찾느라 온 동네를 헤맨 적도 있어요.

_{이리저리 돌아다닌}

"곰순아, 몽군아! 어디 있니?"

"토토야, 친구들 찾니?"

"네, 아까 곰순이가 어디로 오라고 했는데……."

"에그, 곰순이가 이야기할 때 딴생각을 한 거로구나."

㉠토토는 고개를 갸우뚱거렸어요.

'어휴, 친구들 말이 귀로 들어오지 않고 어디로 간 거야?'

중심 내용 2 곰순이가 이야기할 때 딴생각을 하느라 듣지 못해서 친구들을 찾아 온 동네를 헤맨 적도 있어요.

---

6 토토의 생김새는 어떠한가요? (   )

① 귀가 아주 큽니다.

② 눈이 아주 큽니다.

③ 키가 아주 큽니다.

④ 발이 아주 큽니다.

⑤ 코가 아주 높습니다.

7 토토가 엉엉 운 까닭은 무엇인가요? (   )

① 계단에서 넘어져서

② 엄마에게 혼이 나서

③ 엄마가 집에 안 계셔서

④ 기차 장난감이 부러져서

⑤ 엄마가 같이 안 놀아 주셔서

교과서 문제

8 토토가 친구들을 찾아 동네를 헤맨 까닭은 무엇인가요?

• 곰순이가 말할 때 [   ]을 해서입니다.

9 ㉠에서 토토는 고개를 갸우뚱거리며 어떤 생각을 하였나요? (   )

① 친구들은 왜 도망간 거야?

② 곰순이는 왜 거짓말을 한 거야?

③ 곰순이와 몽군이는 왜 싸운 거야?

④ 친구들은 어디에서 놀고 있는 거야?

⑤ 친구들 말이 귀로 들어오지 않고 어디로 간 거야?

3 어제는 선생님 말을 제대로 듣지 않아 같은 모둠의 친구들을 화나게 만들기도 했지요.

_{토토가 상자를 준비하지 않아서}
"어, 토토야! 네가 상자 가져오기로 했잖아?"
_{토토가 가져오기로 한 것}
"상자? 색종이 아니었어?"
_{토토가 잘못 가져온 것}
"선생님께서 말씀하실 때 또 딴생각했지? 다른 모둠은 다 멋지게 만드는데 우린 이게 뭐야?"

다행히 선생님이 다른 상자를 구해 주었지만, 토토네 모둠 것은 영 볼품이 없었어요.

✏️**중심 내용 3** 선생님의 말씀을 제대로 듣지 않아 준비물을 잘못 가져온 적도 있어요.

4 '왜 남이 하는 말을 제대로 못 듣는 거지? 내가 바보인 거야, 내 귀가 이상한 거야?'

토토는 속상해하며 양쪽 귀를 탈탈 털었어요. 그러자 귓속에서 뭔가가 바스락바스락 소리를 냈어요.

토토는 더 세게 귀를 털었어요. 그랬더니 토토의 귀에서 웬 벌레가 떨어지는 게 아니겠어요?

"으악, 이게 뭐야?"
세상에, 토토의 귓속에 벌레가 한 마리 살고 있었던 거예요.

"넌 누군데 내 귀에서 나오는 거야?"
"나는 '말'을 먹고 사는 왱왱이 말 벌레야. 네 귀에 먹잇감이 아주 많아서 내가 아예 집을 지었지."

볼품 겉으로 드러나 보이는 모습.
　예 겉모양은 볼품이 없지만 맛은 좋은 사과입니다.

귓속 귀의 안쪽.
웬 어떠한. 예 웬 사람이 길을 물었어요. [주의] 왠 ✕

🧢**교과서 문제**

10 토토가 상자를 준비하지 못한 까닭은 무엇인지 〇표 하세요.

(1) 선생님의 말씀에 귀 기울이지 않았기 때문입니다. 　　　　　(　　)

(2) 토토가 가지고 오기로 한 준비물은 색종이이기 때문입니다. 　　(　　)

11 토토가 상자를 가져오지 않아서 어떤 일이 벌어졌나요? (　　)

① 선생님께서 화를 내셨습니다.
② 친구들을 즐겁게 만들었습니다.
③ 색종이로 상자를 만들었습니다.
④ 악어가 상자를 구해 주었습니다.
⑤ 토토네 모둠 작품은 볼품이 없었습니다.

12 토토의 귓속에는 누가 살고 있었나요?

(　　　　　　　　　　　　　)

13 토토의 귓속에 벌레가 집을 지은 까닭은 무엇인가요? (　　)

① 토토의 귀가 커서
② 토토의 귀가 예뻐서
③ 토토의 귀가 길어서
④ 토토의 귀가 따뜻해서
⑤ 토토의 귀에 먹잇감이 많아서

토토는 기가 막혔어요.

"뭐라고? 무슨 먹잇감?"

"네가 딴생각을 하면, 말이 귀로 쏙 들어가지 못하고 밖에서 맴돌거든. 그때 내가 그 말들을 싹 가로채 먹는 거야. 딴생각 많이 해 줘서 고마워!"

"이 얄미운 벌레! 너 때문에 내가 만날 실수를 했단 말이지?" _{말 벌레가 말을 먹어 버려서}

토토는 잔뜩 약이 올라 긴 귀를 파리채처럼 휘둘렀어요.

"에잇, 거기 서! 납작하게 만들어 버릴 테다!"

하지만 왱왱이 말 벌레는 말솜씨만큼 몸도 빨라 잡히지를 않았어요.

"헤, 내 발로 나가기 전엔 어림도 없어. 토끼한테 잡히면 벌레도 아니지."

토토는 속이 상하고 화가 났어요. 왱왱이 말 벌레도 짜증 났지만, 그 벌레를 불러들인 건 결국 자신이었으니까요.

'그래, 아무도 나한테 딴생각하라고 시키지 않았어.'

토토는 어떻게든 왱왱이 말 벌레를 쫓아내고 싶었어요.

마침 토토에게 좋은 생각이 떠올랐어요.

'내 귀에서 살면 먹을 게 많다고 했지? 그럼 먹을 것을 안 주면 되겠네. 내가 딴생각을 안 하면 말이 내 귀로 쏙 들어와 말 벌레가 먹을 것이 없게 될 거야. 그럼 그 녀석은 쫄쫄 굶겠지? 어디 맛 좀 봐라!'

중심 내용 4 토토의 귓속에서 왱왱이 말 벌레가 나왔고, 토토는 왱왱이 말 벌레를 쫓아내기로 결심했어요.

약 놀림을 받거나 하여 화가 나는 감정.
　例 친구가 짝짝이 양말을 신었다고 놀려서 <u>약</u>이 올랐어요.

말솜씨 말하는 솜씨.
쫄쫄 밥을 굶어 아무것도 먹지 못한 모양.

---

14 왱왱이 말 벌레는 토토가 딴생각을 하면 어떻게 된다고 하였나요?

네가 딴생각을 하면 말이 _____(으)로 쏙 들어가지 못하고 밖에서 맴돌거든.

15 왱왱이 말 벌레는 어떤 벌레인가요? (　　　)

① 몸이 느립니다.
② 토토의 배 속에 삽니다.
③ 말솜씨가 좋지 않습니다.
④ 토토를 즐겁게 만들었습니다.
⑤ 토토가 딴생각을 하면 좋아합니다.

16 왱왱이 말 벌레가 토토를 놀리자 토토는 어떤 마음이 들었나요? (　　　)

① 즐거웠어요.　　② 행복했어요.
③ 뿌듯했어요.　　④ 화가 났어요.
⑤ 신이 났어요.

17 왱왱이 말 벌레에게 먹을 것을 안 주려면 토토는 어떻게 해야 할까요?

내가 _____을 안 하면 말이 내 귀로 쏙 들어와 왱왱이 말 벌레가 먹을 것이 없게 될 거야.

5 그때 "토토야!" 하고 엄마가 불렀어요. 토토는 부엌으로 달려가 엄마의 눈을 똑바로 쳐다보며 엄마의 말에 귀를 기울였어요. 엄마가 말을 끝내자마자 왱왱이 말 벌레가 재빨리 날아올랐어요.
<u>말을 먹으려고</u>

"왱왱!"

하지만 엄마의 말은 이미 토토의 귓속으로 쏙 들어간 뒤였어요.

"야호, 성공이다!"

토토는 베란다에 있던 <u>감자 세 개를 엄마에게</u>
<u>엄마가 시킨 심부름</u>
<u>가져다주었어요.</u> <u>약이 잔뜩 오른 왱왱이 말 벌</u>
<u>먹잇감이 사라져서</u>
레는 토토의 귓속에서 속삭였어요.

"흥, 항상 딴생각을 하지 않고 남의 말을 듣는 게 쉬울 줄 알아? 어디 한번 두고 보자고."

중심 내용 5 엄마의 눈을 똑바로 쳐다보고 엄마의 말에 귀를 기울이자 엄마의 말은 토토의 귓속으로 쏙 들어갔어요.

6 하지만 토토도 이번에는 결심이 대단했어요. <u>누가 말을 하든지 눈을 꼭 맞추고 열심히 들</u>
<u>었거든요.</u>
<u>들을 때의 바른 자세</u>

하루, 이틀, 사흘이 지나면서 왱왱이 말 벌레는 차츰 기운을 잃어 갔어요. 목소리도 점점 작아졌지요.

"그래, 네가 이겼어. 이젠 남의 말을 들을 때 딴생각 안 한다 이거지? 하지만 두고 봐. 언제든 딴생각이 많아지면 다시 찾아올 테니까."

딱 일주일 만에 비쩍 마른 왱왱이 말 벌레는 화를 내며 떠났어요. 신이 난 토토는 만세를 불렀어요.

하지만 토토는 잘 알고 있었어요. 남의 말을 들을 때 또 딴생각을 하면, 왱왱이 말 벌레가 다시 돌아올 수도 있다는 것을요.

여러분은 어떤가요? 혹시 귓속에 왱왱이 말 벌레가 살고 있진 않나요?

중심 내용 6 토토가 딴생각을 안 하게 되어 왱왱이 말 벌레는 화를 내며 떠났어요.

---

18 어떻게 하였더니 엄마의 말이 토토의 귓속으로 들어갔는지 모두 고르세요. (,   )

① 엄마의 말에 귀를 기울였어요.

② 엄마의 말을 따라서 말했어요.

③ 엄마의 옆에 계속 붙어 있었어요.

④ 엄마의 눈을 똑바로 쳐다보고 들었어요.

⑤ 엄마가 토토의 귀에 대고 말을 하였어요.

서술형·논술형 문제

19 토토가 눈을 꼭 맞추며 열심히 들어서 왱왱이 말 벌레는 어떻게 되었나요?

• 차츰 ☐☐☐☐ 을 잃고, ☐☐☐☐ 도 점점 작아졌어요.

20 왱왱이 말 벌레는 떠나며 언제 다시 찾아온다고 하였나요?

(1) 남의 말을 들을 때 딴생각이 많아지면
(   )

(2) 말하는 사람의 눈을 바라보며 말을 들으면
(   )

21 이야기를 들을 때의 바른 자세는 어떠한지 빈칸에 알맞은 말을 써넣으세요.

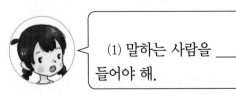

(1) 말하는 사람을 _____ 들어야 해.

(2) 말하는 사람의 말을 귀 _____ 들어야 해.

정답 **9**쪽

국어 교과서 101쪽

2. 「딴생각하지 말고 귀 기울여 들어요」의 앞부분을 다시 듣고 물음에 답해 봅시다.

(1) 토토가 친구들을 찾아 동네를 헤맨 까닭은 무엇인가요?

예시 답안 곰순이가 이야기할 때 딴생각을 했기 때문입니다.

(2) 토토가 상자를 준비하지 못한 까닭은 무엇인가요?

예시 답안 선생님의 말씀에 귀 기울이지 않았기 때문입니다.

풀이 토토가 딴생각을 하느라 다른 이들의 말을 제대로 듣지 못하였습니다.

3. 바른 자세로 이야기를 들으려면 어떻게 해야 하는지 말해 봅시다.

예시 답안 말하는 사람을 바라보며 듣습니다. / 말을 귀 기울여 듣습니다.

4
단원

진도 완료
체크

국어 교과서 103쪽

5. 「딴생각하지 말고 귀 기울여 들어요」의 뒷부분을 다시 듣고 말풍선을 채워 봅시다.

네가 딴생각을 하면 말이 ___귀___ (으)로 쏙 들어가지 못하고 밖에서 맴돌거든.

누가 말을 하든지 ___눈___ 을/를 꼭 맞추고 열심히 들었거든요.

풀이 말하는 사람의 눈을 바라보며 귀 기울여 들어야 합니다.

6. 이야기를 함께 들을 때의 바른 자세에 대하여 말해 봅시다.

예시 답안 말하는 사람을 바라보며 듣습니다. / 말을 귀 기울여 듣습니다. / 말을 들을 때 딴생각을 하지 않습니다.

자습서 확인 문제

1 이야기의 앞부분에서 토토가 한 행동이 <u>아닌</u> 것의 기호를 쓰세요.

> ㉠ 딴생각을 했다.
> ㉡ 선생님 말씀을 잘 들었다.
> ㉢ 선생님 말씀에 귀 기울이지 않았다.

(   )

2 왱왱이 말 벌레는 토토가 딴생각을 하면 말이 어디로 들어가지 못한다고 하였나요? (   )

① 눈   ② 코
③ 입   ④ 귀
⑤ 목

3 이야기를 함께 들을 때의 바른 자세를 생각하며 알맞은 말에 ○표 하세요.

• (말하는 사람 / 먼 곳)을 바라보며 듣습니다.

22 자신 있게 말하는 방법은 무엇일지 보기 에서 알맞은 말을 골라 써넣으세요.

보기
자세   고개   큰 목소리   듣는 사람

(1)

[   ] 를 들고 말한다.

(2)

[   ] 을 바라보며 말한다.

(3)

바른 [   ] 로 서서 말한다.

(4)

그래서 제 생각에는…….

모두 들을 수 있도록 [   ] 로 말한다.

[23~24] 다음 글을 읽고 물음에 답하세요.

내 꿈은 요리사입니다.
세계 여러 나라의 음식에 대해 공부할 것입니다.
많은 사람에게 맛있는 음식을 만들어 주고 싶습니다.
내가 만든 요리를 먹고 많은 사람이 행복해졌으면 좋겠습니다.

23 글쓴이의 꿈을 나타낸 그림은 어느 것인가요?
(   )

①
②

③
④

⑤

24 글쓴이가 자신의 꿈을 자신 있게 말하려면 어떻게 말해야 할지 ○표 하세요.

(1) 바른 자세로 서서 듣는 사람을 바라보며 큰 목소리로 말합니다.   (   )

(2) 듣는 사람을 바라보며 앞사람들만 잘 들을 수 있게 작은 목소리로 말합니다. (   )

콩 한 알과 송아지

· 글쓴이: 한해숙
· 글의 내용: 콩 한 알로 송아지를 마련한 막내딸의 지혜로움을 엿볼 수 있는 이야기입니다.

❶ 옛날옛날 어느 동네에 어여쁜 딸을 셋이나 둔 아버지가 있었어요. 하루는 아버지가 딸 셋을 한자리에 불러 이렇게 말했어요.

"이제 너희도 많이 컸으니 내년엔 할아버지 생신 선물을 준비해 보아라."

그러고는 콩 한 알씩을 나눠 주었어요.

🖊중심 내용 ❶ 아버지는 할아버지의 생신 선물을 준비하라며 세 딸에게 콩 한 알씩을 주었어요.

❷ ㉠"작디작은 콩 한 알로 선물을 준비하라고? 말도 안 돼."

큰딸은 콩을 창밖으로 던져 버렸어요.

"콩을 심어 놓으면 가만히 둬도 무럭무럭 자랄 테니까!"

둘째 딸은 콩을 땅에 심고 꾹 밟아 놓았어요.

그런데 막내딸은 산에 올라가 콩을 미끼로 써서 꿩을 잡았어요.

㉡"꿩을 팔아서 무엇을 살까?"

🖊중심 내용 ❷ 큰딸은 콩을 버렸고, 둘째 딸은 콩을 땅에 심었으며, 막내딸은 콩으로 꿩을 잡았어요.

📍 세 딸이 콩 한 알로 한 일

큰딸: 콩을 버렸습니다.

둘째 딸: 콩을 땅에 심었습니다.

막내딸: 꿩을 잡았습니다.

---

25 아버지께서 할아버지 생신 선물을 준비하라며 무엇을 주셨나요?

(   )

26 세 딸은 아버지께 받은 물건을 어떻게 하였는지 선으로 이으세요.

(1)	큰딸	•		• ①	땅에 심었다.
(2)	둘째 딸	•		• ②	창밖으로 던져 버렸다.
(3)	막내딸	•		• ③	미끼로 써서 꿩을 잡았다.

27 ㉠과 ㉡은 어떻게 읽어야 할지 기호를 쓰세요.

(1)	인상을 찌푸리며 불만 섞인 목소리로 읽습니다.
(2)	무언가를 곰곰이 떠올리는 표정과 기분 좋은 목소리로 읽습니다.

28 느낌을 살려 이야기를 읽는 방법은 무엇인지 모두 고르세요. (,   )

① 인물의 마음을 알아봅니다.
② 처음부터 끝까지 큰 소리로 읽습니다.
③ 인물이 말하는 부분만 큰 소리로 읽습니다.
④ 분위기와 상관없이 밝은 목소리로 읽습니다.
⑤ 인물의 마음에 어울리는 표정과 목소리로 읽습니다.

❸ 막내딸은 꿩을 팔아 병아리 한 쌍을 샀어요. 병아리를 어미 닭으로 키우고, 어미 닭이 달걀을 낳으면 병아리를 까게 하여 다시 어미 닭으로 키웠어요.

마침내 시간이 흘러 할아버지 생신날이 되었어요. 아버지가 세 딸을 불러 선물을 가져오라고 했어요. 큰딸과 둘째 딸은 고개만 수그리고 아무 말도 하지 못했어요. 그때 막내딸이 송아지를 끌고 나왔어요. 사람들은 깜짝 놀랐어요. 그러자 막내딸은 콩 한 알로 송아지를 사게 된 이야기를 해 주었어요. 할아버지와 아버지는 <u>함박웃음을 지었어요.</u>
뿌듯한 마음

✏️ 중심 내용 ❸ 막내딸은 콩 한 알로 송아지를 사 왔고, 사람들은 깜짝 놀랐어요.

📍콩 한 알로 송아지를 사게 된 이야기

콩을 미끼로 써서

↓

꿩을 잡고

↓

꿩을 팔아 병아리 한 쌍을 사고

↓

닭으로 키워 닭이 달걀을 낳으면 병아리를 까게 하여 다시 닭으로 키웠고

↓

닭들을 팔아 송아지를 샀어요.

4 단원

---

29 막내딸은 꿩을 팔아 무엇을 샀나요?

( )

30 선물을 마련하지 못한 딸은 누구누구인가요?

(1) 🔼 큰딸 (2) 🔼 둘째 딸 (3) 🔼 막내딸

( )   ( )   ( )

31 막내딸은 할아버지의 생신 선물로 무엇을 가져 왔나요?

( )

32 콩 한 알로 송아지를 사게 된 이야기에서 <u>잘못된 부분</u>은 어느 곳인가요? ( )

①콩을 미끼로 꿩을 잡았고, ②꿩을 팔아 병아리 한 쌍을 샀어요. ③병아리를 닭으로 키워 닭이 달걀을 낳으면, ④달걀을 팔아 송아지를 샀어요.

33 아버지와 할아버지는 막내딸에게 어떤 마음이 들었을까요? ( )

① 기특하다.   ② 속상하다.
③ 한심하다.   ④ 화가 난다.
⑤ 실망스럽다.

[1~3] 다음 그림을 보고 물음에 답하시오.

4 단원

1 선생님의 말씀을 열심히 듣고 있는 사람은 누구누구인지 기호를 쓰시오.

(, ,)

2 1에 답한 친구들이 잘한 점은 무엇인지 모두 고르시오. (,)

① 딴 곳을 바라보며 들었습니다.

② 선생님을 바라보며 들었습니다.

③ 옆 사람과 이야기를 하였습니다.

④ 중요한 내용을 적으며 들었습니다.

⑤ 선생님이 말하는 중간에 말을 걸었습니다.

🔖 서술형·논술형 문제

3 선생님의 말씀을 열심히 듣지 <u>않는</u> 한 친구를 골라 고칠 점을 쓰시오.

(1) ☐ 친구에게

(2) _____

_____

4~6 **딴생각하지 말고 귀 기울여 들어요**

가 어제는 선생님 말을 제대로 듣지 않아 같은 모둠의 친구들을 화나게 만들기도 했지요.

"어, 토토야! 네가 상자 가져오기로 했잖아?"

"상자? 색종이 아니었어?"

"선생님께서 말씀하실 때 또 딴생각했지? 다른 모둠은 다 멋지게 만드는데 우린 이게 뭐야?"

나 토토의 귓속에 벌레가 한 마리 살고 있었던 거예요.

"넌 누군데 내 귀에서 나오는 거야?"

"나는 '말'을 먹고 사는 왱왱이 말 벌레야. 네 귀에 먹잇감이 아주 많아서 내가 아예 집을 지었지."

4 토토가 가져오기로 한 것은 무엇이었습니까?

( )

5 토토가 준비물을 잘못 가져온 까닭은 무엇입니까?

• 선생님께서 말씀하실 때 [ ]을 해서

6 왱왱이 말 벌레는 무엇을 먹고 사는 벌레입니까? ( )

① 말　　　② 밥　　　③ 물
④ 벌레　　⑤ 딴생각

7~9 **딴생각하지 말고 귀 기울여 들어요**

토토는 어떻게든 왱왱이 말 벌레를 쫓아내고 싶었어요.

마침 토토에게 좋은 생각이 떠올랐어요.

'내 귀에서 살면 먹을 게 많다고 했지? 그럼 ㉠먹을 것을 안 주면 되겠네. 내가 딴생각을 안 하면 말이 내 귀로 쏙 들어와 말 벌레가 먹을 것이 없게 될 거야. 그럼 그 녀석은 쫄쫄 [㉡]? 어디 맛 좀 봐라!'

그때 "토토야!" 하고 엄마가 불렀어요. 토토는 부엌으로 달려가 엄마의 눈을 똑바로 쳐다보며 엄마의 말에 귀를 기울였어요. 엄마가 말을 끝내자마자 왱왱이 말 벌레가 재빨리 날아올랐어요.

"왱왱!"

하지만 엄마의 말은 이미 토토의 귓속으로 쏙 들어간 뒤였어요.

7 토토가 생각한 ㉠의 방법은 무엇입니까? ( )

① 딴 곳을 바라보는 것
② 딴생각을 안 하는 것
③ 귀를 막아 버리는 것
④ 왱왱이 말 벌레와 대화하지 않는 것
⑤ 다른 사람들과 절대 대화하지 않는 것

8 [㉡]에 들어갈 알맞은 말에 ○표 하시오.

(굶겠지 / 굼겠지)

9 엄마의 눈을 똑바로 쳐다보며 들었더니 엄마의 말은 어떻게 되었는지 ○표 하시오.

(1) 토토의 귓속으로 들어갔습니다. ( )
(2) 왱왱이 말 벌레가 먹어 버렸습니다.
( )

10 이야기를 들을 때의 바른 자세에 대해 알맞게 말한 사람의 이름을 쓰시오.

> 지유: 말하는 사람을 바라보며 들어야 해.
> 진지: 듣는 도중에 궁금한 점이 생기면 바로 물어봐야 해.

( )

4
단원

11~12

내일은 수목원으로 현장 체험학습을 가요. 그곳은 나무와 꽃이 살기 때문에 쓰레기를 버리면 안 돼요. 과자는 봉지째 가지고 오지 말고 통에 담아 오세요. 그리고 돗자리와 물도 가지고 오세요.

11 내일은 무엇을 하는 날입니까?

( )을 가는 날

12 선생님의 말씀에 따라 가방을 싼 것에 ○표 하시오.

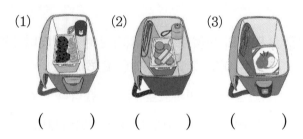

(1) (2) (3)

( ) ( ) ( )

13 자신 있게 말하는 방법이 <u>아닌</u> 것은 무엇입니까? (   )

① 고개를 들고 말합니다.
② 말끝을 흐리며 말합니다.
③ 바른 자세로 서서 말합니다.
④ 듣는 사람을 바라보며 말합니다.
⑤ 모두 들을 수 있게 큰 목소리로 말합니다.

14~17 콩 한 알과 송아지

막내딸은 산에 올라가 콩을 미끼로 써서 꿩을 잡았어요.

㉠"꿩을 팔아서 무엇을 살까?"

막내딸은 꿩을 팔아 병아리 한 쌍을 샀어요. 병아리를 어미 닭으로 키우고, 어미 닭이 달걀을 낳으면 병아리를 까게 하여 다시 어미 닭으로 키웠어요.

마침내 시간이 흘러 할아버지 생신날이 되었어요. 아버지가 세 딸을 불러 선물을 가져오라고 했어요. 큰딸과 둘째 딸은 고개만 수그리고 아무 말도 하지 못했어요. 그때 막내딸이 송아지를 끌고 나왔어요. 사람들은 깜짝 놀랐어요. 그러자 막내딸은 콩 한 알로 송아지를 사게 된 이야기를 해 주었어요. 할아버지와 아버지는 함박웃음을 지었어요.

14 막내딸은 콩을 미끼로 써서 무엇을 잡았습니까?

(   )

15 ㉠은 어떻게 읽어야 할지 ○표 하시오.

(1) 귀찮은 듯한 목소리로 읽습니다. (   )
(2) 하소연하듯 투덜거리며 읽습니다. (   )
(3) 무언가를 곰곰이 떠올리는 표정으로 읽습니다. (   )

16 막내딸의 성격은 어떠한지 쓰시오.

(   )

17 세 딸은 할아버지의 선물로 무엇을 준비하였는지 선으로 이으시오.

(1) 큰딸 •

(2) 둘째 딸 •

(3) 막내딸 •

• ① 송아지

• ② 아무것도 준비하지 못했다.

18 글쓴이가 잘한다고 한 것은 무엇입니까?

(   )

① 춤추기   ② 악보 쓰기
③ 노래 부르기   ④ 피아노 치기
⑤ 피아노 가르치기

4 단원

진도 완료 체크

19 18에서 답한 것을 잘할 수 있는 방법은 무엇이라고 하였습니까?

• 조금씩이라도 매일 [   ] 하는 것

[18~20]

> 저는 피아노를 잘 칩니다. 처음 피아노를 배울 때에는 악보를 보는 것이 어려웠지만, 매일 연습하다 보니 피아노 치는 것이 재미있습니다. 피아노를 잘 치려면 조금씩이라도 매일 연습하는 것이 중요합니다.

20 이 글을 친구들 앞에서 자신 있게 말하려고 할 때 주의할 점이 <u>아닌</u> 것은 무엇입니까?

(   )

① 또박또박 말합니다.
② 알맞은 목소리로 말합니다.
③ 알맞은 빠르기로 말합니다.
④ 한 가지 표정으로만 말합니다.
⑤ 듣는 사람을 바라보며 말합니다.

알맞은 목소리로 읽어요

정답 12쪽

퀴즈

1. 다음은 어떤 목소리로 읽는 것이 좋을지 ○표 하세요.

어흥! 사람이 되고 싶어요!

(1) 토끼 같은 목소리 (   )

(2) 호랑이 같은 목소리 (   )

개념① 알맞은 목소리로 글을 읽어야 하는 까닭

① 듣는 사람이 글의 내용을 잘 이해할 수 있습니다.
② 듣는 사람이 편안하게 들을 수 있습니다.

● 알맞은 목소리로 글 읽기

개념② 소리 내어 시 읽기

① 장면을 떠올리며 시를 읽습니다.

② 인물의 마음을 떠올리며 시를 읽습니다.

● 부르는 말의 느낌을 살려 시 「너도 와」 읽기

참새를 만나면
참새야, 너도 와.

노랑 나비를 만나면
노랑 나비야, 너도 와.

→ 친구를 초대하듯이 부르는 말의 느낌을 살려 읽으면 실감 납니다.

개념③ 알맞은 목소리로 이야기 읽기

① 일어난 일을 설명할 때와 말하듯이 읽을 때를 구별해서 읽습니다.
② 인물에 따라 목소리를 바꾸어 가며 읽습니다.

● 알맞은 목소리로 이야기 읽기

「슬퍼하는 나무」의 아이

○ 장난스러운 아이의 목소리로 읽습니다.

「슬퍼하는 나무」의 나무

○ 나무의 슬픈 마음이 느껴지게 읽습니다.

똑같아요

무엇이 무엇이 똑같은가
젓가락 두 짝이 똑같아요

무엇이 무엇이 똑같은가
윷가락 네 짝이 똑같아요

• 작사: 윤석중
• 작곡: 외국 노래

박자를 맞추어 손뼉을 치며 노래를 따라 불러 보세요.

윷가락 윷놀이를 할 때 쓰는 네 개의 막대기.

---

1 무엇이 똑같다고 하였는지 두 가지를 고르세요.

(,)

① 숟가락 두 개
② 젓가락 두 짝
③ 윷가락 네 짝
④ 손가락과 발가락
⑤ 머리카락 두 가닥

2 친구들이 노래를 부른 느낌을 말하였습니다.
☐ 에 들어갈 말은 무엇일지 ○표 하세요.

세한: ☐ 이 재미있게 느껴졌어.
윤주: 똑같은 물건을 더 찾아 보고 싶어졌어.

(1) 어려운 노랫말 ( )
(2) 너무 짧은 노랫말 ( )
(3) 되풀이되는 노랫말 ( )

교과서 문제

3 보기 처럼 노랫말을 바꾸어 써 보세요.

보기
무엇이 무엇이 똑같은가
내 양말 두 짝이 똑같아요

무엇이 무엇이 똑같은가
내 장갑 두 짝이 똑같아요

무엇이 무엇이 똑같은가
아빠 구두 두 짝이 똑같아요

무엇이 무엇이 똑같은가

☐ 똑같아요

주변에서 짝을 이루어 서로 똑같이 생긴 물건을 떠올려 노랫말과 비슷하게 써요.

5
단원

스마트폰으로 찍어 보아요!
🎧 듣기자료

공 굴리기

학교에서 공 굴리기 놀이를 했다. 짝과 함께 큰 공을 빨리 굴리는 놀이였다. 나는 호순이와 짝이 되었다. 우리 차례가 되었다. 나와 호순이는 큰 공을 있는 힘껏 굴렸다. 결승점에 왔을 때 우리 편 친구들이 기뻐하는 소리가 들렸다.

'나'와 호순이

- **생각할 점**: 어떤 빠르기와 크기의 목소리로 읽는 것이 좋을지 떠올려 봅니다.

듣기 자료에서 하마와 꾀꼬리 중 누구처럼 읽어야 할까요?

5단원

교과서 문제

4 '나'는 학교에서 무엇을 하였나요?

(   ) 놀이

교과서 문제

5 '나'는 누구와 짝꿍이 되었나요? (   )

①  기린이

② 사슴이

③  호순이

④  다람이

6 하마와 꾀꼬리 중 위 글을 잘 읽은 친구는 누구인가요?

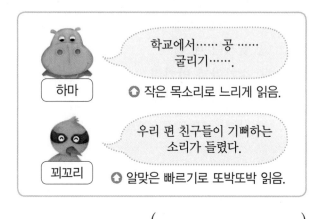

하마: 학교에서…… 공 …… 굴리기…….
➡ 작은 목소리로 느리게 읽음.

꾀꼬리: 우리 편 친구들이 기뻐하는 소리가 들렸다.
➡ 알맞은 빠르기로 또박또박 읽음.

(   )

7 알맞은 목소리로 글을 읽어야 하는 까닭을 바르게 설명한 친구는 누구인가요?

준서: 운동을 더 잘할 수 있기 때문입니다.
미현: 듣는 사람이 글의 내용을 더 잘 이해할 수 있기 때문입니다.

(   )

너도 와

우리들은 집에 즐거운 일이 있으면
다 부릅니다.
얘들아, 우리 집에 와.

참새를 만나면
참새야, 너도 와.
<u>부르는 말</u>

노랑나비를 만나면
㉠<u>노랑나비야, 너도 와.</u>

집에 즐거운 일이 있으면
집이 꽉 찹니다.

• 글쓴이: 이준관
• 글의 종류: 시
• 중심 내용: 집에 즐거운 일이 있으면 다 부릅니다.

즐거웠던 일을 떠올리며 시를 소리 내어 읽어 보아요.

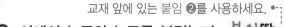

◑ 참새

교재 앞에 있는 붙임 ❷를 사용하세요.

8 '우리들'은 집에 즐거운 일이 있으면 어떻게 한다고 하였나요? (   )

① 춤을 춘다.
② 노래를 부른다.
③ 큰 소리로 웃는다.
④ 모두 다 집으로 부른다.
⑤ 가족이 모두 모여서 소풍을 간다.

9 이 시에서 두 번 나온 말을 두 가지 고르세요.
(,   )

① 너도 와.
② 참새를 만나면
③ 집이 꽉 찹니다.
④ 노랑나비를 만나면
⑤ 집에 즐거운 일이 있으면

10 시에서 누구와 누구를 불렀는지 **붙임딱지**를 붙이세요.

11 ㉠을 읽는 방법에 대해 알맞게 설명한 친구는 누구입니까?

현서: 부끄러워하는 느낌을 살려 읽어야지.
도진: 기쁜 마음으로 친구를 부르듯이 읽으면 좋을 것 같아.
연주: 걱정스러운 마음을 살려 빠르고 큰 목소리로 읽으면 좋겠지.

(   )

슬퍼하는 나무

⊙새 한 마리가 나무에 둥지를 틀고 고운 알을 소복하게 낳아 놓았습니다.

 ⓛ이 알을 모두 꺼내 가야지.

지금은 안 됩니다, 착한 도련님. 며칠만 지나면 까 놓을 테니 그때 와서 새끼 새들을 가져가십시오.

 ㉮그럼 그러지.

㉯며칠이 지나 새알은 모두 새끼 새가 되었습니다.

• 글쓴이: 이태준
• 글의 종류: 이야기
• 등장 인물

	아이
	새
	나무

둥지 새가 알을 낳거나 안에 들어가 살기 위해 만든 집.
소복하게 쌓인 것이 볼록 튀어나오도록 많이.
㉓ 밤사이 눈이 소복하게 쌓였다.

12 아이는 새알을 보고 어떤 생각을 하였나요?
( )

① 모두 꺼내 가야겠다.
② 하나만 꺼내 가야겠다.
③ 새알이 참 작고 귀엽다.
④ 내가 대신 품어 주고 싶다.
⑤ 어미 새의 알이 아닌 것 같다.

13 ⊙은 어떤 목소리로 읽는 것이 알맞을까요?
( )

① 화내는 목소리로 읽는다.
② 걱정하는 목소리로 읽는다.
③ 울먹거리는 목소리로 읽는다.
④ 일어난 일을 설명하듯이 읽는다.
⑤ 물어보듯이 끝을 올려서 읽는다.

14 ⓛ을 듣고 새의 마음은 어떠하였을지 보기 에서 골라 쓰세요.

보기
즐거워요   미안해요   걱정돼요

 알을 빼앗길까 봐 [   ].

15 ㉮와 ㉯는 어떤 목소리로 읽는 것이 알맞을지 선으로 이으세요.

(1) ㉮ •

• ① 실감 나게 말하듯이

(2) ㉯ •

• ② 일어난 일을 설명하듯이

하나, 둘, 셋, 넷, 다섯 마리로구나. ㉠허리춤에 넣어 갈까, 둥지째 떼어 갈까?

 ㉡지금은 안 됩니다, 착한 도련님. 며칠만 더 있으면 고운 털이 날 테니 그때 와서 둥지째 가져가십시오.

 그럼 그러지.

며칠이 지나서 와 보니, 새는 한 마리도 없고 둥지만 덜렁 나무가 바람에 울고 있었습니다.

 내가 가져갈 새끼 새가 모두 어디 갔니?

누가 아니? 나는 너 때문에 좋은 친구 모두 잃어버렸어. 너 때문에!
아이

📍 새끼들을 지키려는 새

 알을 빼앗기지 않으려고 새끼가 알에서 나오면 오라고 함.

↓

 새끼 새들을 빼앗기지 않으려고 털이 나면 오라고 함.

↓

아이가 오기 전에 새끼들과 함께 둥지를 떠남.

16 새끼 새는 모두 몇 마리였나요? (   )

① 한 마리　　　② 두 마리
③ 세 마리　　　④ 네 마리
⑤ 다섯 마리

17 ㉠을 듣고 새는 무엇이라고 대답하였는지 ○표 하세요.

(1) 알에서 나올 때까지 기다리세요. (   )
(2) 허리춤에 넣지 말고 호주머니에 넣어서 가져가세요. (   )
(3) 며칠만 더 있으면 고운 털이 날 테니 그때 와서 둥지째 가져가세요. (   )

18 ㉡은 어떤 목소리로 읽는 것이 알맞을까요? (   )

① 즐거운 목소리로 읽는다.
② 장난스러운 목소리로 읽는다.
③ 느릿느릿한 목소리로 읽는다.
④ 다급하게 부탁하는 목소리로 읽는다.
⑤ 일어난 일을 설명하듯이 또박또박 읽는다.

🧩 서술형·논술형 문제

19 울고 있던 나무의 마음은 어떠할지 쓰세요.

• 친구가 모두 떠나 버려서 [   ].

냄새 맡은 값

• 글의 종류: 옛이야기
• 글의 내용: 구두쇠 영감이 욕심을 부리다가 창피를 당하였습니다.

1 옛날에 마음씨 나쁜 구두쇠 영감이 국밥집을 차렸어요.

어느 날, 옆 마을에 사는 최 서방이 국밥집 앞을 지나면서 국밥 냄새를 맡았어요.

그러자 구두쇠 영감은 크게 화를 내며 말하였어요.

㉠"아, 국밥 냄새를 맡았으면 돈을 내야지."

㉡최 서방은 기가 막혔어요.

㉢"냄새 맡은 값이라니요?"

"냄새를 맡은 것도 국밥을 먹은 것이나 마찬가지야."

✏️ **중심 내용 1** 구두쇠 영감이 최 서방에게 국밥 냄새 맡은 값을 달라고 하였어요.

구두쇠 돈을 잘 쓰지 않으려는 사람.

차렸어요 가게를 내서 장사를 시작하였어요.
　예 삼촌께서 학교 앞에 문구점을 차렸어요.

기가 막혔어요 놀랍고 마음에 들지 않아 화가 났어요.

마찬가지 물건의 모양이나 어떤 일이 서로 같은 것.
　예 이쪽 길로 가나 저쪽 길로 가나 마찬가지입니다.

---

20 이 이야기에 나오는 인물은 누구누구인가요?

(,)

① 착한 나무꾼
② 욕심 많은 사또
③ 옆 마을에 사는 최 서방
④ 마음씨 좋은 그릇 장사꾼
⑤ 마음씨 나쁜 구두쇠 영감

21 ㉠은 어떻게 읽는 것이 좋을까요? ( )

① 느릿느릿한 목소리로
② 기쁜 마음을 담아 크게
③ 물어보듯이 끝을 올려서
④ 걱정스러운 목소리로 작게
⑤ 화난 목소리로 크게 따지듯이

🗂️ 서술형·논술형 문제

22 구두쇠 영감이 ㉠과 같이 말한 까닭은 무엇인지 쓰세요.

• 국밥 [   ] 도 국밥을 먹은

것이나 마찬가지라고 생각했기 때문에

23 ㉡과 ㉢은 어떤 목소리로 읽는 것이 좋을지 선으로 이으세요.

(1) ㉡ •

(2) ㉢ •

• ① 당황한 목소리

• ② 겁에 질린 목소리

• ③ 설명하는 목소리

2 최 서방은 화가 났어요. → 냄새 맡은 값을 내라고 해서

_최 서방은 돈주머니를 꺼내어 구두쇠 영감의 귀에 대고 흔들었어요.

"㉮이 소리가 들리지요?"

"이것은 엽전 소리 아닌가?"

"분명히 들었지요?"

"틀림없이 들었네."

㉠"그럼 됐어요."

㉡최 서방은 구두쇠 영감에게 말했어요.

"엽전 소리를 들었으니 돈을 받은 것이나 마찬가지예요."

㉢"아니, 뭐라고?"

구두쇠 영감은 창피해서 얼굴이 빨개졌어요.

㉣국밥집에 있던 사람들이 모두 웃음을 터뜨렸어요.

중심 내용 **2** 최 서방은 엽전 소리를 들려주어 냄새 맡은 값을 냈어요.

엽전 옛날에 사용하던 돈. 동전처럼 쇠로 만듦.
분명히 모습이나 소리가 흐릿함이 없이 뚜렷하게.

틀림없이 조금도 틀리지 않고 확실하게.
예 약속 시간까지 <u>틀림없이</u> 가야 합니다.

---

24 ㉮ '이 소리'를 흉내 내는 말은 무엇일까요?
( )

① 쿵쾅쿵쾅 ② 짤랑짤랑
③ 삐악삐악 ④ 철썩철썩
⑤ 꿀꺽꿀꺽

25 최 서방이 구두쇠 영감에게 냄새 맡은 값을 낸 방법은 무엇인가요? ( )

① 엽전 두 닢을 주었다.
② 엽전 소리를 들려주었다.
③ 돈주머니를 통째로 주었다.
④ 엽전 냄새를 맡게 해 주었다.
⑤ 국밥집에서 하루 동안 일을 해 주었다.

26 이야기의 끝부분에서 구두쇠 영감의 마음은 어떠하였을까요? ( )

① 즐겁다. ② 기쁘다.
③ 부끄럽다. ④ 걱정스럽다.
⑤ 자랑스럽다.

27 ㉠~㉣을 어떻게 읽어야 하는지 구별하여 기호를 쓰세요.

(1) 실감 나게 말하듯이 인물의 마음을 생각하며 읽는다. (,)
(2) 일어난 일을 설명하듯이 읽는다.
(,)

1~2   똑같아요

무엇이 무엇이 똑같은가
㉠젓가락 두 짝이 똑같아요

무엇이 무엇이 똑같은가
윷가락 네 짝이 ㉡

1 ㉠과 바꾸어 쓸 수 <u>없는</u> 말은 무엇입니까?
(   )

① 장갑 두 짝이
② 딸기와 수박이
③ 운동화 두 짝이
④ 아빠 구두 두 짝이
⑤ 엄마 귀고리 두 개가

2 ㉡ 에 들어갈 알맞은 말을 네 글자로 찾아 쓰시오.

(   )

3~6   공 굴리기

학교에서 공 굴리기 놀이를 했다. 짝과 함께 큰 공을 빨리 굴리는 놀이였다. 나는 호순이와 짝이 되었다. 우리 차례가 되었다. 나와 호순이는 큰 공을 있는 힘껏 굴렸다. 결승점에 왔을 때 우리 편 친구들이 기뻐하는 소리가 들렸다.

3 '내'가 공 굴리기 놀이를 한 곳은 어디입니까?
(   )

① 공원   ② 학교   ③ 놀이터
④ 주차장   ⑤ 마을 회관

📛 서술형·논술형 문제

4 '공 굴리기 놀이'는 어떻게 하는 놀이인지 쓰시오.

• (1) ☐ 과 함께 (2) ☐ 을 빨리 굴리는 놀이

5 이와 같은 글을 읽는 방법으로 알맞은 것을 두 가지 고르시오. (,   )

① 아주 천천히 읽는다.
② 알맞은 빠르기로 읽는다.
③ 몹시 큰 목소리로 읽는다.
④ 적당한 크기의 목소리로 읽는다.
⑤ 작은 목소리로 속삭이듯이 읽는다.

6 문제 5번의 정답과 같이 글을 읽으면 좋은 점에 ○표 하시오.

(1) 듣는 사람이 답답할 수 있다.   (   )
(2) 듣는 사람이 편안하게 들을 수 있다.
(   )
(3) 듣는 사람이 글을 잘 이해하지 못한다.
(   )

[7~11] 너도 와

우리들은 집에 즐거운 일이 있으면
다 부릅니다.
㉠애들아, 우리 집에 와.

참새를 만나면
㉡참새야, 너도 와.

노랑나비를 만나면
㉢노랑나비야, 너도 와.

집에 즐거운 일이 있으면
집이 꽉 찹니다.

7 '우리들'은 집에 무슨 일이 있으면 다 부른다고 하였습니까? ( )

① 슬픈 일이 있으면
② 힘든 일이 있으면
③ 즐거운 일이 있으면
④ 무서운 일이 있으면
⑤ 걱정스러운 일이 있으면

8 이 시를 읽고 떠오르는 장면으로 알맞지 않은 것에 ×표 하시오.

(1) 집에 많은 사람이 모여 앉아 즐거워하는 모습	(2) 텅 빈 방안에 혼자서 눈물을 흘리고 있는 모습
( )	( )
(3) 기쁜 표정으로 동네를 돌아다니며 초대하는 모습	(4) 친구들이 모두 모여 생일잔치를 하는 모습
( )	( )

9 이 시의 내용과 비슷한 경험을 한 친구는 누구입니까?

준서: 동생과 함께 수영장에 가서 놀았어.
영인: 숙제를 하기 위해 친구와 함께 도서관에 갔어.
주호: 할아버지 생신이라서 친척이 모두 모여 잔치를 해 드렸어.

( )

10 ㉠~㉢을 읽는 방법으로 알맞은 것에 ○표 하시오.

(1) 일어난 일을 설명하듯이 읽는다. ( )
(2) 한 글자씩 끊어서 또박또박 큰 목소리로 읽는다. ( )
(3) 친구를 초대하듯이 부르는 말의 느낌을 살려서 읽는다. ( )

11 시에서 느껴지는 '우리들'의 마음으로 보기 어려운 것은 무엇입니까? ( )

① 즐거운 일이 있으면 행복하다.
② 즐거운 일을 함께 나누고 싶다.
③ 집에 사람이 많으면 힘들기만 하다.
④ 모두 다 초대해서 즐겁게 놀고 싶다.
⑤ 즐거운 일 덕분에 집이 꽉 차면 좋다.

5. 알맞은 목소리로 읽어요 | **77**

12~13 아침

㉠뚜, 뚜.
나팔꽃이 일어나래요.

㉡똑, 똑.
아침 이슬이 세수하래요.

㉢방긋, 방긋.
아침 해가 노래하재요.

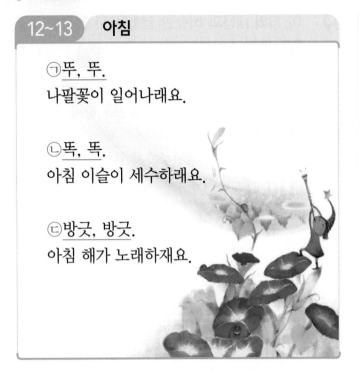

12 누가 어떤 말을 하였을지 찾아 선으로 이으시오.

(1) 나팔꽃 •   • ① 세수해야지.

(2) 아침 이슬 •   • ② 같이 노래하자.

(3) 아침 해 •   • ③ 어서 일어나렴.

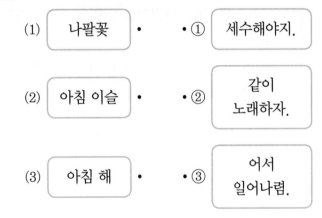

13 ㉠~㉢은 어떤 느낌을 살려서 읽으면 좋을지 두 가지에 ○표 하시오.

시끄러운 느낌   부드러운 느낌

귀여운 느낌   날카로운 느낌   외롭고 슬픈 느낌

14~15 슬퍼하는 나무

새 한 마리가 나무에 둥지를 틀고 고운 알을 소복하게 낳아 놓았습니다.

 ㉠이 알을 모두 꺼내 가야지.

 ㉡지금은 안 됩니다, 착한 도련님. 며칠만 지나면 까 놓을 테니 그때 와서 새끼 새들을 가져가십시오.

 그럼 그러지.

14 ㉠은 어떤 목소리로 읽는 것이 알맞겠습니까? (   )

① 슬픈 목소리
② 미안한 목소리
③ 걱정하는 목소리
④ 장난스러운 목소리
⑤ 기운이 하나도 없는 목소리

15 ㉡을 가장 실감 나게 읽을 수 있는 방법은 무엇입니까? (   )

① 일어난 일을 설명하듯이 읽는다.
② 재미있다는 듯이 웃으며 읽는다.
③ 간절히 급하게 부탁하듯이 읽는다.
④ 궁금하다는 듯이 끝을 올려 읽는다.
⑤ 아무 걱정 없다는 듯이 느리게 읽는다.

16~19 슬퍼하는 나무

며칠이 지나 새알은 모두 새끼 새가 되었습니다.

 ㉠하나, 둘, 셋, 넷, 다섯 마리로구나. 허리춤에 넣어 갈까, 둥지째 떼어 갈까?

 지금은 안 됩니다, 착한 도련님. 며칠만 더 있으면 고운 털이 날 테니 그때 와서 둥지째 가져가십시오.

 그럼 그러지.

며칠이 지나서 와 보니, 새는 한 마리도 없고 둥지만 달린 나무가 바람에 울고 있었습니다.

 ㉡내가 가져갈 새끼 새가 모두 어디 갔니?

 누가 아니? ㉢나는 너 때문에 좋은 친구 모두 잃어버렸어. 너 때문에!

16 새는 ㉠을 듣고 어떻게 대답하였습니까?

• 며칠이 지나면 [   ]이/가 날 테니 그때 와서 가져가십시오.

17 일어난 일을 설명하듯이 읽으면 좋은 부분에 ○표 하시오.

(1) 그럼 그러지.   (   )

(2) 지금은 안 됩니다, 착한 도련님.   (   )

(3) 며칠이 지나 새알은 모두 새끼 새가 되었습니다.   (   )

18 ㉡을 읽는 알맞은 목소리는 무엇이겠습니까?
(   )

① 늙은 사람의 목소리
② 겁 먹은 듯한 목소리
③ 아주 기분 좋은 목소리
④ 아무 감정이 없는 목소리
⑤ 말끝을 올려서 물어보는 목소리

19 ㉢을 알맞은 목소리로 읽는 방법 두 가지를 고르시오. (,   )

① 장난스러운 목소리로 읽는다.
② 슬픈 마음이 느껴지도록 읽는다.
③ 상쾌한 기분이 드러나게 읽는다.
④ 자랑스러워하는 느낌으로 읽는다.
⑤ 남자아이를 탓하는 듯이 크게 읽는다.

5 단원

진도 완료 체크

20 어떤 마음이 느껴지게 읽는 것이 좋을지 선으로 이으시오.

(1) 에구머니, 이게 뭐야?

(2) 내가 저 구덩이에 빠진 건 모두 너 같은 사람 때문이야.

• ① 화남
• ② 간절함
• ③ 놀람

6 고운 말을 해요

민서 말이 맞아. 고운 말을 써야 듣는 사람의 기분이 좋아지지.

네, 선생님!

잃어버린 건 어쩔 수 없지. 너무 걱정하지 마.

예준아, 정말 미안해.

예준아, 여기 네 장난감.

정말?

안녕, 얘들아?

왜 이걸 네가 갖고 있어?

어제 호랑이가 나한테 가지고 있으라고 했어.

아, 맞다!

그랬구나.

정말 다행이야. 잃어버린 줄 알고 속상했는데.

이 장난감은 외국에서도 못 구하는 거라고 하셨어.

정말이니?

그거 학교 앞에서 싸게 팔던데? 다른 건가?

뭣이?

정답 14쪽

퀴즈

1. 고운 말의 기호를 쓰세요.

ㄱ 너 바보 아니니?
ㄴ 괜찮아, 걱정하지 마.

(   )

6. 고운 말을 해요 | **81**

6 단원

개념 ① 고운 말을 쓰면 좋은 점

① 듣는 사람의 기분을 좋게 해 줍니다.
② 친구와 사이좋게 지낼 수 있습니다.
③ 친구의 마음을 생각하며 말할 수 있습니다.

● 고운 말을 쓰면 좋은 점

➡ 고운 말을 들으면 듣는 사람의 기분이 좋아집니다.

개념 ② 자신의 기분을 말하는 방법

① 기분을 나타내는 말 예

> 슬퍼요   기뻐요   미안해요
>
> 고마워요   부러워요   부끄러워요

② 자신의 기분이 잘 드러나게 말하려면 왜 그런 기분이 드는지 까닭을 함께 말해 주어야 합니다.

● 자신의 기분을 말하는 방법

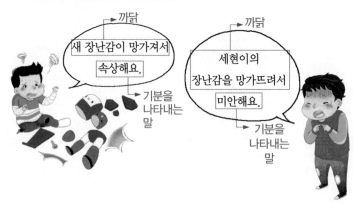

개념 ③ 듣는 사람을 생각하며 자신의 기분 말하기

① 자신의 솔직한 기분을 생각해 봅니다.
② 듣는 사람의 기분을 생각하며 말합니다.

● 듣는 사람을 생각하며 자신의 기분 말하기

동수가 들은 말

· 그림의 내용: 동수가 친구들에게 들었던 말을 나타내었습니다.

와, 모자가 참 잘 어울린다.

공놀이 같이 할래?

노래 참 잘한다!

가	동수가 생일잔치를 하고 있는 모습
나	동수가 새 모자를 쓰고 있는 모습
다	동수가 공놀이를 하는 친구를 만난 모습
라	동수가 교실에서 노래를 부르는 모습

칭찬을 들으면 기분이 어떨지 생각해 보아요.

1 다음 중 동수에게 있었던 일은 무엇인가요? ( )

① 동화책을 읽었다.
② 운동화를 새로 샀다.
③ 친구와 줄넘기를 하였다.
④ 할머니의 생신 잔치에 갔다.
⑤ 친구들 앞에서 노래를 불렀다.

2 ㉠에 들어갈 말은 무엇일까요? ( )

① 정말 고마워.
② 생일 축하해!
③ 만나서 반가워.
④ 모자 어디서 샀니?
⑤ 어머니는 어디 계시니?

3 가~라에서 동수가 친구들의 말을 듣고 어떤 표정을 지었을까요? ( )

① 　②

③ 　④

4 친구의 기분을 좋게 하는 말에 ○표 하세요.

(1) 너 옷이 그게 뭐니? ( )
(2) 그래, 역시 네가 최고야. ( )
(3) 너한테 냄새 난다. 좀 씻고 다녀! ( )

몽몽 숲의 박쥐 두 마리

• 글쓴이: 이혜옥   • 그림: 이은진
• 생각할 점: 누가 고운 말을 쓰는지 생각하며 읽어 봅시다.

어느 날 몽몽 숲에 동물들이 찾아왔어.

"친구들아, 정말 반가워!"

달콤 박쥐가 기쁘게 반겼어.

하지만 뾰족 박쥐는,

"친구는 무슨 친구! 흥!"

㉠과일나무에 탐스러운 열매가 주렁주렁!

"나무님, 감사해요!" → 고운 말

달콤 박쥐는 공손히 인사하고 동물들을 초대해 오순도순 나눠 먹었어.

탐스러운 꽃이나 열매가 예쁘고 커서 볼 만한.
㉝ <u>탐스러운</u> 딸기가 많이 열렸습니다.

오순도순 정답게 이야기하거나 사이좋게 지내는 모양.
㉝ 가족들과 수박을 <u>오순도순</u> 나눠 먹었습니다.

5 몽몽 숲에는 누가 살고 있었나요?

달콤 박쥐와 (   ) 박쥐

🏅교과서 문제

6 달콤 박쥐와 뾰족 박쥐가 몽몽 숲에 찾아온 동물들에게 한 말을 선으로 이으세요.

(1) 달콤
박쥐

• ① 친구는 무슨 친구! 흥!

• ② 나무님, 감사해요!

(2) 뾰족
박쥐

• ③ 친구들아 정말 반가워!

🏅교과서 문제

7 달콤 박쥐의 말을 들은 동물들은 어떤 기분이 들었을까요? (   )

① 힘이 빠졌을 것이다.

② 매우 속상하였을 것이다.

③ 같이 놀고 싶지 않을 것이다.

④ 화가 나서 참을 수 없었을 것이다.

⑤ 달콤 박쥐와 친하게 지내고 싶을 것이다.

8 달콤 박쥐가 ㉠을 보고 한 행동이 <u>아닌</u> 것은 무엇인가요? (   )

① 동물 친구들을 초대하였다.

② 나무에게 공손히 인사하였다.

③ 동물들과 열매를 나눠 먹었다.

④ 나무에게 감사하다고 말하였다.

⑤ 뾰족 박쥐에게 열매를 자랑하였다.

가시나무에는 딱딱한 열매가 듬성듬성!

뾰족 박쥐는 오도독 맛을 보더니,

<small>작고 단단한 것을 깨무는 소리</small>

㉠"퉤퉤! 무슨 맛이 이래?"

그러자 갑자기 뾰족 박쥐의 머리 위로 열매가 후두두, 따다닥!

"으악, 뾰족 박쥐 살려!"

뾰족 박쥐는 가시나무에 매달려 훌쩍훌쩍.

그때 달콤 박쥐가 포르르 날아와 말했어.

"울지 마, 친구야. 나랑 가서 열매 먹자."

"달콤 박쥐야, 고마워!"

달콤 박쥐와 뾰족 박쥐가 사이좋게 대롱대롱.

듬성듬성 수가 많지 않아 사이사이가 떨어진 모양.
예 아기 머리털이 <u>듬성듬성</u> 나기 시작합니다.

훌쩍훌쩍 콧물을 들이마시며 우는 소리나 모양.
예 동생이 넘어져서 <u>훌쩍훌쩍</u> 울었습니다.

9 가시나무에 무엇이 열려 있었나요?

• (   ) 열매가 열려 있었습니다.

10 ㉠으로 보아, 가시나무 열매의 맛은 어떠하였을까요? (   )

① 달콤하다.   ② 고소하다.
③ 새콤하다.   ④ 시원하다.
⑤ 쓰고 맛없다.

11 내가 가시나무라면, ㉠을 듣고 어떤 기분이 들었을까요? (   )

① 고맙다.   ② 미안하다.
③ 뿌듯하다.   ④ 화가 난다.
⑤ 자랑스럽다.

12 뾰족 박쥐가 겪은 일이 <u>아닌</u> 것은 무엇인가요?
(   )

① 떨어진 열매에 머리를 맞았다.
② 가시나무 열매를 먹어 보았다.
③ 달콤 박쥐에게 화를 내며 싸웠다.
④ 가시나무에 매달려 훌쩍훌쩍 울었다.
⑤ 달콤 박쥐가 날아와 말을 걸어 주었다.

13 고운 말에는 ○표, 고운 말이 아닌 것에는 ×표 하세요.

(1) 퉤퉤! 무슨 맛이 이래?
(2) 달콤 박쥐야, 고마워!
(3) 울지 마, 친구야. 나랑 가서 열매 먹자.

(   )   (   )   (   )

6단원

정답 14쪽

2. 「몽몽 숲의 박쥐 두 마리」를 읽고 물음에 답해 봅시다.

(1) 달콤 박쥐와 뾰족 박쥐가 어떤 말을 했나요?

달콤 박쥐	뾰족 박쥐

친구들아, 정말 반가워!	(예시 답안) 친구는 무슨 친구! 흥!

(예시 답안) 나무님, 감사해요!	퉤퉤! 무슨 맛이 이래?

(2) 달콤 박쥐의 말을 들은 동물 친구들은 기분이 어떠했을까요?

(예시 답안) 기분이 좋을 것 같습니다. / 달콤 박쥐와 친하게 지내고 싶을 것 같습니다.

(3) 뾰족 박쥐의 말을 들은 동물 친구들은 기분이 어떠했을까요?

(예시 답안) 기분이 좋지 않을 것 같습니다. / 속상할 것 같습니다. / 뾰족 박쥐와 놀고 싶지 않을 것 같습니다.

(풀이) 고운 말을 쓰면 친구와 사이좋게 지낼 수 있습니다.

3. 「몽몽 숲의 박쥐 두 마리」에 나오는 고운 말을 찾아 선으로 이어 봅시다.

퉤퉤! 무슨 맛이 이래?	울지 마. 친구야. 나랑 가서 열매 먹자.

친구들아, 정말 반가워! ─ **고운 말** ─ 달콤 박쥐야, 고마워!

(풀이) 맛이 이상하다고 탓하는 말은 고운 말과는 거리가 멉니다.

자습서 확인 문제

1 뾰족 박쥐가 한 말은 어느 것인가요?

㉠ 나무님, 감사해요!
㉡ 퉤퉤! 무슨 맛이 이래?
㉢ 친구들아, 정말 반가워!

( )

2 뾰족 박쥐의 말을 들은 친구들의 기분이 좋지 않은 까닭은 무엇일까요?

• (고운 / 무서운) 말을 쓰지 않았기 때문에

3 "울지 마. 친구야. 나랑 가서 열매 먹자."라는 말을 들으면 어떤 마음이 들까요?

( ) 마음

내 장난감 봐라. 멋지지 않니?

정말 좋겠다! 나도 가지고 싶다. 내가 잠깐 가지고 놀아도 돼?

→ 희동이의 마음: 세현이가 부러워요.

세현

희동

던지고 노는 장난감인가 봐.

조심해야 하는데…….

새로 산 장난감인데!

6
단원

14 세현이와 희동이에게 어떤 일이 일어났나요?
( )

① 세현이가 희동이의 장난감을 빌려 갔다.

② 세현이와 희동이가 장난감을 사러 갔다.

③ 세현이가 희동이의 장난감을 잃어버렸다.

④ 세현이의 장난감을 희동이가 망가뜨렸다.

⑤ 세현이가 희동이에게 장난감을 선물하였다.

┈┈• 교재 앞에 있는 붙임 ❷를 사용하세요.

15 그림 ❷에서 세현이의 기분은 어떠했을까요?
붙임딱지를 붙이세요.

조심해야 하는데…….

🎓 교과서 문제

16 보기 에서 기분을 나타내는 말을 골라 세현이와 희동이가 한 말을 완성하세요.

보기

화나요   미안해요   부러워요

(1) 장난감이 망가져서
( ).

(2) 내가 세현이의 장난감을 망가뜨려서 ( ).

17 기분이 잘 드러나게 말하는 방법으로 알맞은 것 두 가지에 ◯표 하세요.

(1) 소리를 크게 질러서 말합니다.   ( )

(2) 기분을 나타내는 말을 씁니다.   ( )

(3) 왜 그런 기분이 드는지 함께 말합니다.
( )

[18~19] 다음 그림을 보고 고운 말을 한 친구의 이름을 쓰세요.

18

(   )

19

(   )

20 고운 말을 쓰면 좋은 점에 ○표 하세요.

(1) 공부를 더 잘하게 됩니다.   (   )

(2) 서로의 기분을 좋게 합니다.   (   )

(3) 친구와 사이가 나빠질 수 있습니다.

(   )

서술형·논술형 문제

21 소연이의 기분이 잘 드러나도록 ▢에 알맞은 까닭을 쓰세요.

· [   ] 많이 떨려.

22 ㉠에 들어갈 기분이 잘 드러나는 말에 ○표 하세요.

(1) 너, 제대로 사과 안 해?   (   )

(2) 만드느라 얼마나 힘들었는데!   (   )

(3) 내가 열심히 만든 건데 네가 이렇게 해서 너무 속상해.   (   )

6단원

[23~24] 다음 그림을 보고 물음에 답하시오.

23 그림 ③ 에서 지우의 기분은 어떠하였을지 두 가지를 고르세요. (,   )

① 승호의 책만 읽고 싶다.
② 아침 독서 시간이 싫다.
③ 마침 지루했는데 잘됐다.
④ 읽던 책을 계속 읽고 싶다.
⑤ 책을 바꾸어 읽고 싶지 않다.

24 승호의 표정으로 보아, ㉠ 에 들어갈 알맞은 말은 무엇인가요? (   )

① 너는 맨날 그러더라?
② 읽던 책이나 마저 읽어.
③ 다 읽고 나서 서로 바꾸어 읽자.
④ 그렇게 참을성이 없어서 어떡하니?
⑤ 이 책은 어려워서 너는 읽기 힘들걸?

25 민지의 기분을 생각하며 정민이가 할 말은 무엇일까요? (   )

① 아, 속상해!
② 참 잘했구나!
③ 어떡해! 큰일 났네.
④ 미안하면 다니? 어떻게 할 거야?
⑤ 그림이 망가져서 속상하지만 괜찮아.

26 듣는 사람을 생각하며 그림에 알맞은 대답을 찾아 선으로 이으세요.

(1)  •   • ㉠ 잃어버린 줄 알았는데 찾아서 다행이다.

(2)  •   • ㉡ 괜찮아. 다음에는 약속 시간 꼭 지켜 줘.

(3)  •   • ㉢ 괜찮아. 곧 마를 거야.

6단원

1~2 동수가 들은 말

가
동수
와, 모자가 참 잘 어울린다.

나
노래 참 잘한다!

다
공놀이 같이 할래?

1 그림 가와 나에서 동수는 어떤 말을 들었습니까? (　　)

① 사과하는 말　　② 칭찬하는 말
③ 약 올리는 말　　④ 화를 내는 말
⑤ 잘못을 지적하는 말

2 그림 다에서 동수의 기분은 어떠하였겠습니까? (　　)

① 속상했을 것이다.
② 짜증이 났을 것이다.
③ 기분이 좋았을 것이다.
④ 기분이 나빴을 것이다.
⑤ 힘이 쭉 빠졌을 것이다.

3 들으면 기분이 좋아지는 말이 아닌 것은 무엇입니까? (　　)

① 정말 고마워.
② 생일 축하해.
③ 내가 빌려줄게.
④ 이제 너랑 안 놀아.
⑤ 힘내, 넌 할 수 있어.

4~5 몽몽 숲의 박쥐 두 마리

어느 날 몽몽 숲에 동물들이 찾아왔어.
㉠"친구들아, 정말 반가워!"
달콤 박쥐가 기쁘게 반겼어.
하지만 뾰족 박쥐는,
㉡"친구는 무슨 친구! 흥!"

4 ㉠과 ㉡ 중에서 고운 말은 어느 것입니까?

(　　　　　　　)

5 ㉠과 ㉡을 들은 동물 친구들의 마음이 어떠하였을지 선으로 이으시오.

(1) ㉠ •

• ① 기분이 나쁘고 속상하였을 것이다.

(2) ㉡ •

• ② 반겨 줘서 고맙고 기분이 좋았을 것이다.

6~7 **몽몽 숲의 박쥐 두 마리**

과일나무에 탐스러운 열매가 주렁주렁!

"나무님, 감사해요!"

달콤 박쥐는 공손히 인사하고 동물들을 초대해 오순도순 나눠 먹었어.

가시나무에는 딱딱한 열매가 듬성듬성!

뾰족 박쥐는 오도독 맛을 보더니,

"퉤퉤! 무슨 맛이 이래?"

📚 서술형·논술형 문제

6 고운 말을 쓴 박쥐는 누구인지 ○표 하고, 고운 말을 찾아 쓰시오.

(1) (달콤 박쥐 / 뾰족 박쥐)

(2) "＿＿＿＿＿＿＿＿＿＿＿＿＿＿"

7 달콤 박쥐와 뾰족 박쥐의 행동을 구별하여 모두 선으로 이으시오.

(1) 달콤 박쥐 ·

(2) 뾰족 박쥐 ·

· ① 딱딱한 열매를 뱉었다.

· ② 나무에 공손하게 인사하였다.

· ③ 동물들을 초대하였다.

8~10 **몽몽 숲의 박쥐 두 마리**

갑자기 뾰족 박쥐의 머리 위로 열매가 후두두, 따다닥!

"으악, 뾰족 박쥐 살려!"

뾰족 박쥐는 가시나무에 매달려 훌쩍훌쩍.

그때 달콤 박쥐가 포르르 날아와 말했어.

"울지 마, 친구야. 나랑 가서 열매 먹자."

"달콤 박쥐야, ⊙　　　!"

ⓛ달콤 박쥐와 뾰족 박쥐가 사이좋게 대롱대롱.

8 뾰족 박쥐가 훌쩍훌쩍 운 까닭은 무엇입니까?

(　　　)

① 열매가 맛없어서

② 가시나무에 찔려서

③ 열매가 너무 매워서

④ 달콤 박쥐가 놀려서

⑤ 열매에 머리를 맞아서

9 ⊙ 에 들어갈 고운 말은 어느 것입니까?

(　　　)

① 싫어　　② 미안해　　③ 고마워

④ 잘났어　　⑤ 저리 가

10 ⓛ에서 달콤 박쥐와 뾰족 박쥐의 표정은 어떠하였을지 ○표 하시오.

(1) (　　) (2) (　　) (3) (　　)

6 단원

11~15

11 세현이는 희동이에게 무엇을 보여 주었습니까? (   )

① 새 가방　　　② 새 운동화

③ 새 장난감　　④ 새 게임기

⑤ 헌 장난감

12 그림 ❶에서 희동이의 기분은 어떠합니까?

(   )

① 세현이가 밉다.

② 세현이가 부럽다.

③ 세현이가 자랑스럽다.

④ 세현이를 놀리고 싶다.

⑤ 세현이와 놀고 싶지 않다.

13 그림 ❷에서 세현이가 다음과 같은 기분이 드는 까닭은 무엇이겠습니까? (   )

걱정스러워요.

① 학원에 늦을까 봐

② 희동이가 화낼까 봐

③ 장난감이 망가질까 봐

④ 희동이가 장난감을 싫어할까 봐

⑤ 희동이가 장난감을 돌려주지 않을까 봐

14 세현이의 기분을 생각하며 ☐에 들어갈 말을 두 가지 고르시오. (,   )

세현: 새 장난감이 망가져서 ☐☐☐☐.

① 기뻐요　　　　② 슬퍼요

③ 미안해요　　　④ 고마워요

⑤ 속상해요

15 희동이의 기분이 더 잘 드러나도록 ☐에 들어갈 알맞은 말에 ○표 하시오.

희동: ☐☐☐☐☐☐☐ 미안해요.

(1) 세현이가 자랑을 해서　　　　　(   )

(2) 나만 장난감을 가지고 놀아서　(   )

(3) 내가 세현이의 장난감을 망가뜨려서

(   )

16 소연이가 한 말을 구별하여 기호를 쓰시오.

㉠친구들 앞에 서니까
㉡많이 떨려.

소연

(1) 그런 기분이 든 까닭	
(2) 기분을 나타내는 말	

17 듣는 사람을 생각하며 기분을 말한 것에 ○표 하시오.

앗, 실수!

너, 제대로 사과
안 해? 내가 화난 거
안 보여?

내가 열심히
만든 건데 네가 이렇게
해서 너무 속상해.

(1) (　　)　　(2) (　　)

18 기분을 말할 때 그런 기분이 든 까닭을 함께 말하면 좋은 점은 어느 것입니까?

㉠ 왜 그런 기분인지 더 잘 알 수 있다.
㉡ 길게 말하면 말을 잘하는 것처럼 보인다.
㉢ 기분을 나타내는 말을 어렵게 말할 수 있다.

(　　　　　　)

19 그림을 보고 듣는 사람을 생각하며 한 대답을 찾아 선으로 이으시오.

어머, 미안해.

(1) ·

· ① 잃어버린 줄 알았는데 찾아서 다행이다.

· ② 그림이 망가져서 속상하지만 괜찮아.

미안해! 옷 많이 젖었니?

(2) ·

· ③ 괜찮아, 곧 마를 거야.

20 듣는 사람의 기분을 생각할 때 ▢에 들어갈 알맞은 말을 두 가지 고르시오. (　　,　　)

어머, 미안해.
▢

아야!

① 괜찮아?
② 깜짝이야!
③ 실수였어.
④ 엄살 부리긴!
⑤ 근데 누구니?

무엇이 중요할까요

정답 17쪽

퀴즈

1. 중요한 내용을 확인하는 방법은 무엇인가요?
- 글 (전체 / 부분)의 내용을
- 알아본다.

7
단원

개념① 누가 무엇을 했는지 파악하는 방법

① 인물의 생각을 알아봅니다.
② 인물의 말을 살펴봅니다.
③ 인물의 행동을 살펴봅니다.

● 글 「소금을 만드는 맷돌」에서 도둑이 한 생각과 행동

도둑이 한 생각이나 말	도둑은 너무 놀라 "멈춰라, 소금!"이라는 말을 잊어버렸어요.
도둑이 한 행동	도둑은 맷돌과 함께 바닷속에 가라앉고 말았어요.

개념② 내용에 알맞게 제목 붙이기

① 글의 내용을 잘 드러내는 말이어야 합니다.
② 글의 내용과 어울려야 합니다.
③ 글에서 가장 중요한 생각을 나타내어야 합니다.

● 글에 어울리는 제목

오늘 소방관 아저씨께서 학교에 오셨다. 아저씨께서는 불이 나면 크게 다칠 수 있다고 말씀하셨다. 그리고 불이 나면 …….

↓

제목	불조심

개념③ 내용을 확인하며 글 읽기

① 무엇에 대해 말하고 있는지 생각합니다.
② 글 전체의 내용을 알아봅니다.
③ 글에서 알리고 싶은 내용이 무엇인지 생각합니다.
④ 중요한 내용을 정리합니다.

● 글 「연주회장에서의 예절」의 내용

연주회장에서의 예절
• 연주가 시작되기 전에 연주회장에 들어갑니다. • 휴대 전화의 전원을 끕니다. • 연주 중에는 사진이나 동영상을 찍지 않습니다. • 큰 소리를 내지 않습니다. • 연주가 끝나면 손뼉을 칩니다.

1 다음 그림과 글을 보고 떠오르는 동물을 쓰세요.

- 나무를 잘 타요.
- 꼬리가 있어요.
- 줄무늬가 있어요.

[2~4] 글을 읽고 설명하는 대상을 찾아 보세요.

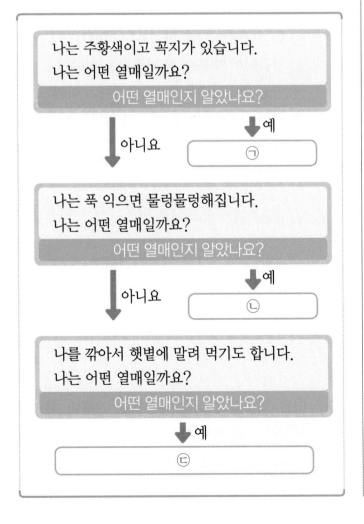

나는 주황색이고 꼭지가 있습니다.
나는 어떤 열매일까요?
어떤 열매인지 알았나요?

아니요 → 예 → ㉠

나는 푹 익으면 물렁물렁해집니다.
나는 어떤 열매일까요?
어떤 열매인지 알았나요?

아니요 → 예 → ㉡

나를 깎아서 햇볕에 말려 먹기도 합니다.
나는 어떤 열매일까요?
어떤 열매인지 알았나요?

예 → ㉢

2 ㉠에 들어갈 수 있는 열매에 모두 ○표 하세요.

(1) 감 ( )
(2) 수박 ( )
(3) 오렌지 ( )

3 ㉡에 들어갈 열매가 <u>아닌</u> 것을 모두 고르세요.
(, ,)

① 감　　　　　② 포도
③ 바나나　　　④ 한라봉
⑤ 파인애플

4 ㉢에 알맞은 열매를 쓰세요.
( )

🍙 교과서 문제
5 다음 설명을 읽고 떠오르는 동물은 무엇인가요? ( )

나는 날개가 있습니다.
나는 농장에서 자랍니다.
나는 "꼭꼭 꼬끼오." 하고 웁니다.
사람들은 내가 낳은 알을 좋아합니다.

① 닭　　　② 참새　　　③ 고래
④ 비둘기　　⑤ 호랑이

소금을 만드는 맷돌

• 지은이: 홍윤희
• 글의 종류: 이야기
• 글의 내용: 임금님의 신기한 맷돌을 훔쳐 간 도둑이 벌을 받았습니다.

옛날 옛적에 마음씨 착한 임금님이 살았어요. 임금님은 백성을 아끼고 사랑했어요. <u>가난한 사람들에게 쌀과 옷을 나누어 주었지요.</u>
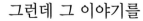
임금님이 한 행동

사람들은 모였다 하면 너도나도 임금님 칭찬을 했어요.

"그런데 자네들, 임금님에게 신기한 맷돌이 있다는 거 아나?"

"마음씨가 착하니 하늘이 임금님께 상을 주신 거구면!"

그런데 그 이야기를 엿듣던 도둑은 <u>고약한</u> 마음을 먹었어요.
나쁜

백성 옛날에, 양반이나 귀족이 아닌 보통 사람을 이르던 말.

맷돌 둥글넓적한 두 돌 사이에 곡식을 넣고 손잡이를 돌려서 곡식을 가는 데 쓰는 기구.

엿듣던 남의 말을 몰래 가만히 듣던.

---

6 이 글의 등장인물을 모두 고르세요.

(, ,)

① 도둑   ② 도깨비
③ 백성   ④ 산신령
⑤ 임금님

7 임금님은 어떤 사람이었는지 두 가지 고르세요. (,)

① 마음씨가 착하였다.
② 언제나 심술을 부렸다.
③ 모든 일을 귀찮아하였다.
④ 누구에게도 관심이 없었다.
⑤ 백성을 아끼고 사랑하였다.

8 사람들은 모여서 어떤 이야기를 했나요?

( )

① 임금님에게 쌀을 바치자는 이야기
② 임금님이 맷돌을 잘 만든다는 이야기
③ 임금님이 마술을 할 수 있다는 이야기
④ 임금님에게 신기한 맷돌이 있다는 이야기
⑤ 임금님이 백성들에게 상을 줄 것이라는 이야기

9 마을 사람들의 이야기를 듣고 도둑이 하였을 생각에 ○표 하세요.

(1) 신기한 맷돌을 훔쳐야겠어. ( )
(2) 임금님은 참 고마운 분이야. ( )

도둑은 궁궐로 숨어들었어요.

임금님은 맷돌 앞에서 "나와라!", "멈춰라!"를 외치고 있었어요.

임금님이 "나와라, 옷!" 하면 옷이 나오고 "멈춰라, 옷!" 하면 멈추는 게 아니겠어요?

도둑은 자신도 모르게 씩 웃었지요.

⊙"옳아, 저것이 신기한 맷돌이로구나!"

도둑은 모두 잠든 사이 맷돌을 훔쳐 도망을 쳤어요.

임금이 한 생각과 행동

생각이나 말	"나와라, 옷!", "멈춰라, 옷!"
행동	맷돌 앞에서 "나와라!", "멈춰라!"를 외쳤다.

궁궐 한 나라의 임금이 사는 집.

씩 소리 없이 입꼬리를 올리며 한 번 웃는 모양.

옳아 무엇이 자기의 생각과 꼭 들어맞을 때 하는 말.

---

10 도둑이 한 말과 행동을 보기 에서 찾아 기호로 쓰세요.

보기

⊙ "나와라!"
ⓒ 옷을 갈아입었다.
ⓒ 궁궐로 숨어들어 갔다.
ⓔ "옳아, 저것이 신기한 맷돌이로구나!"

(1) 도둑이 한 말	(2) 도둑이 한 행동

11 임금님은 맷돌 앞에서 무엇을 하고 있었는지 쓰세요.

• 임금님은 [   ]
를 외쳤다.

12 ⊙을 읽을 때 어울리는 목소리는 무엇인가요?

(   )

① 슬픈 목소리로 읽는다.
② 화난 목소리로 읽는다.
③ 즐거운 목소리로 읽는다.
④ 걱정되는 목소리로 읽는다.
⑤ 자신 없는 목소리로 읽는다.

교과서 문제

13 모두 잠든 사이에 도둑은 무엇을 하였나요?

(   )

① 임금님을 위해 궁궐을 지켰다.
② 임금님을 위해 맷돌을 만들었다.
③ 임금님과 신하들을 웃게 하였다.
④ 신기한 맷돌을 훔쳐서 달아났다.
⑤ 임금님을 위해 쌀과 옷을 바쳤다.

도둑은 서둘러 배를 타고 바다를 건너 멀리 도망가다가 외쳤어요.

" ⊙ "

그러자 맷돌에서 하얀 소금이 쏟아져 나왔고, 점점 배 안에 쌓여 갔어요. 소금으로 가득 찬 배는 기우뚱기우뚱하면서 가라앉기 시작했어요.

도둑은 너무 놀라 "멈춰라, 소금!"이라는 말을 잊어버렸어요. 결국, 맷돌은 도둑과 함께 바닷속에 가라앉고 말았어요.

바닷속에서도 맷돌은 쉬지 않고 돌았어요. 그래서 바닷물이 짜게 되었답니다.

다른 사람의 물건을 욕심낸 도둑은 결국 벌을 받았어요.

기우뚱기우뚱하면서 물체가 이쪽저쪽으로 자꾸 기울어지며 흔들리면서.

가라앉기 물 등에 떠 있거나 섞여 있는 것이 밑바닥으로 내려앉기.

---

14 도둑은 맷돌을 가지고 어떻게 하였는지 ○표 하세요.

(1) 숲속에 맷돌을 숨겨 두었다. (   )

(2) 가난한 사람에게 선물하였다. (   )

(3) 배를 타고 바다를 건너 멀리 도망갔다.
　　　　　　　　　　　　　　　　(   )

(4) 똑같은 맷돌을 만들 수 있는 사람을 찾아다녔다. (   )

15 ⊙에 들어갈, 도둑이 한 말은 무엇일까요?

16 맷돌에서 소금이 계속 나오는데 멈추지 않은 까닭은 무엇인가요? (   )

① 맷돌이 고장 나서

② 배가 너무 빨리 가서

③ 도둑이 사람들에게 잡혀서

④ 도둑이 맷돌을 두고 도망가서

⑤ 도둑이 맷돌을 멈출 때 하는 말을 잊어버려서

📗 서술형·논술형 문제

17 이 이야기를 통해 배울 점은 무엇인지 쓰세요.

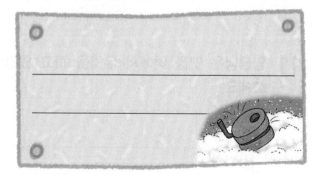

정답 17쪽

국어 교과서 186쪽

2. 「소금을 만드는 맷돌」에서 누가 무엇을 했는지 알아봅시다.

(1) 임금님은 무엇을 했나요?

생각이나 말	임금님은 백성을 예시 답안 아끼고 사랑했어요.
행동	가난한 사람들에게 쌀과 옷을 나누어 주었지요.

생각이나 말	"나와라, 옷!", "멈춰라, 옷!"
행동	임금님은 맷돌 앞에서 예시 답안 "나와라!", "멈춰라!"를 외쳤어요.

(2) 도둑은 무엇을 했나요?

생각이나 말	이야기를 엿듣던 도둑은 예시 답안 고약한 마음을/를 먹었어요.
행동	도둑은 모두 잠든 사이 맷돌을 예시 답안 훔쳤어요.

생각이나 말	도둑은 너무 놀라 예시 답안 "멈춰라, 소금!"이라는 말을 잊어버렸어요.
행동	도둑은 맷돌과 함께 바닷속에 예시 답안 가라앉고 말았어요.

풀이 인물의 생각이나 말을 살펴보며 글에서 일어난 일을 파악할 수 있습니다.

국어 교과서 187쪽

3. 「소금을 만드는 맷돌」에서 누가 무엇을 했는지 떠올리며 역할 놀이를 해 봅시다.

예시 답안 임금님이 맷돌을 돌리며 "나와라, 옷!"하고 외치는 장면을 꾸미겠습니다. / 도둑이 사람들의 말을 엿듣고 고약한 마음을 먹는 장면을 꾸미겠습니다.

풀이 자신이 맡은 역할에 어울리는 목소리로 말을 합니다. 자신이 맡은 대사에 어울리는 목소리와 행동을 연습해 봅시다.

자습서 확인 문제

1 「소금을 만드는 맷돌」의 등장인물이 <u>아닌</u> 것을 고르세요.

7
단원

진도 완료 체크

ㄱ 도둑
ㄴ 임금님
ㄷ 산신령

(   )

2 도둑은 너무 놀라 어떤 말을 잊어버렸습니까?

ㄱ 나와라, 소금!
ㄴ 멈춰라, 소금!
ㄷ 멈춰라, 설탕!

(   )

3 도둑이 훔친 것은 무엇입니까?

도둑은 궁궐 사람들이 모두 잠든

사이 [   ][   ]을 훔쳤습니다.

신나는 토요일

기다리던 토요일 아침이다. 우리 가족은 놀이공원으로 출발했다. 회전목마를 탈 생각을 하니 마음이 설렜다.
'나'의 가족이 간 곳

사람들이 서 있는 줄이 길어도 회전목마를 탈 생각에 신이 났다. 드디어 회전목마를 탈 차례가 되었다. 어머니와 나는 말 등에 타고, 동생과 아버지는 마차에 탔다. 처음에는 말이 오르락내리락 움직이는 게 조금 무서웠다. 하지만 시간이 지나니 무섭지 않고 재미있었다.

솜사탕을 먹고 있는 친구들이 부러웠다. 내 마음을 아셨는지 어머니께서 솜사탕을 사 주셨다. 공룡 모양의 솜사탕이 달콤했다.

- 글의 내용: 가족과 함께 놀이공원에 가서 회전목마를 타고 솜사탕도 먹었습니다.

출발했다 목적지를 향하여 나아갔다.
설렜다 마음이 가라앉지 않고 들떠서 두근거렸다.
㉮ 소풍을 갈 생각에 설렜다.
오르락내리락 올라갔다 내려갔다 하는 것을 되풀이하는 모양.

---

18 놀이공원으로 갈 때 '나'의 마음은 어떠하였나요? (　　　)

① 화난 마음
② 무서운 마음
③ 설레는 마음
④ 긴장되는 마음
⑤ 걱정되는 마음

19 회전목마를 탈 때 '나'의 생각이 어떻게 바뀌었는지 쓰세요.

- 처음에는 조금 (1)[　　　　　].

→ 시간이 지나니 (2)[　　　　　].

20 '내가' 한 일에 ○표 하세요.

(1) 꼬마기차를 탔다.　　　　　(　　　)
(2) 회전목마의 말을 탔다.　　　(　　　)
(3) 공룡 모양 놀이 기구를 탔다.　(　　　)

21 이 글에서 일어난 일을 쓰세요.

(1) 가족과 함께 (　　　　) 에 갔다.

↓

(2) 가족과 함께 (　　　　) 를 탔다.

↓

(3) (　　　　)을 먹었다.

[22~23] 다음 글을 읽고 물음에 답하세요.

벌레잡이 식물

파리 한 마리가 먹이를 찾고 있어요. 파리는 색깔이 아주 예쁜 주머니를 보았어요. 파리는 그 주머니가 먹이일까 생각하며 주머니 쪽으로 날아갔어요. 파리는 주머니에서 달콤한 냄새가 난다는 것을 알았어요. 맛있는 냄새가 궁금한 파리는 주머니 속으로 들어갔어요.

주머니 속은 미끌미끌했어요. 앗! 파리는 그만 미끄러졌어요. 파리는 주머니 바닥으로 떨어졌어요.

풍덩! 벌레잡이풀이 파리를 잡았어요.

교재 앞에 있는 붙임 ❷를 사용하세요.

22 글에서 일이 일어난 차례에 맞게 붙임딱지를 붙이세요.

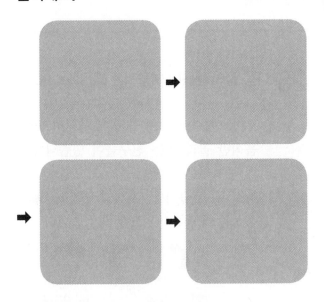

23 벌레잡이풀이 잡은 것은 무엇인가요? (   )

① 사람　　　　② 파리
③ 개미　　　　④ 주머니
⑤ 벌레잡이풀

24 다음 쪽지를 읽고 해야 할 일의 차례에 맞게 기호를 쓰세요.

민찬아, 학교 잘 다녀왔니?
집에 오자마자 손과 발을 깨끗이 씻었지? 식탁 위에 있는 바나나를 먹고, 껍질은 꼭 음식물 쓰레기통에 잘 버려 줘. 마지막으로 필통에 있는 연필을 깎아 두렴.
엄마는 3시에 집으로 올 거야. 그때 만나자.

사랑하는 엄마가

㉠ 손발 씻기
㉡ 연필 깎기
㉢ 바나나 먹기
㉣ 바나나 껍질을 음식물 쓰레기통에 버리기

(   ) → (   ) → (   ) → (   )

25 다음 글을 읽고 지진이 일어날 때의 행동으로 알맞은 것에 ○표 하세요.

지진이 났을 때 크게 흔들리는 시간은 아주 짧습니다. 이 시간 동안에는 책상 밑으로 들어가야 합니다. 지진이 나면 유리창이나 간판 등이 떨어질 수 있습니다. 그래서 서둘러 밖으로 뛰어나가면 안 됩니다.

(1) 최대한 빨리 건물 밖으로 나가야 한다.

(   )

(2) 지진이 나면 책상 밑으로 들어가야 한다.

(   )

수희가 쓴 글

제목	㉠

오늘 소방관 아저씨께서 학교에 오셨다.

아저씨께서는 불이 나면 크게 다칠 수 있다고 말씀하셨다. 그리고 불이 나면 주변에 큰 소리로 알려야 한다고 하셨다. 앞으로 불조심을 해야겠다.

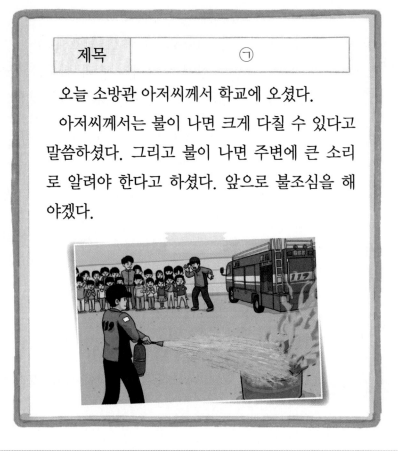

• 글의 내용: 수희가 소방관 아저씨께서 학교에 오신 일을 쓴 글입니다.

제목은 글의 내용을 잘 드러내야 해요.

26 수희가 알게 된 점은 무엇인가요?

• 불이 나면 주변에 [   ]로 알려야 한다는 것을 알았다.

27 ㉠에 들어갈 제목으로 알맞은 것은 무엇인가요? (   )

① 오늘   ② 학교

③ 불조심   ④ 아저씨

⑤ 큰 소리

28 다음 글의 내용에 어울리는 제목에 ○표 하세요.

학교에서 급식을 먹을 때 자신이 좋아하는 음식만 골라 먹는 친구들이 있습니다. 그런데 좋아하는 음식만 골라 먹으면 건강이 나빠질 수 있습니다. 자신의 건강을 생각해서 음식을 골고루 먹었으면 좋겠습니다.

(1) 나는 김치볶음밥이 좋아요   (   )

(2) 음식을 골고루 먹어야 합니다   (   )

(3) 학교에서 도시락을 먹어야 합니다   (   )

[29~31] 다음 글을 읽고 물음에 답하세요.

도서관 예절

도서관은 여러 사람이 이용하는 곳입니다. 도서관에서는 다른 사람을 위해 조용히 해야 합니다. 자리에 앉을 때에는 큰 소리가 나지 않도록 의자를 조심히 옮깁니다. 사서 선생님께 궁금한 것을 여쭈어볼 때에도 소곤소곤 말해야 합니다.

<small>도서관에서 책이나 자료 등을 관리하는 사람.</small>

29 어디에서 지켜야 할 예절에 대하여 쓴 글인가요?

(   )

30 이 글의 내용으로 알맞은 것에 모두 ○표 하세요.

(1) 도서관은 여러 사람이 이용하는 곳이다.

(   )

(2) 사서 선생님께는 작은 목소리로 말한다.

(   )

(3) 도서관에서는 자리에 앉을 때 큰 소리가 나도 된다.

(   )

31 이와 같은 글의 중요한 내용을 확인하는 방법이 <u>아닌</u> 것에 ×표 하세요.

(1) 중요한 내용을 정리한다. (   )

(2) 인물의 모습을 살펴본다. (   )

(3) 글 전체의 내용을 알아본다. (   )

(4) 글에서 알리고 싶은 내용이 무엇인지 생각한다. (   )

32 다음 글을 읽고 알맞은 내용을 두 가지 고르세요. (,   )

연주회장에서의 예절

• 연주가 시작되기 전에 연주회장에 들어갑니다.
• 휴대 전화의 전원을 끕니다.
• 연주 중에는 사진이나 동영상을 찍지 않습니다.
• 큰 소리를 내지 않습니다.
• 연주가 끝나면 손뼉을 칩니다.

① 휴대 전화의 전원은 끈다.
② 연주가 끝나면 조용히 한다.
③ 연주 중에 사진을 찍지 않는다.
④ 옆 사람과 이야기하며 공연을 본다.
⑤ 연주가 시작되면 연주회장에 들어간다.

1 다음 글을 읽고 떠오르는 동물을 쓰시오.

> • 나무를 잘 타요.
> • 꼬리가 있어요.
> • 줄무늬가 있어요.

(   )

2 '나'는 어떤 열매입니까? (   )

> 나는 주황색이고 꼭지가 있습니다.
> 나는 푹 익으면 물렁물렁해집니다.
> 나를 깎아서 햇볕에 말려 먹기도 합니다.

① 감   ② 참외   ③ 수박
④ 오렌지   ⑤ 복숭아

3~5   **소금을 만드는 맷돌**

가 도둑은 궁궐로 숨어들었어요.
　임금님은 맷돌 앞에서 "나와라!", "멈춰라!"를 외치고 있었어요.
　임금님이 "나와라, 옷!" 하면 옷이 나오고 "멈춰라, 옷!" 하면 멈추는 게 아니겠어요?
나 도둑은 모두 잠든 사이 맷돌을 훔쳐 도망을 쳤어요.
　도둑은 서둘러 배를 타고 바다를 건너 멀리 도망가다가 외쳤어요.
　"나와라, 소금!"
다 소금으로 가득 찬 배는 기우뚱기우뚱하면서 가라앉기 시작했어요.
　도둑은 너무 놀라 "멈춰라, 소금!"이라는 말을 잊어버렸어요. 결국, 맷돌은 도둑과 함께 바닷속에 가라앉고 말았어요.

---

3 도둑이 몰래 숨어든 곳은 어디입니까?

(   )

① 궁궐   ② 동굴
③ 숲속   ④ 시장
⑤ 용궁

4 임금님의 생각이나 말, 행동으로 알맞은 것을 두 가지 고르시오. (,   )

① 맷돌을 훔쳐 도망쳤다.
② "나와라!" 하고 외쳤다.
③ 배를 타고 바다를 건넜다.
④ 맷돌에서 옷이 나오게 하였다.
⑤ 맷돌을 멈추는 말을 잊어버렸다.

5 다음 그림에서 도둑에게 어떤 일이 일어났는지 쓰시오.

• 맷돌과 함께 [   ] 에 가라앉았다.

6~7 개미와 비둘기

비둘기가 나무에서 졸고 있었어요.
그런데 사냥꾼이 살금살금 다가왔어요.
"비둘기를 도와줘야겠어."
개미는 재빨리 기어가 사냥꾼의 다리를 꽉 깨물었어요. / "앗, 따가워!"
사냥꾼은 놀라서 하늘로 총을 쏘았어요.
비둘기도 깜짝 놀라서 푸드덕 날아갔지요.

6 사냥꾼이 한 일은 무엇입니까? (   )

① 강물에 빠졌다.
② 개미를 꽉 깨물었다.
③ 비둘기를 쏘려고 했다.
④ 개미에게 살금살금 다가갔다.
⑤ 나뭇잎을 따서 강물에 떨어뜨렸다.

7 다음은 누가 한 일입니까?

> 총소리를 듣고 깜짝 놀라 날아갔다.

(   )

8~10 신나는 토요일

기다리던 토요일 아침이다. 우리 가족은 놀이공원으로 출발했다. 회전목마를 탈 생각을 하니 마음이 설렜다.
사람들이 서 있는 줄이 길어도 회전목마를 탈 생각에 신이 났다. 어머니와 나는 말 등에 타고, 동생과 아버지는 마차에 탔다. 처음에는 말이 오르락내리락 움직이는 게 조금 무서웠다. 하지만 시간이 지나니 무섭지 않고 재미있었다.

8 다음 그림을 보고 글에서 일어난 일을 쓰시오.

• [   ]과 함께 놀이공원에 갔다.

9 '내'가 한 일은 무엇입니까? (   )

① 기차를 탔다.
② 솜사탕을 만들었다.
③ 회전목마의 말을 탔다.
④ 공룡 모양 풍선을 샀다.
⑤ 줄을 서지 않고 놀이 기구를 탔다.

10 회전목마를 타면서 '나'는 어떤 생각을 했습니까? (   )

① 계속 신이 나고 즐거웠다.
② 가족과 함께 타니 더 행복했다.
③ 무서워서 중간에 내리고 싶어졌다.
④ 말이 오르락내리락 움직여서 지루했다.
⑤ 처음에는 무서웠지만 나중에는 재미있었다.

11 오른쪽 그림에서 일어난 일을 쓰시오.

• ☐ 가 벌레잡이 풀에 앉았다.

12~13

오늘 소방관 아저씨께서 학교에 오셨다.
아저씨께서는 불이 나면 크게 다칠 수 있다고 말씀하셨다. 그리고 불이 나면 주변에 큰 소리로 알려야 한다고 하셨다. 앞으로 불조심을 해야겠다.

12 이 글에서 중요한 생각은 무엇입니까? ( )

① 불조심을 해야 한다.
② 학교에서 발표회를 했다.
③ 학교에서 소방차를 보았다.
④ 불이 나면 소화기로 꺼야 한다.
⑤ 소방관 아저씨는 감사한 분이다.

서술형·논술형 문제

13 이 글에 어울리는 제목을 붙이고, 그 제목을 붙인 까닭을 쓰시오.

(1) 제목: _____

(2) 까닭: _____

_____

14~15

학교에서 급식을 먹을 때 자신이 좋아하는 음식만 골라 먹는 친구들이 있습니다. 그런데 좋아하는 음식만 골라 먹으면 건강이 나빠질 수 있습니다. 자신의 건강을 생각해서 음식을 골고루 먹었으면 좋겠습니다.

14 좋아하는 음식만 골라 먹으면 안 되는 까닭은 무엇입니까? ( )

① 돈이 많이 들어서
② 부모님께 혼이 나서
③ 이가 썩을 수 있어서
④ 건강이 나빠질 수 있어서
⑤ 선생님께서 하지 말라고 하셔서

15 이 글의 내용에 가장 잘 어울리는 제목은 어느 것입니까? ( )

① 건강을 위한 운동
② 여러 나라의 음식
③ 건강에 좋은 음식의 종류
④ 건강한 음식 만드는 방법
⑤ 음식을 골고루 먹어야 합니다

16~17 도서관 예절

도서관은 여러 사람이 이용하는 곳입니다. 도서관에서는 다른 사람을 위해 조용히 해야 합니다. 자리에 앉을 때에는 큰 소리가 나지 않도록 의자를 조심히 옮깁니다. 사서 선생님께 궁금한 것을 여쭈어볼 때도 소곤소곤 말해야 합니다.

16 도서관에서 조용히 해야 하는 까닭은 무엇입니까? (   )

① 책을 옮겨야 하기 때문에
② 도서관이 너무 넓기 때문에
③ 사서 선생님께 혼나기 때문에
④ 도서관에는 재미있는 책이 많기 때문에
⑤ 도서관은 여러 사람이 이용하는 곳이기 때문에

17 도서관에서 지켜야 할 예절이 맞으면 ○표, 틀리면 ✕표 하시오.

(1) 이야기할 때에는 큰 목소리로 말한다.
(   )

(2) 의자를 옮길 때에는 소리가 나지 않도록 한다.
(   )

18~19 연주회장에서의 예절

• 연주가 시작되기 전에 연주회장에 들어갑니다.
• 휴대 전화의 전원을 끕니다.
• 연주가 끝나면 손뼉을 칩니다.

18 연주회장에서의 예절을 바르게 지킨 친구는 누구입니까?

다윤: 연주회가 끝나고 손뼉을 크게 쳤다.
건호: 연주회 중에 엄마와 전화 통화를 했다.
지혜: 연주가 시작된 다음 연주회장에 들어갔다.

(   )

📑 서술형·논술형 문제

19 연주회장에서 지켜야 할 일을 한 가지 더 생각하여 쓰시오.

_____

20 중요한 내용을 확인하는 방법으로 알맞지 <u>않은</u> 것을 두 가지 고르시오. (,   )

① 중요한 내용을 정리한다.
② 글 전체의 내용을 알아본다.
③ 글에서 가장 긴 문장을 찾는다.
④ 흉내 내는 말을 사용하였는지 살펴본다.
⑤ 글에서 알리고 싶은 내용이 무엇인지 생각한다.

8 띄어 읽어요

정답 19쪽

퀴즈

1. 글을 읽고 무엇을 설명하는지 알아보는 방법에 ○표 하세요.

• 어떤 (문장 / 특징)을 설명 하는지 알아본다.

교과서 개념

8. 띄어 읽어요

8단원

개념 ① 글을 바르게 띄어 읽는 방법

① 문장을 확인합니다.
② 문장이 끝나는 곳에 ∨∨를 합니다.
③ ∨∨를 한 곳에서 잠시 쉬었다가 읽습니다.
④ 문장의 내용을 생각하며 띄어 읽습니다.

● 글 「개미」를 알맞게 띄어 읽기

개미들이 줄지어 가는 것을 보았다. ∨∨어디로 가는 것일까? ……

➡ 문장이 끝나는 곳에 ∨∨를 하고 잠시 쉬었다가 읽는다.

개념 ② 글을 읽고 무엇을 설명하는지 아는 방법

① 글의 제목을 확인합니다.
② 설명하는 것이 무엇인지 알아봅니다.
③ 어떤 특징을 설명하는지 알아봅니다.

● 글 「지우개」에서 설명하는 대상의 특징

① 글의 제목을 확인합니다.
➡ 지우개

> 지우개
> 여러분은 어떤 지우개를 ……

② 설명하는 것이 무엇인지 알아봅니다.
➡ 지우개의 모양

> 흔히 볼 수 있는 지우개는 상자 모양입니다.

③ 어떤 특징을 설명하는지 알아봅니다.
➡ 지우개의 색깔은 여러 가지이다.

> 여러 가지 색이 섞인 것도 있습니다.

개념 ③ 글을 실감 나게 읽는 방법

① 목소리의 크기를 알맞게 하고 읽습니다.
② 장면을 떠올리며 읽습니다.
③ 장면에 어울리는 표정과 몸짓을 하며 읽습니다.

● 이야기 「나는 자라요」를 실감나게 읽기

> 나는 자라요
> 그렇지만 나는 자라요. 하루하루 아주 조금씩조금씩.

나는 자라요.

장면에 어울리는 몸짓을 하며 읽기 ◐

추석 명절

추석은 온 가족이 모이는 명절입니다. 곳곳에 사는 친척들이 고향 집으로 옵니다. 오랜만에 만난 가족은 도란도란 이야기를 나누며 음
<small>여럿이 정답게 이야기하는 소리나 모양</small>
식을 만듭니다. 햇과일과 햇곡식으로 만든 음식은 정성스럽게 차례상에 올리고 가족과 나누어 먹습니다.

· **글의 내용**: 추석에 대하여 설명한 글입니다.

📍 **글을 바르게 띄어 읽어야 하는 까닭**

① 어떤 내용인지 정확히 알 수 있다.
② 뜻을 쉽게 이해할 수 있다.

햇과일 그해에 새로 나온 과일.
햇곡식 그해에 새로 거둬들인 곡식.
차례상 명절이나 조상 생일 등의 낮에 지내는 제사 때 차리는 상.

8 단원

---

1 추석에 대한 설명으로 알맞지 <u>않은</u> 것은 무엇인가요? (   )

① 차례를 지낸다.
② 웃어른께 세배를 한다.
③ 햇곡식으로 음식을 만든다.
④ 가족과 음식을 나누어 먹는다.
⑤ 친척들이 고향으로 모이는 날이다.

2 옥토끼와 금토끼 중 위 글을 바르게 읽은 것은 누구인가요?

······모이는명절입니다곳곳에 사는친척들이고향집으로옵니다······

옥토끼

······모이는 명절입니다. (쉬고) 곳곳에 사는 친척들이 고향 집으로 옵니다.······

금토끼

(   )

3 글을 띄어 읽지 않으면 듣는 사람은 어떠할까요? (   )

① 쉽게 이해가 잘 된다.
② 실감 나고 생생한 느낌이 든다.
③ 무슨 말인지 잘 못 알아듣는다.
④ 음악을 듣는 것처럼 신이 난다.
⑤ 중요한 내용을 쉽게 알 수 있다.

4 다음 그림을 보고 알맞게 띄어 읽은 문장에 ○표 하세요.

(1) 무당벌레 가방에 들어갔습니다.
(   )

(2) 무당벌레가 방에 들어갔습니다.
(   )

개미

개미들이 줄지어 가는 것을 보았다. 어디로 가는 것일까? 개미를 따라가 보니 하나의 구멍으로 들어갔다. 새집으로 이사를 가나? 개미들이 줄지어 움직이는 모습이 참 신기했다.

글을 읽을 때에는 문장과 문장 사이에 잠시 쉬면서 띄어 읽어야 해요.

줄지어 끊이지 않고 계속
㉠ 자동차들이 <u>줄지어</u> 달리고 있다.

---

5 개미들은 무엇을 하고 있나요?

• ☐ 지어 가고 있다.

6 글쓴이는 개미들을 보고 어떤 생각을 했나요?

• 개미들의 모습이 참 ☐ .

⬛교과서 문제
7 띄어 읽어야 할 부분에 ⩔를 하세요.

> 개미들이 줄지어 가는 것을 보았다. 어디로 가는 것일까? 개미를 따라가 보니 하나의 구멍으로 들어갔다. 새집으로 이사를 가나? 개미들이 줄지어 움직이는 모습이 참 신기했다.

8 다음 문장의 느낌을 잘 살려 읽는 방법을 바르게 말한 친구는 누구인가요?

> 새집으로 이사를 가나?

수영
자세히 설명하는 느낌이 나게 한 글자씩 끊어 읽는 것이 좋겠어.

영호
궁금한 마음이 잘 나타나게 끝부분을 올려 읽는 것이 좋겠어.

(   )

9 글을 바르게 띄어 읽는 방법이 <u>아닌</u> 것은 무엇인가요? (   )

① 문장을 확인하고 읽는다.
② 낱말마다 길게 띄어 읽는다.
③ 문장이 끝나는 곳에 ⩔를 한다.
④ 문장의 내용을 생각하며 띄어 읽는다.
⑤ ⩔를 한 곳에서 잠시 쉬었다가 읽는다.

비사치기

비사치기는 돌멩이를 이용한 놀이입니다. 먼저, **평평하고** 잘 세워지는 손바닥만 한 돌멩이를 준비합니다. 두 **편**으로 나누고 땅바닥에 줄을 긋습니다. 가위바위보를 하여 진 편은 준비한 돌멩이를 줄 위에 세워 놓습니다. 이긴 편은 한 사람씩 나와 자신의 돌을 가지고 **상대**의 돌을 넘어뜨립니다. 돌은 발등이나 배 위에 올려 옮길 수도 있고, 무릎 사이에 끼워 옮길 수도 있습니다. 세워 놓은 상대의 돌멩이를 다 넘어뜨리면 이깁니다.

📍 글을 바르게 띄어 읽는 방법

① 문장을 확인합니다.
② 문장이 끝나는 곳에 ∨를 합니다.
③ ∨를 한 곳에서 잠시 쉬었다가 읽습니다.
④ 문장의 내용을 생각하며 띄어 읽습니다.

평평하고 바닥이 고르고 판판하고.
편 여러 패로 나누었을 때 그 하나하나의 쪽.
상대 서로 겨루는 대상.

8
단원

10 비사치기를 할 때 어떤 돌멩이가 필요한가요?
( )

① 손톱만 한 돌멩이
② 울퉁불퉁한 돌멩이
③ 크고 무거운 돌멩이
④ 작고 잘 굴러가는 돌멩이
⑤ 평평하고 잘 세워지는 손바닥만 한 돌멩이

11 비사치기에서는 어떻게 하면 이기나요?
( )

① 돌멩이를 많이 가진다.
② 돌멩이를 더 멀리 던진다.
③ 돌멩이를 줄 위에 잘 세운다.
④ 세워 놓은 돌멩이를 넘어뜨린다.
⑤ 돌멩이를 여러 조각으로 깨트린다.

12 ㉠~㉢ 중에서 띄어 읽어야 할 곳에 알맞게 표시한 것의 기호를 쓰세요.

이긴 편은 한 사람씩 나와 자신의 돌을 가지고 상대의㉠∨돌을 넘어뜨립니다. 돌은 발등이나 배 위에 올려㉡∨옮길 수도 있고, 무릎 사이에 끼워 옮길 수도 있습니다.㉢∨세워 놓은 상대의 돌멩이를 다 넘어뜨리면 이깁니다.

( )

13 글을 잘 읽었는지 확인하기 위하여 살펴보아야 하는 것에 ○표 하세요.

(1) 내용을 잘 알 수 있었나요? ( )
(2) 한 글자씩 모두 띄어 읽었나요? ( )

양치기 소년과 늑대

• **글의 내용**: 양치기 소년이 자꾸 거짓말을 해서 마을 사람들이 화를 냈습니다.

8 단원

어느 작고 평화로운 마을에 양치기 소년이 살았어요.

양치기 소년은 아침마다 양 떼를 몰고 풀밭으로 갔어요. 풀밭에 벌렁 드러누워 한가로이 풀을 뜯는 양 떼를 보며 생각했어요.

'뭐, ㉠재미있는 일 없을까?'

소년은 벌떡 일어나 마을 사람들을 향해 큰 소리로 외쳤어요.

"늑대다! ㉡늑대가 나타났다!" → 소년이 한 말

소년의 목소리가 들리자 마을 사람들은 모두 급히 풀밭 위로 뛰어왔어요. ㉢

"아하하하하하!"

양치기 소년은 달려온 사람들을 보고 웃었어요. 마을 사람들은 양치기 소년이 거짓말한 것

을 알고 화를 내며 돌아갔어요. ㉣

며칠 뒤, 양치기 소년은 또다시 늑대가 나타났다고 큰 소리로 외쳤어요.

이번에도 양치기 소년의 거짓말이라는 것을 안 마을 사람들은 크게 화를 냈어요.

"또 장난이야? ㉤이젠 네 말을 듣지 않을 테다."

그런데 며칠 뒤, 진짜 늑대가 나타났어요. 깜짝 놀란 소년은 힘껏 외쳤어요.

"늑대다! 늑대가 나타났다!"

하지만 마을 사람들은 믿지 않았어요.

"쳇! 거짓말쟁이. 우리가 또 속을 줄 알고?"

양치기 소년은 엉엉 울면서 자신의 행동을 후회했어요.

양치기 양을 돌보고 기르는 일을 하는 사람.

한가로이 바쁘지 않고 여유가 있는 듯하게.

---

14 이 글의 내용으로 알맞은 것에 ○표 하세요.

(1) 양치기 소년은 늑대가 나타난 것을 본 적이 없다. (   )

(2) 양치기 소년은 처음에 재미로 늑대가 나타났다고 소리쳤다. (   )

15 마을 사람들은 왜 양치기 소년의 말을 믿지 않았나요?

• 양치기 소년이 자꾸 [   ]을 했기 때문이다.

16 ㉠~㉤ 중에서 ∨를 하지 않는 곳은 어디인가요? (   )

① ㉠   ② ㉡   ③ ㉢
④ ㉣   ⑤ ㉤

🍥 교과서 문제

17 이 글을 읽고 난 뒤의 생각을 바르게 말한 사람은 누구인가요?

거짓말을 하지 말자. 지원

욕심을 부리지 말자. 재우

물건을 아껴 쓰자. 은미

(   )

지우개

여러분은 어떤 지우개를 가지고 있나요? 지우개의 모양과 색깔은 여러 가지입니다.

흔히 볼 수 있는 지우개는 상자 모양입니다. 그리고 동물 모양, 과일 모양, 막대 모양도 있습니다.

지우개의 색깔도 여러 가지입니다. 흰색, 파란색, 빨간색처럼 한 가지 색으로 된 것도 있지만, 여러 가지 색이 섞인 것도 있습니다.

📍 글에서 설명하는 것

무엇을 설명하고 있나요?
지우개

지우개의 모양은 여러 가지이다.	지우개의 색깔은 여러 가지이다.
모양	색깔

흔히 보통보다 더 자주 있거나 일어나서 쉽게 접할 수 있게.

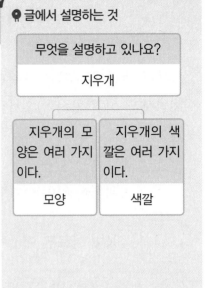

8
단원

진도 완료 체크

---

18 아이들이 어떤 방법으로 글을 읽었는지 보기 에서 찾아 기호를 쓰세요.

보기
㉠ 제목 확인하기
㉡ 설명하는 것이 무엇인지 알아보기
㉢ 어떤 특징을 설명하는지 알아보기

(1)

글의 제목은
「지우개」야.
(   )

(2)

지우개의 생김새를 설명하고 있어.
(   )

(3)
지우개의 모양과 색깔은 여러 가지라는 것을 설명하고 있어.
(   )

19 다음 글을 읽고 설명하는 내용을 쓰세요.

가위

우리는 종이를 자를 때 가위를 사용합니다. 가위에는 손잡이와 날이 있습니다.

가위를 사용할 때 잡는 곳이 손잡이입니다. 주로 엄지손가락과 나머지 손가락으로 잡습니다.

물건을 자르는 곳은 날입니다. 가위의 날은 매끄러운 것이 많지만 홈이 파인 것도 있습니다.

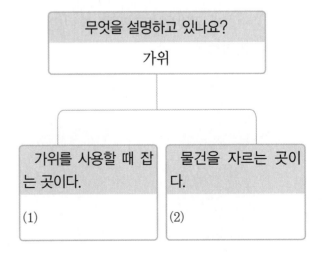

무엇을 설명하고 있나요?
가위

가위를 사용할 때 잡는 곳이다.	물건을 자르는 곳이다.
(1)	(2)

표지판이 말을 해요

- 글의 종류: 설명하는 글
- 글의 내용: 우리 주변에 있는 표지판에 담긴 뜻을 설명하였습니다.

우리 주변에는 많은 표지판이 있습니다. 박물관에서 볼 수 있는 표지판에는 어떤 것이 있을까요? 그 표지판에는 어떤 뜻이 담겨 있을까요?

㉠	위험한 일이 생기면 이곳을 통해 밖으로 나가요.
㉡	목이 마르면 이곳에서 물을 마실 수 있어요.
㉢	여기에서는 사진을 찍으면 안 돼요.
㉣	화장실에 가고 싶을 때 이곳을 이용해요.

이처럼 표지판에는 뜻이 담겨 있습니다.

📍 우리 주변에서 볼 수 있는 표지판

	어린이를 보호해야 하는 지역임.
	횡단보도가 있음.
	자전거만 다닐 수 있는 길임.
	엘리베이터가 있음.

20 이 글에 나타난 표지판들은 어디에서 볼 수 있나요?

(   )

교재 앞에 있는 붙임 ❷를 사용하세요.
21 ㉠~㉣에 알맞은 표지판을 붙임딱지에서 찾아 붙이세요.

㉠   ㉡

㉢   ㉣

22 무엇에 대하여 설명한 글인가요?

- 표지판에 담긴 [   ]에 대하여 설명하였다.

23 오른쪽 표지판은 무엇을 나타내는지 ○표 하세요.

(1) 학교 주변에서는 어린이를 보호해야 한다.

(   )

(2) 친구들끼리 사이좋게 지내며 서로 도와주어야 한다.

(   )

[24~25] 다음 글을 읽고 물음에 답하세요.

우리 동네에 사는 사람들의 직업은 여러 가지입니다. 예쁘게 머리를 다듬어 주시는 미용사가 있습니다. 불이 나면 기다란 호스로 물줄기를 쏘아 불을 꺼 주시는 소방관도 있습니다. 몸이 아플 때 우리를 치료해 주시는 의사도 있습니다.

24 설명하는 내용을 찾아 선으로 이으세요.

(1) 미용사	•	• ㉠	불이 나면 불을 꺼 주신다.
(2) 소방관	•	• ㉡	예쁘게 머리를 다듬어 주신다.
(3) 의사	•	• ㉢	몸이 아플 때 우리를 치료해 주신다.

25 이 글에서 설명하는 것은 무엇인가요? (   )

① 나의 꿈

② 학용품의 종류

③ 여러 가지 직업

④ 부모님께서 하시는 일

⑤ 역할놀이를 하는 방법

26 다음 글을 읽고 설명하는 것이 무엇인지 쓰세요.

추석을 대표하는 떡은 송편입니다. 솔잎을 깔고 떡을 찌기 때문에 송편이라고 합니다. 추석 전날이면 온 가족이 모여 앉아 서로 정답게 이야기를 나누며 송편을 빚었습니다. 사람들은 송편을 빚으며 한 해 동안 거두어들인 농작물에 대해 감사하는 마음을 담았습니다.

(   )

27 다음 글에서 자주 나오는 말은 무엇인가요?

(   )

옥수수는 여러 곳에 쓰입니다. 옥수수에서 짠 기름은 음식을 볶거나 튀길 때 씁니다. 옥수수를 볶아서 만든 가루는 차로 마십니다. 옥수수로 숯을 만들 수도 있습니다. 또 옥수수는 종이의 재료가 되기도 합니다.

① 숯   ② 가루

③ 음식   ④ 종이

⑤ 옥수수

28 설명하는 글을 읽을 때 생각해야 하는 것은 무엇인가요? (   )

① 흉내 내는 말을 찾는다.

② 인물의 행동을 살펴본다.

③ 언제 쓴 글인지 살펴본다.

④ 무엇을 설명하는지 알아본다.

⑤ 어떤 문장 부호가 쓰였는지 살펴본다.

8 단원

뿌리를 먹는 채소

뿌리를 먹는 채소는 우리 몸을 튼튼하게 합니다. 뿌리를 먹는 채소
에는 무, 고구마, 당근, 우엉 등이 있습니다.
<u>설명하는 대상</u>

무는 소화에 도움을 줍니다. 당근에는 눈에 좋은 영양소가 매우 많
습니다. 고구마나 우엉을 먹으면 변비에 잘 걸리지 않습니다.

🔼 당근　　🔼 우엉　　🔼 무　　🔼 고구마

• **설명하는 글**: 어떤 대상이나 사실
에 대해 읽는 사람이 알기 쉽게 설
명하여 주는 글

📍 설명하는 글을 읽는 때

약을 먹을 때
약을 먹는 방법, 주의할 점 등
장난감을 조립할 때
만드는 순서나 방법
놀이 기구를 탈 때
타는 방법, 주의할 점 등

소화 먹은 음식물을 분해하여 몸에 흡
수되기 쉽게 만듦.

변비 똥이 굳어져 잘 누어지지 않는
상태.

---

29 뿌리를 먹는 채소가 <u>아닌</u> 것은 무엇인가요?

(　　)

① 무　　　② 당근　　　③ 우엉
④ 상추　　　⑤ 고구마

30 설명하는 내용을 찾아 선으로 이으세요.

(1)  ・

(2)  ・

(3)  ・

・ ㉠ 눈에 좋다.

・ ㉡ 소화에 도움을 준다.

・ ㉢ 변비에 잘 걸리지 않는다.

31 설명하는 글을 읽은 경험을 말한 사람은 누구
인가요?

컴퓨터의 게임 방법을 읽었어.　　친구가 준 편지를 읽었어.

은지　　정훈

(　　　　)

32 설명하는 글을 읽는 방법으로 알맞지 <u>않은</u> 것
에 ×표 하세요.

(1) 밑줄을 그으며 읽는다. (　　)

(2) 중요한 내용을 생각하며 읽는다.

(　　)

(3) 반복되는 낱말의 개수를 세면서 읽는다.

(　　)

나는 자라요

- 글쓴이: 김희경
- 글의 내용: '나'는 지금은 작지만 계속 자라고 있습니다.

나는 작아요. 엄마 품에 폭 안길 만큼 아주 작아요.

그렇지만 나는 자라요. 하루하루 아주 조금씩조금씩.

색종이를 오려 종이에 딱 붙이는 순간이나 내 이름을 쓸 때에도 나는 자라요.

㉠동생을 꼭 껴안아 주는 순간에도 나는 자라요.

단추가 단춧구멍으로 들어가고, ㉡내 발이 양말 속으로 들어갈 때에도 나는 자라요.

처음으로 무지개를 보고 심장이 두근거리는 순간에도 나는 자라요.

나는 자라요.

❍ 장면에 어울리는 몸짓을 하며 읽기

순간 어떤 일이 일어난 바로 그때.
심장 피를 온몸에 내보내는 신체 기관.
예 놀라서 심장이 두근거렸습니다.

8
단원

---

33 '나'는 얼마만큼 작은가요?

• [　　　　] 품에 폭 안길 만큼 아주 작다.

34 ㉠을 읽을 때 어울리는 몸짓에 ○표 하세요.

(1)　　　　　　　(2)

(　　)　　　　　(　　)

35 ㉡을 읽을 때 어울리는 목소리에 ○표 하세요.

(1) 실망스러운 목소리　　　　　(　　　)
(2) 화나고 속상한 목소리　　　　(　　　)
(3) 신나고 자신감 있는 목소리　　(　　　)

36 다음 글에서 띄어 읽어야 하는 부분에 모두 ⋁를 하세요.

　봄이 되면 농부들은 논에 물을 대고 벼를 심습니다. 벼는 물속에서 뿌리를 내리고 자랍니다. 벼는 여름내 햇볕을 받으며 자라다가 가을에는 누렇게 변하면서 익습니다. 익은 벼는 이삭이 축 늘어집니다.

1~2 추석 명절

추석은 온 가족이 모이는 명절입니다. 곳곳에 사는 친척들이 고향 집으로 옵니다. 오랜만에 만난 가족은 도란도란 이야기를 나누며 음식을 만듭니다. 햇과일과 햇곡식으로 만든 음식은 정성스럽게 차례상에 올리고 가족과 나누어 먹습니다.

1 추석에 하는 일이 <u>아닌</u> 것은 무엇입니까?
( )

① 가족과 함께 음식을 나누어 먹는다.
② 음식을 정성스럽게 차례상에 올린다.
③ 곳곳에 사는 친척들이 고향 집으로 온다.
④ 가족들과 함께 맛있는 떡국을 끓여 먹는다.
⑤ 오랜만에 만난 가족과 도란도란 이야기를 나눈다.

2 이 글을 바르게 띄어 읽지 않으면 어떻게 되겠습니까? ( )

① 말의 재미를 느낄 수 있다.
② 내용을 잘 알아듣지 못한다.
③ 생생하고 재미있는 느낌을 준다.
④ 일이 일어난 차례를 잘 알 수 있다.
⑤ 중요한 내용을 쉽게 이해할 수 있다.

3~4 개미

개미들이 줄지어 가는 것을 보았다. 어디로 가는 것일까? 개미를 따라가 보니 하나의 구멍으로 들어갔다. 새집으로 이사를 가나? 개미들이 줄지어 움직이는 모습이 참 신기했다.

3 개미들이 줄지어 움직이는 모습을 보고 글쓴이는 어떤 생각을 하였습니까? ( )

① 참 신기하다.
② 개미들이 참 귀엽다.
③ 나도 이사를 가고 싶다.
④ 개미들의 사이가 좋아 보인다.
⑤ 구멍 속에 무엇이 있는지 궁금하다.

4 다음 중 띄어 읽어야 할 부분을 두 가지 고르시오. (,)

개미들이 줄지어①가는 것을 보았다.②어디로 가는③것일까?④개미를 따라가 보니 하나의⑤구멍으로 들어갔다.

5 바르게 띄어 읽는 방법을 생각하며 빈칸에 공통으로 들어갈 말을 쓰시오.

글을 읽을 때에는 ( )과 ( ) 사이에서 잠시 쉬면서 띄어 읽어야 한다.

( )

비사치기는 돌멩이를 이용한 놀이입니다. 먼저, 평평하고 잘 세워지는 손바닥만 한 돌멩이를 준비합니다. 두 편으로 나누고 땅바닥에 줄을 긋습니다. 가위바위보를 하여 진 편은 준비한 돌멩이를 줄 위에 세워 놓습니다. 이긴 편은 한 사람씩 나와 자신의 돌을 가지고 상대의 돌을 넘어뜨립니다. 돌은 발등이나 배 위에 올려 옮길 수도 있고, 무릎 사이에 끼워 옮길 수도 있습니다. 세워 놓은 상대의 돌멩이를 다 넘어뜨리면 이깁니다.

6 비사치기에 대한 설명으로 알맞지 <u>않은</u> 것은 무엇입니까? (   )

① 돌멩이를 이용한 놀이이다.
② 두 편으로 나누어 놀이를 한다.
③ 진 편은 돌멩이를 줄 위에 세워 둔다.
④ 돌멩이를 더 멀리 던지는 편이 이긴다.
⑤ 평평하고 잘 세워지는 돌멩이가 필요하다.

7 이 글에서 띄어 읽어야 하는 부분에 바르게 표시한 것에 ○표 하세요.

(1) 두 편으로 나누고 땅바닥에 줄을 긋습니다. ∨ (   )

(2) 먼저, 평평하고∨잘 세워지는 손바닥만 한 돌멩이를 준비합니다. (   )

(3) 가위바위보를 하여 진 편은∨준비한 돌멩이를 줄 위에 세워 놓습니다. (   )

여러분은 어떤 지우개를 가지고 있나요? 지우개의 모양과 색깔은 여러 가지입니다.
㉠<u>흔히 볼 수 있는 지우개는 상자 모양입니다. 그리고 동물 모양, 과일 모양, 막대 모양도 있습니다.</u>
지우개의 색깔도 여러 가지입니다. 흰색, 파란색, 빨간색처럼 한 가지 색으로 된 것도 있지만, 여러 가지 색이 섞인 것도 있습니다.

8 설명하는 대상은 무엇입니까?

(   )

9 ㉠은 설명하는 대상의 어떤 특징을 말한 것입니까? (   )

① 모양   ② 쓰임   ③ 크기
④ 색깔   ⑤ 길이

10 다음 글은 무엇을 설명하고 있습니까?

(   )

우리는 종이를 자를 때 가위를 사용합니다. 가위에는 손잡이와 날이 있습니다.
가위를 사용할 때 잡는 곳이 손잡이입니다. 주로 엄지손가락과 나머지 손가락으로 잡습니다.
물건을 자르는 곳은 날입니다. 가위의 날은 매끄러운 것이 많지만 홈이 파인 것도 있습니다.

① 홈   ② 가위   ③ 물건
④ 종이   ⑤ 손가락

11~12 표지판이 말을 해요

우리 주변에는 많은 표지판이 있습니다. 박물관에서 볼 수 있는 표지판에는 어떤 것이 있을까요? 그 표지판에는 어떤 뜻이 담겨 있을까요?

⊙	위험한 일이 생기면 이곳을 통해 밖으로 나가요.
	목이 마르면 이곳에서 물을 마실 수 있어요.
	여기에서는 사진을 찍으면 안 돼요.
	화장실에 가고 싶을 때 이곳을 이용해요.

이처럼 표지판에는 뜻이 담겨 있습니다.

11 무엇에 대하여 설명한 글입니까? ( )

① 표지판의 색깔
② 표지판에 담긴 뜻
③ 표지판을 만드는 방법
④ 표지판이 필요한 장소들
⑤ 표지판의 여러 가지 모양

12 ⊙에 들어갈 표지판의 그림으로 알맞은 것은 무엇입니까? ( )

①
②
③
④

13~15 뿌리를 먹는 채소

뿌리를 먹는 채소는 우리 몸을 튼튼하게 합니다. 뿌리를 먹는 채소에는 무, 고구마, 당근, 우엉 등이 있습니다.

무는 소화에 도움을 줍니다. 당근에는 눈에 좋은 영양소가 매우 많습니다. 고구마나 우엉을 먹으면 변비에 잘 걸리지 않습니다.

13 이 글에서 설명하고 있는 것은 무엇입니까?

· ☐ 를 먹는 채소

14 무에 대해 설명한 문장을 찾아 쓰시오.

( )

15 각각 어떤 채소에 대한 설명인지 선으로 이으시오.

(1) 눈에 좋다. · · ①  우엉

(2) 변비에 잘 걸리지 않는다. · · ②  당근

16 다음 글에서 설명하는 것은 무엇입니까?

> 우리 동네에 사는 사람들의 직업은 여러 가지입니다. 예쁘게 머리를 다듬어 주시는 미용사가 있습니다. 불이 나면 기다란 호스로 물줄기를 쏘아 불을 꺼 주시는 소방관도 있습니다. 몸이 아플 때 우리를 치료해 주시는 의사 선생님도 있습니다.

(   )

17~19   **나는 자라요**

> 나는 작아요. 엄마 품에 폭 안길 만큼 아주 작아요.
> 그렇지만 나는 자라요. 하루하루 아주 조금씩조금씩.
> 색종이를 오려 종이에 딱 붙이는 순간이나 내 이름을 쓸 때에도 나는 자라요.
> 동생을 꼭 껴안아 주는 순간에도 나는 자라요.
> 단추가 단춧구멍으로 들어가고 내 발이 양말 속으로 들어갈 때에도 나는 자라요.
> ㉠처음으로 무지개를 보고 심장이 두근거리는 순간에도 나는 자라요.

17 '나'는 무엇을 말하고 있습니까? (   )

① 키가 크는 것이 싫다.
② 나는 작아서 속상하다.
③ 키가 큰 친구가 부럽다.
④ 얼른 자라서 어른이 되고 싶다.
⑤ 나는 작지만 쉬지 않고 조금씩 자란다.

18 이 글에서 말한 '내'가 자라는 때가 아닌 것은 언제입니까? (   )

① 내 이름을 쓸 때
② 동생을 꼭 껴안아 주는 순간
③ 친구와 싸워서 화가 나 있는 순간
④ 색종이를 오려 종이에 딱 붙이는 순간
⑤ 처음으로 무지개를 보고 심장이 두근거리는 순간

🗂 서술형·논술형 문제

19 ㉠을 실감 나게 읽는 방법을 쓰시오.

_____

_____

20 이야기를 실감 나게 읽는 방법이 아닌 것은 무엇입니까? (   )

① 장면을 떠올리며 읽는다.
② 이야기에 나오는 사람처럼 읽는다.
③ 어울리는 표정을 지으면서 읽는다.
④ 항상 크고 우렁찬 목소리로 읽는다.
⑤ 목소리의 크기를 알맞게 하여 읽는다

9 겪은 일을 글로 써요

정답 22쪽

퀴즈

1. 일기를 쓸 때에는 어떻게 써야 하는지 ○표 하세요.

(1) 겪은 일이 잘 드러나게

(   )

(2) 상상한 내용을 잘 꾸며서

(   )

개념① 겪은 일이 잘 드러나게 말하기

① 언제 어디에서 누구와 어떤 일이 있었는지 자세히 말합니다.
② 주고받은 대화도 말합니다.
③ 그 일에 대한 생각이나 느낌을 말합니다.
④ 더 말하고 싶은 내용을 생각해 말합니다.

● 겪은 일이 잘 드러나게 자세히 말하기

> 가게놀이를 했다. 내 물건이 팔릴 때 기분이 좋았다. 다음에는 물건을 사는 사람도 해 보고 싶다.

개념② 겪은 일에 대한 생각이나 느낌 말하기

① 생각이나 느낌을 나타내는 여러 가지 표현을 알아봅니다.

> ㉑ 기쁘다, 신나다, 화나다, 부끄럽다, 놀라다, 아쉽다, 귀찮다 등

② 겪은 일에 대해 어떤 생각이나 느낌이 들었는지 생각해 봅니다.
③ 그런 생각이나 느낌이 든 까닭도 말해 봅니다.

● 겪은 일에 대한 생각이나 느낌을 말하기

내 차례가 되자 떨렸다.
↓
일등을 못 해서 아쉬웠다.
↓
달리기를 할 때 신난다.

✿ 운동회 때 겪은 일

개념③ 기억에 남는 일을 일기로 쓰기

① 하루 동안 자신이 겪은 일을 떠올려서 정리합니다.
② 한 가지 일을 정해 일기로 쓸 내용을 정리합니다.

> 언제, 어디에서, 누구와, 무슨 일, 생각이나 느낌 등

③ 정리한 내용을 바탕으로 일기를 씁니다.

● 일기로 쓸 내용을 정리하기 ㉑

	겪은 일	생각이나 느낌
언제	저녁에	오래간만에 치킨을 먹으니 더 맛있었다.
어디에서	집에서	
누구와	가족들과	
무슨 일	치킨을 먹었다.	

다솜이의 하루 생활

비가 올 것 같아서 우산을 가져갔습니다.

아침 등굣길에 친구를 만났습니다.

음악 시간에 노래를 불렀습니다.

미술 시간에 그림을 그렸습니다.

학교를 마치고 집으로 돌아왔습니다.

수족관에 가서 물고기를 샀습니다.

다솜이의 일기

20○○년 11월 14일 월요일	날씨: 흐림

물고기를 샀다. 물고기에게 '단풍'이라는 이름을 지어 주었다. 물고기가 단풍처럼 빨갛기 때문이다. 이제부터 날마다 단풍이에게 먹이도 주고, 단풍이와 이야기도 하면서 사이좋게 지낼 것이다.

단풍 가을에 나뭇잎이 붉거나 노랗게 물드는 것. 또는 그 잎.

1 아침 등굣길에 어떤 일이 있었나요? (   )

① 친구를 만났습니다.
② 노래를 불렀습니다.
③ 그림을 그렸습니다.
④ 공놀이를 했습니다.
⑤ 물고기를 샀습니다.

2 그림 ❻은 무엇을 하는 것인지 알맞은 것에 ○표 하세요.

(1) 그림을 그렸습니다.   (   )
(2) 물고기를 샀습니다.   (   )
(3) 노래를 불렀습니다.   (   )

3 다솜이는 어떤 일을 일기로 썼나요?

· ☐ 를 산 일

4 다솜이가 문제 3번의 일을 일기로 쓴 까닭은 무엇일까요? (   )

① 쓸 것이 없어서
② 선생님께서 쓰라고 하셔서
③ 어머니께서 쓰라고 하셔서
④ 가장 기억에 남고 재미있어서
⑤ 짝이 쓴 것을 보고 따라 쓰려고

우리 반이 함께한 일에 대해 나누는 이야기

📍우리 반이 함께한 일

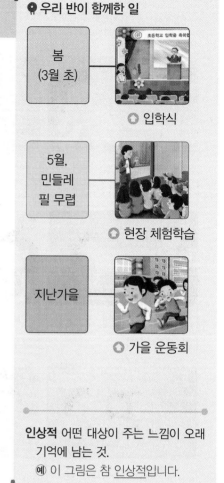

가 입학식은 언제 있었어?

봄에 있었던 일이야. / 좀 더 자세히 말해 줘.

3월 초였지만 날씨가 아직 쌀쌀할 때였어.
  조금 춥게 느껴질 정도로 날씨가 찰

나 현장 체험학습을 언제 갔지?

지난 5월, 민들레 필 무렵 현장 체험학습을 갔어.

어디로 갔더라? / 국립중앙박물관으로 갔어.

다 지난가을, 우리 학교 운동장에서 가을 운동회가 열렸습니다.

어떤 경기가 가장 인상적이었나요?

학생과 부모님이 다 함께 모둠을 이루어 협동해서 줄을
  마음과 힘을 하나로 합쳐서
당겼던 줄다리기가 무척 신이 났습니다.

인상적 어떤 대상이 주는 느낌이 오래 기억에 남는 것.
예 이 그림은 참 인상적입니다.

→ 교재 앞에 있는 붙임 ❷를 사용하세요.

5 가 에서는 무엇에 대해 이야기를 나누고 있는지 알맞은 붙임딱지를 골라 붙이세요.

6 나 의 현장 체험학습에 대한 내용을 정리하여 빈칸에 알맞게 쓰세요.

무슨 일	현장 체험학습
언제	(1)
어디에서	(2)

7 다 에서 운동회의 경기 중 가장 인상적인 것은 무엇이라고 했나요?

(1) 줄다리기 ( )
(2) 청백 이어달리기 ( )
(3) 함께 공 굴리기 ( )

🏫교과서 문제

8 겪은 일을 이야기할 때에 말해야 할 내용이 아닌 것은 어느 것인가요? ( )

① 어떤 일이 있었는지
② 언제 있었던 일인지
③ 누구와 있었던 일인지
④ 듣는 사람이 누구인지
⑤ 겪은 일에 대한 생각이나 느낌

9 겪은 일이 잘 드러나게 말하는 방법을 알맞게 말한 친구를 모두 고르세요. (, ,)

① 언제 있었던 일인지 말해요.

② 어떤 일이 있었는지 말해요.

③ 내가 말하고 싶은 내용만 말해요.

④ 누구와 있었던 일인지 말해요.

⑤ 자유롭게 상상한 내용을 말해요.

10 호랑이가 궁금해하는 것에 대하여 알맞게 대답한 것에 ○표 하세요.

어제 불고기를 먹었는데 정말 맛있었어.

어디에서 먹었어?

(1) 어제 저녁에 먹었어. ( )

(2) 집에서 먹었어. ( )

서술형·논술형 문제

11 호랑이가 궁금해하는 것에 대하여 알맞은 대답을 써 보세요.

나, 어제 놀이터에서 신나게 놀았어.

누구랑 놀았어?

[12~13] 다음 그림을 보고 물음에 답하시오.

선생님께서 미술 시간에 그림을 잘 그렸다고 칭찬해 주셨어.

선생님께서 어제 잘했다고 칭찬해 주셨어.

12 기린과 하마에게 어떤 일이 있었나요? ( )

① 즐겁게 노래를 불렀습니다.
② 어머니께서 칭찬해 주셨습니다.
③ 선생님께서 칭찬해 주셨습니다.
④ 가족들과 그림을 보러 갔습니다.
⑤ 미술 시간에 즐겁게 놀았습니다.

13 겪은 일이 더 잘 드러나게 말한 동물은 누구인가요?

( )

자신이 겪은 일

가 놀이터에서 겪은 일

동생이랑 놀이터에서 모래 장난을 하며 재미있게 놀고 있었다. 그러다가 동생이 뿌린 모래가 내 눈에 들어갔다. 나는 눈이 따갑고(찌르는 것처럼 아프고) 아파서 동생에게 화를 냈다. 동생은 엉엉 울었다. 동생을 울렸다고 엄마한테 꾸중을 들었다. 동생이 먼저 잘못한 건데 나만 꾸중을 들어서 억울했다.

나 운동회 때 겪은 일

운동회 때 달리기를 했다. 내 차례가 되자 긴장되어 가슴이 떨렸다. 열심히 달렸지만(마음을 놓지 못하고 정신을 바짝 차리게 되어) 일 등을 하지 못해 아쉬웠다. ㉠그래도 달리기는 신난다.

겪은 일에 대한 생각이나 느낌

・놀이터에서 겪은 일

| 모래 장난을 하며 놀 때 |
| 재미있었다. |

↓

| 모래가 눈에 들어갔을 때 |
| 화났다. |

↓

| 엄마한테 꾸중 들을 때 |
| 억울했다. |

・운동회 때 겪은 일

| 내 차례가 되자 |
| 떨렸다. |

↓

| 일 등을 못 해서 |
| 아쉬웠다. |

↓

| 달리기를 할 때 |
| 신난다. |

14 글 **가**에서 '나'가 겪은 일은 무엇인가요?

・☐에서 모래 장난을 한 일

15 글 **가**에서 '나'의 생각이나 느낌은 어떻게 변했는지 차례대로 기호를 쓰세요.

㉮ 억울했다. ㉯ 화났다. ㉰ 재미있었다.

( ) → ( ) → ( )

16 글 **가**에서 '나'가 억울하다고 생각한 까닭에 ○표 하세요.

(1) 동생에게만 맛난 간식을 주어서 ( )
(2) 동생이 먼저 잘못했는데 '나'만 꾸중을 들어서 ( )

17 ㉠과 같은 상황에 어울리는 표정에 ○표 하세요.

(1) (2) (3)

( ) ( ) ( )

132 | 국어 1-2

준우가 겪은 일

가게놀이를 했다. 모둠마다 가게를 만들었다. 우리 모둠은 장난감 가게를 꾸몄다. 나는 물건을 파는 사람을 했다. 도깨비 인형도 팔고, **변신** 로봇도 팔았다. 내 물건이 팔릴 때 ㉠기분이 좋았다. 다음에는 물건을 사는 사람도 해 보고 싶다.

학습을 위하여 학생들을 작은 단위로 묶은 모임

📍 준우의 생각이나 느낌

내 물건이 팔릴 때 기분이 좋았다.

다음에는 물건을 사는 사람도 해 보고 싶다.

변신 몸의 모양이나 태도 따위를 바꿈. 또는 그렇게 바꾼 몸.
📖 호랑이는 할머니로 <u>변신</u>했습니다.

9 단원

진도 완료 체크

---

18 준우가 겪은 일은 무엇인가요? (   )

① 꽃놀이
② 가게놀이
③ 자전거 타기
④ 장난감 만들기
⑤ 변신 로봇 만들기

19 준우네 모둠은 무슨 가게를 꾸몄나요? (   )

① 옷 가게
② 꽃 가게
③ 신발 가게
④ 장난감 가게
⑤ 학용품 가게

20 준우는 물건이 팔릴 때 어떤 생각이나 느낌이 들었나요?

• 기분이 [   ].

21 겪은 일에는 ○표, 생각이나 느낌에는 △표를 하세요.

⑴ 가게놀이를 했다.   (   )
⑵ 우리 모둠은 장난감 가게를 꾸몄다.
                                      (   )
⑶ 내 물건이 팔릴 때 기분이 좋았다.
                                      (   )

22 ㉠은 생각이나 느낌을 나타내는 표현입니다. 이와 같이 생각이나 느낌을 나타내는 표현을 써 보세요.

지호가 겪은 일

나는 체육 시간에 친구들과 운동장에서 달리기를 했다. 모둠을 나누어 이어달리기를 했다. 우리 모둠은 4등으로 꼴찌를 했다. 나는 힘들게 달렸는데도 꼴찌를 한 것이 실망스러워 아무 말도 하지 않고 있었다. 그런데 친구들이 "힘내! 다음 기회가 있잖아."라고 말해 주어서 다시 기분이 좋아졌다.

성적이나 등수의 차례에서 맨 끝

📍 제목을 정할 때 생각할 점

겪은 일 중에서 가장 중요한 점

가장 하고 싶은 말

가장 중요한 사람이나 물건

'지호가 겪은 일'의 제목은? ➡ 예
• 즐거운 체육 시간
• 고마운 친구들

실망스러워 바라던 일이 뜻대로 되지 아니하여 마음이 몹시 상한 데가 있어.

기회 어떠한 일을 하는 데 적절한 시기나 경우.

예 나의 노래 실력을 뽐낼 <u>기회</u>가 생겼습니다.

9
단원

23 언제, 어디에서 있었던 일인지 쓰세요.

(1) 언제: (   )

(2) 어디에서: (   )

24 지호가 한 일의 시간 순서대로 기호를 쓰세요.

㉮ 지호네 모둠이 꼴찌를 했습니다.
㉯ 운동장에서 이어달리기를 했습니다.
㉰ 친구들이 위로해 주어서 기분이 좋아졌습니다.
㉱ 지호는 실망스러워 아무 말도 하지 않았습니다.

(㉯) → (   ) → (   ) → (   )

25 지호가 실망스러워한 까닭은 무엇인가요?

• 힘들게 달렸는데도 [   ] 를/을 해서

26 지호가 실망스러웠다가 기분이 좋아진 까닭은 무엇인가요? (   )

① 친구들이 위로해 주어서
② 선생님께서 칭찬해 주셔서
③ 친구들이 간식을 나누어 주어서
④ 다시 달리기를 하여 일 등을 해서
⑤ 엄마께서 맛있는 음식을 해 주셔서

🖉 서술형·논술형 문제

27 친구들이 무엇이라고 말했는지 쓰세요.

_____

28 이 글의 다른 제목으로 알맞은 것에 모두 ○표 하세요.

(1) 고마운 친구들 (   )

(2) 즐거운 체육 시간 (   )

(3) 이어달리기를 하는 방법 (   )

준호의 일기

20○○년 11월 25일 금요일 │ 날씨: 해님이 웃는 날

제목: 연날리기

⊙ 연날리기를 했다. 연은 날개도 없는데 계속 날았다. 하늘에서 떨어지지 않고 나는 것이 신기했다.ⓛ참 재미있었다.

일기의 내용

겪은 일	연날리기를 한 일
생각이나 느낌	• 신기했다. • 참 재미있었다.

더 자세히 써야 할 내용

언제 있었던 일인가?

어디에서 있었던 일인가?

누구와 있었던 일인가?

어떤 점이 재미있었나?

9 단원

29 준호는 무엇을 일기로 썼나요?

• ☐ 를 한 일

30 준호가 연날리기를 할 때 어떤 생각이나 느낌이 들었는지 두 가지를 고르세요. (,)

① 신기했다. ② 우스웠다.

③ 지루했다. ④ 참 재미있었다.

⑤ 아주 무서웠다.

🎓 교과서 문제

31 준호의 일기에서 부족한 점이 <u>아닌</u> 것은 어느 것인가요? ( )

① 날짜와 날씨를 쓰지 않았습니다.

② 왜 재미있었는지 쓰지 않았습니다.

③ 누구와 있었던 일인지 쓰지 않았습니다.

④ 어떤 점이 재미있었는지 쓰지 않았습니다.

⑤ 어디에서 있었던 일인지 쓰지 않았습니다.

32 겪은 일이 잘 드러나도록 ⊙ 부분을 자세하게 고치려면 어떤 점을 생각해야 하나요? ( )

① 무엇을 했지?

② 연은 무엇이지?

③ 연은 왜 날아가지?

④ 연날리기는 어떻게 하는 것이지?

⑤ 언제, 어디에서, 누구와 연날리기를 했지?

33 ⓛ 부분을 자세하게 쓴 것으로 알맞은 것에 ○표 하세요.

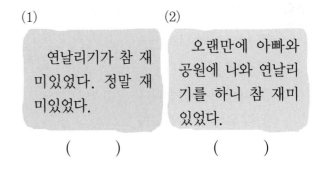

(1)

연날리기가 참 재미있었다. 정말 재미있었다.

( )

(2)

오랜만에 아빠와 공원에 나와 연날리기를 하니 참 재미있었다.

( )

일기

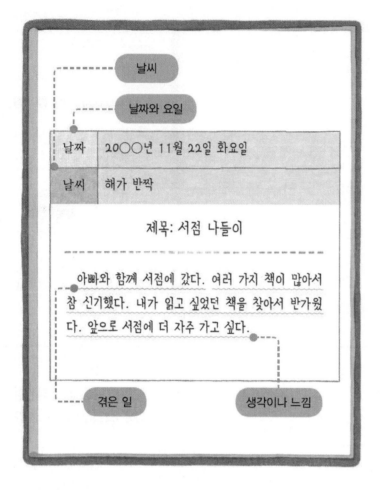

일기 쓰는 방법

겪은 일 떠올리기
하루 동안 무슨 일이 있었지?

↓

한 가지 일을 정해 쓸 내용 정리하기
아! 아빠랑 서점에 간 일을 써야겠다.

↓

정리한 내용을 바탕으로 일기 쓰기
아빠와 함께 서점에 갔다.~

9 단원

34 글쓴이가 겪은 일은 무엇인가요?

• 아빠와 함께 [　　　]에 간 일

35 일기를 쓴 날의 날씨는 어떠했나요? (　　　)

① 비가 왔습니다.
② 눈이 왔습니다.
③ 바람이 불었습니다.
④ 구름이 많았습니다.
⑤ 해가 반짝하였습니다.

36 일기를 쓸 때 들어가야 할 내용이 <u>아닌</u> 것은 어느 것인가요? (　　　)

① 날씨
② 겪은 일
③ 날짜와 요일
④ 생각이나 느낌
⑤ 일기를 읽을 사람

37 일기를 쓰는 차례에 맞게 기호를 쓰세요.

⑦ 하루 동안 겪은 일을 떠올리기
⑭ 정리한 내용을 바탕으로 일기 쓰기
⑭ 한 가지 일을 정해서 쓸 내용을 정리하기

(　　　) → (　　　) → (　　　)

1~3 다솜이의 일기

20○○년 11월 14일 월요일	날씨: 흐림

물고기를 샀다. 물고기에게 '단풍'이라는 이름을 지어 주었다. 물고기가 단풍처럼 빨갛기 때문이다. 이제부터 날마다 단풍이에게 먹이도 주고, 단풍이와 이야기도 하면서 사이좋게 지낼 것이다.

1 다음은 다솜이가 겪은 일들입니다. 이 가운데에서 다솜이는 무엇을 골라 일기로 쓴 것일지 알맞은 것에 ○표 하시오.

(1) (   )　　(2) (   )　　(3) (   )

2 일기를 쓴 날의 날씨는 어떠했습니까? (   )

① 맑음　　② 흐림
③ 추움　　④ 바람
⑤ 비 옴

3 물고기에게 '단풍'이라는 이름을 지어 준 까닭은 무엇입니까?

• 단풍처럼 [   ] 때문에

4 겪은 일을 글로 쓸 때 알맞지 <u>않은</u> 내용에 ×표 하시오.

(1) 가족과 있었던 일　　　　　(   )
(2) 학교에서 있었던 일　　　　(   )
(3) 앞으로 내가 하고 싶은 일　(   )

5~6 우리 반이 함께한 일에 대해 나누는 이야기

가 찬서: 현장 체험학습을 언제 갔지?

수진: 지난 5월, 민들레 필 무렵 현장 체험학습을 갔어.

예나: 어디로 갔더라?

승재: 국립중앙박물관으로 갔어.

나 서윤: 지난가을, 우리 학교 운동장에서 가을 운동회가 열렸습니다.

민수: 어떤 경기를 했습니까?

서윤: 훌라후프 오래 돌리기, 청백 이어달리기, 줄다리기를 했습니다.

가영: 어떤 경기가 가장 인상적이었나요?

서윤: 학생과 부모님이 다 함께 모둠을 이루어 협동해서 줄을 당겼던 줄다리기가 무척 신이 났습니다.

5 **가** 에서 어디로 현장 체험학습을 갔습니까?

(　　　　　　　　)

6 **가** 와 **나** 중에서 여러 사람 앞에서 발표하는 상황은 어느 것입니까?

(　　　　　　　　)

7~10 **놀이터에서 겪은 일**

동생이랑 놀이터에서 모래 장난을 하며 재미있게 놀고 있었다. 그러다가 동생이 뿌린 모래가 내 눈에 들어갔다. 나는 눈이 따갑고 아파서 ㉠동생에게 화를 냈다. 동생은 엉엉 울었다. 동생을 울렸다고 엄마한테 꾸중을 들었다. 동생이 먼저 잘못한 건데 나만 꾸중을 들어서 억울했다.

📋 서술형·논술형 문제

7 무엇을 한 일에 대한 내용인지 쓰시오.

_____

8 '나'는 왜 눈이 따갑고 아팠습니까?

• 동생이 뿌린 [   ]가 눈에 들어가서

9 '나'는 왜 억울하다고 생각했습니까? (   )

① 동생만 칭찬을 받아서
② 동생과 함께 꾸중을 들어서
③ 동생에게만 새 옷을 사 주어서
④ 다시는 모래 장난을 하지 못하게 되어서
⑤ 동생이 먼저 잘못했는데 나만 꾸중을 들어서

10 ㉠에 어울리는 표정에 ○표 하시오.

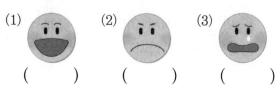

(1) (   ) (2) (   ) (3) (   )

11~13 **준우가 겪은 일**

㉠가게놀이를 했다. ㉡모둠마다 가게를 만들었다. 우리 모둠은 장난감 가게를 꾸몄다. ㉢나는 물건을 파는 사람을 했다. 도깨비 인형도 팔고, 변신 로봇도 팔았다. 내 물건이 팔릴 때 기분이 좋았다. ㉣다음에는 물건을 사는 사람도 해 보고 싶다.

11 준우가 겪은 일은 무엇입니까?

• [   ]를 한 일

12 준우가 판 물건을 모두 고르시오. (,   )

① 곰 인형   ② 변신 로봇
③ 도깨비 인형   ④ 장난감 자동차
⑤ 병원놀이 도구

13 ㉠~㉣ 중에서 준우의 생각이나 느낌을 나타낸 것의 기호를 쓰시오.

(   )

14 다음 중 생각이나 느낌을 나타내는 표현이 **아닌** 것은 무엇입니까? (   )

① 화나다   ② 말하다
③ 쓸쓸하다   ④ 재미있다
⑤ 자랑스럽다

15~17 지호가 겪은 일

나는 체육 시간에 친구들과 운동장에서 달리기를 했다. 모둠을 나누어 이어달리기를 했다. 우리 모둠은 4등으로 꼴찌를 했다. 나는 힘들게 달렸는데도 꼴찌를 한 것이 실망스러워 아무 말도 하지 않고 있었다. 그런데 친구들이 "힘내! 다음 기회가 있잖아."라고 말해 주어서 다시 기분이 좋아졌다.

15 언제 있었던 일입니까? (   )

① 방학식   ② 운동회
③ 쉬는 시간   ④ 체험학습
⑤ 체육 시간

16 지호는 무엇을 했습니까? (   )

① 줄넘기
② 높이뛰기
③ 맨손 체조
④ 이어달리기
⑤ 철봉 매달리기

17 지호가 들었던 생각이나 느낌이 어떻게 변했는지 알맞게 선으로 이으시오.

| (1) | 지호네 모둠이 꼴찌를 했을 때 | • | • ㉠ | 실망스럽다. |
| (2) | 친구들이 위로해 주었을 때 | • | • ㉡ | 기분이 좋아졌다. |

18~20 일기

| 날짜 | 20○○년 11월 22일 화요일 |
| ㉠ | 해가 반짝 |

제목: 서점 나들이

아빠와 함께 서점에 갔다. 여러 가지 책이 많아서 참 신기했다. 내가 읽고 싶었던 책을 찾아서 반가웠다. 앞으로 서점에 더 자주 가고 싶다.

9 단원

진도 완료 체크

18 글쓴이가 겪은 일은 무엇입니까? (   )

① 아빠와 즐겁게 논 일
② 도서관에서 책을 읽은 일
③ 아빠와 함께 서점에 간 일
④ 친구들과 책을 사러 간 일
⑤ 인터넷 서점에서 책을 고른 일

19 글쓴이의 생각이나 느낌을 쓴 것에 모두 ○표 하시오.

(1) 아빠와 함께 서점에 갔다.   (   )
(2) 앞으로 서점에 더 자주 가고 싶다. (   )
(3) 여러 가지 책이 많아서 참 신기했다.
                                     (   )

20 일기에 써야 할 내용으로 ㉠ 에 들어갈 알맞은 말을 쓰시오.

(   )

정답 24쪽

퀴즈

1. 인물의 말을 따라 할 때에는 어 떻게 해야 하는지 ○표 하세요.

(1) 실감 나게 말한다.

( )

(2) 큰 소리로만 말한다.

( )

개념① 인물의 모습과 행동을 상상하며 이야기 듣기

① 인물의 모습을 나타낸 낱말을 떠올려 봅니다.
② 인물의 행동을 나타낸 부분을 떠올려 봅니다.
③ 인물의 모습과 행동을 나타낸 내용을 바탕으로 인물을 상상해 봅니다.

● 인물의 모습을 상상하기

> 너는 쫑긋쫑긋한 귀, 북슬북슬 부드러운 갈기, 뾰족뾰족한 이빨, 길쭉길쭉한 꼬리를 가진 멋진 괴물이야.

개념② 이야기를 읽고 인물의 모습과 행동 상상하기

① 이야기 속 인물이 무엇을 하는 장면인지 살펴봅니다.
② 인물의 모습과 행동을 나타낸 부분을 찾아봅니다.
③ 인물의 모습과 행동을 상상해 봅니다.

● 이야기를 읽고 인물의 모습과 행동 상상하기

이야기 내용	상상한 모습
오징어는 무지개 양말에 구두 신고 다리를 뽐낼 거예요.	

이야기 내용	상상한 모습
토끼는 팔랑거리는 치마 입고 깡충깡충 뛸 거예요.	

개념③ 이야기 속 인물의 말과 행동 따라 하기

① 이야기 속 인물이 무엇을 하는 장면인지 살펴봅니다.
② 인물에 어울리는 목소리로 실감 나게 인물의 말을 따라 해 봅니다.
③ 상황에 알맞게 인물의 행동을 몸짓으로 흉내 내어 봅니다.

● 이야기 속 인물의 말과 행동 따라 하기

> 아이고, 가엾어라. 다리가 부러졌구나.

➡ 「흥부 놀부」에서 다리를 다친 제비를 보고 안타까워하는 흥부의 모습을 말과 행동으로 나타냅니다.

별을 삼킨 괴물

❶ 어느 날, 무시무시한 괴물이 별들을 모두 삼키고 사라졌어요. 마을은 온통 캄캄한 어둠으로 뒤덮였죠. 빛나는 별이 사라지자 <u>마을 사람들은 슬픔에 빠졌어요.</u> 그래서 마을에서 가장 용감한 노랑이,
_{빛나는 별이 사라졌기 때문에}
초록이, 주홍이는 별을 되찾기 위해 길을 떠났어요. 세 아이들은 길을 나섰지만 별을 삼킨 괴물이 어떻게 생겼는지 아무것도 몰랐어요.

✏️**중심 내용 ❶** 괴물이 삼킨 별을 되찾으러 용감한 세 아이들이 길을 떠났어요.

❷ 아이들은 귀가 **쫑긋쫑긋**한 토끼를 만났어요.

"토끼야, 별을 삼킨 괴물이 어떻게 생겼는지 알고 있니?"

토끼가 대답했어요.

"글쎄, <u>새가 노래하는 모습을 보느라 잘 보지 못했어.</u> 그런데 나
_{토끼가 괴물을 잘 보지 못한 까닭}
처럼 작은 소리도 잘 들을 수 있는 쫑긋쫑긋 귀를 가지고 있었어."
_{괴물의 모습 ①}

✏️**중심 내용 ❷** 토끼가 세 아이들에게 괴물은 쫑긋쫑긋한 귀를 가졌다고 말했어요.

📍 토끼가 말한 괴물의 모습

쫑긋쫑긋 귀를 가지고 있었어.

무시무시한 공포와 불안을 느끼게 할 정도로 무섭고 끔찍한.
쫑긋쫑긋한 자꾸 입술이나 귀 등을 빳빳하게 세우거나 뾰족하게 내미는.

10 단원

---

1 마을이 캄캄한 어둠으로 뒤덮인 까닭은 무엇인가요? (　　　)

① 마을 사람들이 슬픔에 빠져서
② 괴물이 세 아이들을 잡아가서
③ 괴물이 마을 사람들을 잡아가서
④ 세 아이가 괴물을 찾으러 나서서
⑤ 괴물이 별들을 모두 삼키고 사라져서

2 세 아이들은 왜 길을 떠났나요?

• 괴물이 삼킨 [　　　　　]을 되찾기 위해서

3 길을 떠난 아이들은 누구를 만났나요? (　　　)

① 새　　　　　② 괴물
③ 토끼　　　　④ 친구
⑤ 마을 사람

4 토끼는 괴물이 어떻게 생겼다고 말했나요?

(1) 새처럼 노래를 잘한다고　　　(　　)
(2) 쫑긋쫑긋 귀를 가지고 있다고　(　　)
(3) 눈이 나빠서 잘 보지 못한다고　(　　)
(4) 별을 삼킬 만큼 입이 크다고　　(　　)

3 아이들은 갈기가 북슬북슬한 사자를 만났어요.

"사자야, 별을 삼킨 괴물이 어떻게 생겼는지 알고 있니?"

사자가 대답했어요.

"글쎄, 갈기를 빗느라 잘 보지 못했어. 그런데 나처럼 <u>북슬북슬한</u> <u>갈기를 가지고 있었어.</u>"
괴물의 모습 ②

아이들은 이빨이 뾰족뾰족한 악어를 만났어요.

"악어야, 별을 삼킨 괴물이 어떻게 생겼는지 알고 있니?"

악어가 대답했어요.

"글쎄, <u>이빨을 닦느라</u> 잘 보지 못했어. 그런데 나처럼 <u>뾰족뾰족 날</u>
악어가 괴물을 잘 보지 못한 까닭
<u>카로운 이빨을 가지고 있었어.</u>"
괴물의 모습 ③

아이들은 꼬리가 길쭉길쭉 기다란 원숭이를 만났어요.

"원숭이야, 별을 삼킨 괴물이 어떻게 생겼는지 알고 있니?"

원숭이가 대답했어요.

"글쎄, <u>나무에 거꾸로 매달려 있느라</u> 잘 보지 못했어. 그런데 나처럼
원숭이가 괴물을 잘 보지 못한 까닭
<u>길쭉길쭉 긴 꼬리가 있었어.</u>"
괴물의 모습 ④

✏️ **중심 내용 3** 괴물이 어떻게 생겼는지 묻자 사자는 북슬북슬한 갈기를 가졌다고 하고, 악어는 뾰족뾰족한 이빨을 가졌다고 하고, 원숭이는 길쭉길쭉한 꼬리를 가졌다고 했어요.

📍 동물들이 말한 괴물의 모습

사자
북슬북슬한 갈기

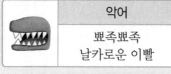

악어
뾰족뾰족 날카로운 이빨

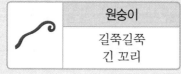

원숭이
길쭉길쭉 긴 꼬리

갈기 말이나 사자 등의 목과 등에 난 긴 털.

북슬북슬한 살이 찌고 털이 많아서 매우 탐스러운.

---

10 단원

5 아이들이 만난 동물의 차례대로 기호를 쓰세요.

㉠ 악어	㉡ 사자	㉢ 원숭이

(   ) → (   ) → (   )

6 동물들이 말한 괴물의 모습을 알맞게 선으로 이으세요.

(1) 사자 · · ㉠ 북슬북슬한 갈기

(2) 악어 · · ㉡ 뾰족뾰족 날카로운 이빨

7 사자는 왜 괴물을 잘 보지 못했나요? (   )

① 늦잠을 자느라
② 이빨을 닦느라
③ 갈기를 빗느라
④ 새의 노래를 듣느라
⑤ 나무에 거꾸로 매달려 있느라

🎒 교과서 문제

8 그림을 보고 괴물의 모습을 나타낸 낱말에 ○표 하세요.

(1) 길쭉길쭉 (   )
(2) 북슬북슬 (   )
(3) 쫑긋쫑긋 (   )

4 아이들은 배가 풍선처럼 **빵빵한** 곰을 만났어요.

"곰아, 별을 삼킨 괴물이 어떻게 생겼는지 알고 있니?"

곰이 대답했어요. / "글쎄, 꿀을 먹느라 잘 보지 못했어.

그런데 나처럼 **빵빵한** 배를 가지고 있었어."

괴물의 모습 ⑤

📝 **중심 내용 4** 곰은 아이들에게 괴물이 빵빵한 배를 가졌다고 말했어요.

5 "이제 괴물이 어떻게 생겼는지 알겠다!"

"그런데 이 괴물이 어디로 갔을까?"

"숲속을 잘 찾아보자."

"어디 있지?" / "찾았다!"

초록이가 소리쳤어요.

"괴물아, 별들을 내놔!"

아이들이 외쳤어요.

"안 돼! 나는 너무 못생겨서 아무

도 좋아하지 않아. 별을 먹고 반

괴물이 별을 내놓지 않으려는 까닭

짝반짝 멋있어져서 친구들과 뛰어놀고 싶단 말이야."

괴물이 떼를 쓰며 말했어요.

📝 **중심 내용 5** 아이들이 별을 내놓으라고 했지만, 괴물은 별을 먹고 멋있어져서 친구들과 놀고 싶다고 떼를 썼어요.

📍 곰이 말한 괴물의 모습

○ 빵빵한 배

📍 괴물이 별을 삼킨 까닭

별을 먹고 멋있어져서 친구들과 뛰어놀고 싶었어.

떼 이치에 맞지 않는 요구를 들어 달라고 고집부리는 것.
예 동생이 장난감을 사 달라고 떼를 썼다.

10
단원

---

9 곰은 왜 괴물을 잘 보지 못했나요?

· [＿＿＿＿]을 먹느라

10 곰이 말한 괴물의 모습과 닮은 것에 ○표 하세요.

(1)

↳ 쫀득쫀득한 떡
( )

(2)
→ 빵빵한 풍선

( )

(3)

↳ 거칠거칠한 돌멩이
( )

(4)
→ 푹신푹신한 솜

( )

11 아이들은 괴물을 어디에서 찾았을지 알맞은 것에 ○표 하세요.

(1) 숲속 ( )
(2) 하늘 위 ( )

12 아이들이 별을 내놓으라고 하자 괴물은 왜 안 된다고 했나요? ( )

① 별이 너무 맛있어서
② 별을 뱉어 낼 줄 몰라서
③ 별을 먹으면 힘이 세져서
④ 별을 내놓으면 괴물이 병이 나므로
⑤ 별을 먹고 멋있어져서 친구들과 뛰어놀려고

6 "아니야, 아니야. 너는 쫑긋쫑긋 작은 소리도 들을 수 있는 귀, 북슬북슬 멋지고 부드러운 갈기, 뾰족뾰족 무엇이든 자를 수 있는 이빨, 길쭉길쭉 어디든 매달릴 수 있는 꼬리까지 이미 많은 것을 가진 멋진 괴물이야."

노랑이가 괴물을 칭찬해 주었어요.

"그럼 나랑 놀아 줄 거야?" / 괴물이 대답했어요.

"응, 그런데 별을 너무 많이 먹어서 배가 곰처럼 **빵빵**하구나. 같이 뛰어놀기 힘들겠는걸?"

주홍이가 **꾀**를 써서 말했어요.

<small>괴물에게 별을 뱉어 내게 하려는 꾀</small>

괴물은 친구들과 놀고 싶어서 얼른 대답했어요.

"별을 모두 뱉어 내면 돼. 자, 봐봐."

쿠와아아아아아아.

<small>별을 뱉어 내는 소리</small>

밤하늘은 다시 아름답게 빛나게 되었고, 괴물과 아이들은 사이좋은 친구가 되었답니다.

✏️ 중심 내용 **6** 아이들이 괴물에게 같이 놀아 주겠다고 하자 괴물은 별을 뱉어 냈어요.

📍 괴물의 모습을 나타낸 표현

귀	—	쫑긋쫑긋
갈기	—	북슬북슬
이빨	—	뾰족뾰족
꼬리	—	길쭉길쭉
배	—	빵빵

꾀 일을 꾸미거나 해결하기 위한 뛰어난 생각이나 방법.
예 내 친구 찬서는 꾀가 많습니다.

10 단원

진도 완료 체크

<small>••• 교재 앞에 있는 붙임 **2**를 사용하세요.</small>

13 노랑이가 칭찬해 준 괴물의 모습을 나타낸 표현을 찾아 **붙임딱지**를 붙이세요.

(1) 귀 —
(2) 갈기 —
(3) 이빨 —
(4) 꼬리 —

14 주홍이는 왜 괴물과 같이 뛰어놀기 힘들겠다고 말했을까요?

• 괴물에게 [　　　]을 뱉어 내게 하려고

15 괴물이 별을 뱉어 낸 뒤에 생긴 일을 빈칸에 알맞게 써 보세요.

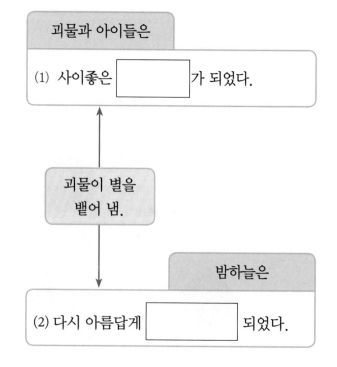

괴물과 아이들은

(1) 사이좋은 [　　　]가 되었다.

↑

괴물이 별을 뱉어 냄.

↓

밤하늘은

(2) 다시 아름답게 [　　　] 되었다.

숲속 재봉사

① 깊고 깊은 숲속에 옷 만들기를 아주 좋아하는 <u>재봉사</u>가 살았어요.
<small>이야기의 주인공</small>

달달달

사각사각

스륵스륵

조물조물

숲속 재봉사는 밤이나 낮이나 쉬지 않고 옷을 만들었어요.

이 하늘 저 하늘 새들이 날아와 멋진 옷을 부탁했어요.

춤출 때 입을 거예요.

✏️**중심 내용 ①** 숲속 재봉사는 밤이나 낮이나 쉬지 않고 옷을 만들었어요.

• 글의 종류: 이야기
• 글 · 그림: 최향랑
• 글의 내용: 옷 만들기를 좋아하여 여러 동물들에게 옷을 만들어 주는 숲속 재봉사 이야기입니다.

───────────────

재봉사 옷을 만드는 일을 직업으로 하는 사람.

16 어디에서 있었던 이야기인가요?

• 깊고 깊은 ☐

17 재봉사는 무엇을 좋아하나요?

( )

18 다음은 무엇을 하는 모습을 나타낸 말일지 알맞은 것에 ○표 하세요.

| 달달달
사각사각
스륵스륵
조물조물 | (1) 춤추는 모습 ( )
(2) 노래하는 모습 ( )
(3) 옷 만드는 모습 ( )
(4) 아이들이 노는 모습
( ) |

19 재봉사는 밤이나 낮이나 쉬지 않고 무엇을 하나요? ( )

① 춤을 춥니다.

② 요리를 합니다.

③ 옷을 만듭니다.

④ 청소를 합니다.

⑤ 신발을 닦습니다.

20 이 이야기를 읽고 떠오르는 물건에 ○표 하세요.

(1) →청소기
( )

(2) →가스레인지
( )

(3) →재봉틀
( )

(4) →세탁기
( )

2 깊은 물 얕은 물 물고기들이 헤엄쳐 와 어여쁜 옷을 졸랐어요.

오징어는 무지개 양말에 구두 신고 다리를 뽐낼 거예요.

넓은 들판에 사는 크고 큰 동물들과 작고 작은 곤충들도 <u>마음먹은</u>
_{자기가 생각한}
옷을 이야기했어요.

사자는 바람 불면 털이 눈을 가려서 모자가 필요해요.

높은 산 낮은 산 동물들도 필요한 옷을 부탁했어요.

토끼는 팔랑거리는 치마 입고 깡충깡충 뛸 거예요.

그렇게 모두 <u>꿈꿔 왔던</u> 옷을 입어 보았어요.
_{가지고 싶었던}

그리고 <u>한바탕</u> 잔치가 벌어졌어요.

✏️**중심 내용 2** 많은 동물들이 재봉사가 만든 옷을 입고 한바탕 잔치를 했어요.

📍 **재봉사가 동물들에게 만들어 준 것**

새	춤출 때 입을 옷
오징어	무지개 양말
사자	모자
토끼	팔랑거리는 치마

한바탕 크게 한 번.
예 네 덕분에 <u>한바탕</u> 크게 웃었다.

---

21 재봉사에게 옷을 부탁한 동물이 <u>아닌</u> 것은 무엇인가요? (   )

① 물에 사는 물고기들
② 땅속에 사는 작은 동물들
③ 넓은 들판에 사는 큰 동물들
④ 넓은 들판에 사는 작은 곤충들
⑤ 높은 산 낮은 산에 사는 동물들

22 재봉사가 동물들에게 만들어 준 것과 동물들을 알맞게 선으로 이으세요.

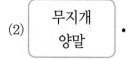

(1) 모자 • • ㉠ 사자

(2) 무지개 양말 • • ㉡ 토끼

(3) 팔랑거리는 치마 • • ㉢ 오징어

23 사자는 왜 모자가 필요한가요?

• 바람 불면 [   ] 이 [   ] 을 가리기 때문에

🔖 교과서 문제

24 오징어의 모습을 상상한 그림으로 알맞은 것에 ○표 하세요.

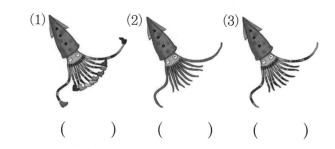

(1)   (2)   (3)
(   )   (   )   (   )

25 동물들이 꿈꿔 왔던 옷을 입고 한 일에 ○표 하세요.

(1) 한바탕 잔치를 벌였습니다. (   )
(2) 동물 운동회를 벌였습니다. (   )
(3) 노래 부르기 대회를 열었습니다. (   )

단원 평가

1~3 별을 삼킨 괴물

가 어느 날, 무시무시한 괴물이 별들을 모두 삼키고 사라졌어요. 마을은 온통 캄캄한 어둠으로 뒤덮였죠. 빛나는 별이 사라지자 마을 사람들은 슬픔에 빠졌어요. 그래서 마을에서 가장 용감한 노랑이, 초록이, 주홍이는 별을 되찾기 위해 길을 떠났어요.

나 "토끼야, 별을 삼킨 괴물이 어떻게 생겼는지 알고 있니?"

토끼가 대답했어요.

"글쎄, 새가 노래하는 모습을 보느라 잘 보지 못했어. 그런데 나처럼 작은 소리도 잘 들을 수 있는 쫑긋쫑긋 귀를 가지고 있었어."

1 별을 삼키고 사라진 것은 누구입니까?

• 무시무시한 [   ]

2 세 아이들은 왜 길을 떠났습니까? (   )

① 괴물과 놀기 위해서
② 괴물과 친구가 되려고
③ 마을 사람들에게 쫓겨나서
④ 새가 노래하는 모습을 보려고
⑤ 괴물이 삼킨 별을 되찾기 위해서

🗄 서술형·논술형 문제

3 토끼는 괴물이 어떻게 생겼다고 말했는지 쓰시오.

_____

_____

4~6 별을 삼킨 괴물

가 "악어야, 별을 삼킨 괴물이 어떻게 생겼는지 알고 있니?"

악어가 대답했어요.

"글쎄, 이빨을 닦느라 잘 보지 못했어. 그런데 나처럼 뾰족뾰족 날카로운 이빨을 가지고 있었어."

나 "원숭아, 별을 삼킨 괴물이 어떻게 생겼는지 알고 있니?"

원숭이가 대답했어요.

"글쎄, 나무에 거꾸로 매달려 있느라 잘 보지 못했어. 그런데 나처럼 길쭉길쭉 긴 꼬리가 있었어."

10
단원

4 다음 그림은 누구의 이야기를 듣고 괴물의 모습을 상상한 것이겠습니까?

(   )

5 이 이야기를 듣고 괴물의 모습을 상상하여 말한 것 중 알맞은 것의 기호를 쓰시오.

> ㉠ 꼬리가 아주 두꺼운가 봐.
> ㉡ 몸에 털이 별로 없을 것 같아.
> ㉢ 이빨이 무척 날카롭고 뾰족할 것 같아.

(   )

6 원숭이는 왜 괴물을 잘 보지 못했다고 했습니까? (　　　)

① 늦잠을 자느라
② 이빨을 닦느라
③ 갈기를 빗느라
④ 새의 노래를 듣느라
⑤ 나무에 거꾸로 매달려 있느라

7~8　　별을 삼킨 괴물

가 "괴물아, 별들을 내놔!"
아이들이 외쳤어요.
"안 돼! 나는 너무 못생겨서 아무도 좋아하지 않아. 별을 먹고 반짝반짝 멋있어져서 친구들과 뛰어놀고 싶단 말이야."
괴물이 떼를 쓰며 말했어요.
나 "응, 그런데 별을 너무 많이 먹어서 배가 곰처럼 　ㄱ　 하구나. 같이 뛰어놀기 힘들겠는걸?"
주홍이가 꾀를 써서 말했어요.

7 괴물이 별을 내놓지 않겠다고 한 까닭에 ○표 하시오.

(1) 별이 다 소화되었기 때문에　　　　(　　　)
(2) 별을 먹고 멋있어져서 친구들과 뛰어놀려고
　　　　　　　　　　　　　　　　(　　　)

8 　ㄱ　에 알맞은 말은 무엇입니까? (　　　)

① 길쭉　　　　　② 빵빵
③ 뾰족　　　　　④ 쫑긋
⑤ 깜빡

9~11　　숲속 재봉사

깊고 깊은 숲속에 옷 만들기를 아주 좋아하는 재봉사가 살았어요.
ㄱ달달달달 / 사각사각
스륵스륵 / 조물조물
숲속 재봉사는 밤이나 낮이나 쉬지 않고 옷을 만들었어요.
이 하늘 저 하늘 새들이 날아와 멋진 옷을 부탁했어요.

9 재봉사는 어디에 살았습니까? (　　　)

① 넓고 넓은 들판
② 깊고 깊은 숲속
③ 깊고 깊은 바닷속
④ 사람이 많은 도시
⑤ 맑은 물이 흐르는 개울가

10 ㄱ은 무엇을 하는 모습을 나타낸 말이겠습니까? (　　　)

① 웃는 모습
② 노래하는 모습
③ 운동하는 모습
④ 옷 만드는 모습
⑤ 악기를 연주하는 모습

11 이 글에서 다음과 같은 뜻을 가진 낱말을 찾아 쓰시오.

옷을 만드는 일을 직업으로 하는 사람

(　　　　　　　　)

12~13 숲속 재봉사

오징어는 무지개 양말에 구두 신고 다리를 뽐낼 거예요.

넓은 들판에 사는 크고 큰 동물들과 작고 작은 곤충들도 마음먹은 옷을 이야기했어요.

사자는 바람 불면 털이 눈을 가려서 모자가 필요해요.

높은 산 낮은 산 동물들도 필요한 옷을 부탁했어요.

토끼는 팔랑거리는 치마 입고 깡충깡충 뛸 거예요.

그렇게 모두 꿈꿔 왔던 옷을 입어 보았어요. 그리고 한바탕 잔치가 벌어졌어요.

12 다음과 같은 생각을 가진 동물은 누구이겠습니까?

무지개 양말에 구두를 신고 다리를 뽐내고 싶어.

(   )

13 토끼가 좋아하는 옷을 상상하여 그린 그림에 ○표 하시오.

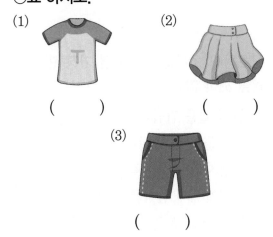

(1)   (   )

(2)   (   )

(3)   (   )

14 「흥부 놀부」에서 흥부가 다리를 다친 제비에게 할 말로 알맞은 것은 어느 것입니까? (   )

① 살려 주세요. 사냥꾼이 쫓아와요.

② 우리 집에 잘 왔다. 반갑구나.

③ 다리가 부러졌네. 많이 아프겠구나.

④ 나도 너처럼 날 수 있단다.

15 문제 14번의 정답을 말할 때에는 어떤 목소리가 어울리겠습니까?

• [   ] 목소리

16 다음은 「토끼와 거북」의 한 장면입니다. 토끼에게 어울리는 말은 무엇입니까? (   )

① 어디로 가지?

② 넌 나의 친구야.

③ 달리기는 자신 없어.

④ 엉엉엉, 너무 슬프다.

⑤ 나는 거북보다 훨씬 빨리 달릴 수 있어.

17~20 안전하게 건너요

안전하게 건너요

1. 횡단보도 앞에 도착하면 먼저 노란선 안쪽에 멈추어 섭니다.
2. 신호등이 초록불로 바뀌면 왼쪽, 오른쪽을 살펴봅니다.
3. 횡단보도 오른쪽에서 운전자를 보며 왼손을 듭니다.
4. 차가 멈추었는지 확인합니다.
5. 운전자와 눈을 맞추며 길을 건넙니다.

17 무엇을 하는 방법에 대한 내용입니까? (   )

① 신호등을 만드는 방법
② 운전을 안전하게 하는 방법
③ 자전거를 안전하게 타는 방법
④ 거리를 깨끗하게 청소하는 방법
⑤ 횡단보도를 안전하게 건너는 방법

18 신호등이 빨간불일 때 ㉠에서 알맞은 행동을 한 친구에게 ○표 하시오.

(1) (   )   (2) (   )
(3) (   )   (4) (   )

19 길을 건널 때에는 어디로 건너야 안전한지 알맞은 그림에 ○표 하시오.

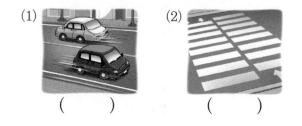

(1) (   )   (2) (   )

20 신호등이 초록불로 바뀌면 가장 먼저 어떤 행동을 해야 합니까? (   )

① 빨리 길을 건넙니다.
② 양손을 번쩍 듭니다.
③ 운전자의 눈을 쳐다봅니다.
④ 운전자에게 인사를 합니다.
⑤ 왼쪽, 오른쪽을 살펴봅니다.

뭘 좋아할지 몰라 다 준비했어♥
전과목 교재

전과목 시리즈 교재

● 무등생 해법시리즈
- 국어/수학
1~6학년, 학기용
- 사회/과학
3~6학년, 학기용
- 봄·여름/가을·겨울
1~2학년, 학기용
- SET(전과목/국수, 국사과)
1~6학년, 학기용

● 똑똑한 하루 시리즈
- 똑똑한 하루 독해
예비초~6학년, 총 14권
- 똑똑한 하루 글쓰기
예비초~6학년, 총 14권
- 똑똑한 하루 어휘
예비초~6학년, 총 14권
- 똑똑한 하루 수학
1~6학년, 학기용
- 똑똑한 하루 계산
1~6학년, 학기용
- 똑똑한 하루 사고력
1~6학년, 학기용
- 똑똑한 하루 도형
1~6단계, 총 6권
- 똑똑한 하루 사회/과학
3~6학년, 학기용
- 똑똑한 하루 봄/여름/가을/겨울
1~2학년, 총 8권
- 똑똑한 하루 안전
1~2학년, 총 2권
- 똑똑한 하루 Voca
3~6학년, 학기용
- 똑똑한 하루 Reading
초3~초6, 학기용
- 똑똑한 하루 Grammar
초3~초6, 학기용
- 똑똑한 하루 Phonics
예비초~초등, 총 8권

영어 교재

● 초등영어 교과서 시리즈
파닉스(1~4단계)
3~6학년, 학년용
회화(입문1~2, 1~6단계)
3~6학년, 학기용
명단어(1~4단계)
3~6학년, 학년용
● 셀파 English(어휘/회화/문법)
3~6학년
● Reading Farm(Level 1~4)
3~6학년
● Grammar Town(Level 1~4)
3~6학년
● LOOK BOOK 명단어
3~6학년, 단행본
● 원서 읽는 LOOK BOOK 명단어
3~6학년, 단행본
● 멘토 Story Words
2~6학년, 총 6권

온라인 학습북

단원 평가 온라인 성적 피드백

개념 동영상 강의

국어 1·2

천재교육

온라인 학습북
포인트 2가지

▶ 「**개념 동영상 강의**」로 교과서 핵심만 정리!

▶ 「**온라인 성적 피드백**」으로 단원별로 내가 부족한 부분 꼼꼼하게 체크!

우등생 온라인 학습북 활용법

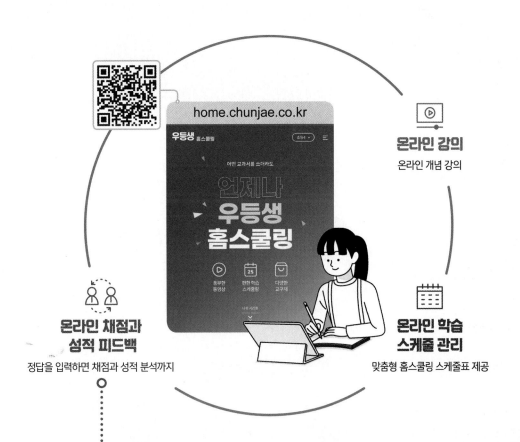

home.chunjae.co.kr

온라인 강의
온라인 개념 강의

온라인 학습 스케줄 관리
맞춤형 홈스쿨링 스케줄표 제공

온라인 채점과 성적 피드백
정답을 입력하면 채점과 성적 분석까지

단원평가의 답을 입력하여 제출하면
틀린 문제에 대한 피드백과 동영상 강의 제공!

우등생 국어 1-2
홈스쿨링 스피드 스케줄표(10회)

스피드 스케줄표는 온라인 학습북을 10회로 나누어
빠르게 공부하는 학습 진도표입니다.

1. 소중한 책을 소개해요	2. 소리와 모양을 흉내 내요	3. 문장으로 표현해요
1회 온라인 학습북 4~8쪽	**2**회 온라인 학습북 9~13쪽	**3**회 온라인 학습북 14~18쪽
월 일	월 일	월 일

4. 바른 자세로 말해요	5. 알맞은 목소리로 읽어요	6. 고운 말을 해요
4회 온라인 학습북 19~24쪽	**5**회 온라인 학습북 25~30쪽	**6**회 온라인 학습북 31~36쪽
월 일	월 일	월 일

7. 무엇이 중요할까요	8. 띄어 읽어요	9. 겪은 일을 글로 써요
7회 온라인 학습북 37~41쪽	**8**회 온라인 학습북 42~46쪽	**9**회 온라인 학습북 47~51쪽
월 일	월 일	월 일

10. 인물의 말과 행동을 상상해요
10회 온라인 학습북 52~56쪽
월   일

스피드
스케줄표
바로가기

차례

온라인 학습북

1	소중한 책을 소개해요	4쪽
2	소리와 모양을 흉내 내요	9쪽
3	문장으로 표현해요	14쪽
4	바른 자세로 말해요	19쪽
5	알맞은 목소리로 읽어요	25쪽
6	고운 말을 해요	31쪽
7	무엇이 중요할까요	37쪽
8	띄어 읽어요	42쪽
9	겪은 일을 글로 써요	47쪽
10	인물의 말과 행동을 상상해요	52쪽

개념 강의

✳ 강의를 들으며 중요한 내용을 메모하세요!

● 재미있는 부분, 새롭게 알게 된 점 찾기

● 받침에 주의하며 글 읽기

개념 확인하기   정답에 ✔표를 하시오.

정답 27쪽

1 「발가락」에서 발가락이 움직이는 모습을 어떻게 나타냈습니까?

ㄱ 꼬물꼬물 ☐

ㄴ 꼼질꼼질 ☐

ㄷ 꼼지락꼼지락 ☐

2 「돌잡이」에서 아기의 첫 번째 생일에 무엇을 한다고 했습니까?

ㄱ 돌잔치 ☐

ㄴ 입학식 ☐

ㄷ 인형놀이 ☐

3 밑줄 그은 글자가 같은 받침끼리 짝 지어진 것은 무엇입니까?

ㄱ 낚시 – 갔다 ☐

ㄴ 깎다 – 닦다 ☐

ㄷ 쌌다 – 섞다 ☐

4 다음 그림에 어울리는 낱말을 바르게 쓴 것은 어느 것입니까?

ㄱ 묶다 ☐

ㄴ 뭊다 ☐

ㄷ 묶다 ☐

[1~2] 다음 시를 읽고 물음에 답하시오.

[3~4] 다음 만화를 보고 물음에 답하시오.

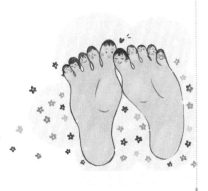

발가락

심심할 때면
저희끼리
꼼질꼼질.

서로서로
예쁘다, 예쁘다
꼼질꼼질.

1 발가락들은 서로 어떻게 지내는 것처럼 보입니까? (　　　)

① 서로에게 화가 나 있다.
② 서로 친하고 재미있게 지낸다.
③ 서로에게 관심이 없이 지낸다.
④ 서로서로 자기만 잘났다고 뽐낸다.
⑤ 아홉 개의 발가락이 대장 발가락을 따른다.

3 이 만화에서 하고 싶은 말은 무엇이겠습니까?
(　　　)

① 전기를 아껴 씁시다.
② 음식을 골고루 먹읍시다.
③ 일찍 자고 일찍 일어납시다.
④ 밤에는 소리를 내지 맙시다.
⑤ 쓰레기를 함부로 버리지 맙시다.

2 이 시의 재미있는 부분에 대해 말한 것으로 알맞은 것은 무엇입니까? (　　　)

① 발가락들이 웃는다고 한 것
② 발가락들이 꿈을 꾼다고 표현한 것
③ 발가락들이 서로 싸우는 모습을 나타낸 것
④ 발가락들이 숨바꼭질하는 모습을 나타낸 것
⑤ 발가락들이 움직이는 모습을 '꼼질꼼질'이라고 한 것

4 '아픈 지구를 위해 할 수 있는 일'에 해당되는 것은 무엇입니까? (　　　)

① 나무를 많이 심기
② 플라스틱 제품 사용하기
③ 일회용 종이컵 사용하기
④ 일회용 비닐봉지 사용하기
⑤ 쓰레기를 아무 데나 버리기

[5~8] 다음 글을 읽고 물음에 답하시오.

우리 조상들은 아기의 첫 번째 생일에 돌잔치를 했습니다. 돌잔치에서는 맛있는 음식을 차려 나누어 먹고 돌잡이도 했습니다. 돌잡이는 아기가 여러 가지 물건 가운데에서 한두 개를 잡는 것입니다.

돌잡이상 위에는 쌀, 떡, 책, 붓, 돈, 활, 실 등을 올려놓았습니다. 실을 잡는 아이는 오래 살 것이라고 생각했습니다. 책을 잡는 아이는 공부를 잘하게 될 것이라고 여겼습니다. 또 쌀을 잡는 아이는 부자가 될 것이라고 했습니다.

우리 조상들은 돌잔치를 하면서 아기가 건강하고 행복하게 자라기를 바랐습니다.

5 돌잔치는 언제 하는 것입니까? (   )

① 아기의 첫 번째 생일
② 아기의 두 번째 생일
③ 아기가 첫걸음마를 한 날
④ 엄마가 아기를 처음 만난 날
⑤ 가족들이 아기를 처음 만난 날

6 다음 설명에 알맞은 낱말은 무엇입니까?

(   )

돌잔치를 할 때 아기가 여러 가지 물건 가운데에서 한두 개를 잡는 것

① 돌잔치   ② 돌잡기   ③ 돌잡이
④ 돌집기   ⑤ 돌단지

7 우리 조상들이 돌잡이상 위에 올려놓던 물건이 아닌 것은 무엇입니까? (   )

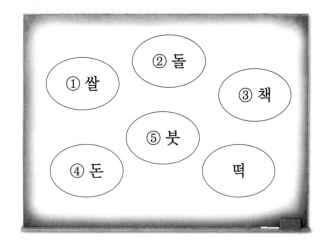

8 다음 엄마의 생각으로 보아 아이는 돌잡이상에서 어떤 물건을 잡았겠습니까? (   )

어머, 우리 아기는 공부를 참 잘하려나 봐. 똑똑한 아기로 키워야겠어.

① 쌀   ② 떡   ③ 활
④ 돈   ⑤ 책

9 다음 빈칸에 들어갈 글자로 알맞은 것은 어느 것입니까? (   )

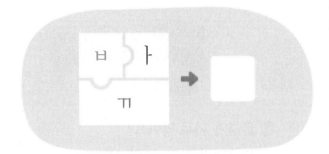

① 박   ② 반   ③ 밖
④ 밤   ⑤ 발

10 그림에 알맞은 문장을 바르게 쓴 것은 어느 것입니까? (   )

① 물고기는 맛잇어요.
② 물고기는 맛있어요.
③ 물고기는 막잇어요.
④ 물고기는 맜잇어요.
⑤ 물고기는 맜있어요.

11 다음 그림의 빈칸에 들어갈 낱말로 알맞은 것은 무엇입니까? (   )

끈을 □□.

① 묵는다
② 물는다
③ 뭀는다
④ 묶는다
⑤ 묻는다

12 다음 빈칸에 들어갈 낱말을 바르게 쓴 것은 어느 것입니까? (   )

아버지와 함께 물고기를 □□□.

① 낙았다   ② 낙깟다   ③ 낚았다
④ 낚앗다   ⑤ 낚깠다

13 다음 빈칸에 들어갈 알맞은 글자는 무엇입니까? (   )

재료를 □었다.

① 서   ② 석   ③ 선
④ 섞   ⑤ 섰

14 같은 받침이 들어간 낱말끼리 짝 지어진 것은 어느 것입니까? (   )

① 섞다 – 갔다   ② 낚시 – 있다
③ 닦다 – 쌌다   ④ 깎다 – 갔다
⑤ 묶다 – 닦다

15 다음 중 밑줄 그은 글자의 받침이 바르게 쓰인 것은 어느 것입니까? (   )

① 모자를 <u>썼</u>다.   ② 양말을 <u>벗</u>었다.
③ 오늘 늦잠을 <u>잣</u>다.   ④ 종이배를 <u>만듣</u>엇다.
⑤ 불길이 높이 <u>솠</u>았다.

단원 평가

[16~17] 다음 글을 읽고 물음에 답하시오.

> 나는 책이 좋아요.
>
> 만화책이나 색칠하기 책도 좋아요.
> 두꺼운 책도 ㉠ 책도 좋아요.
> 공룡 이야기책이나 괴물 이야기책도 물론 좋지요.
> 우주 이야기책도 좋고 해적이 나오는 책도 좋아요.
> 노래책, 이상한 이야기책까지!
>
> 맞아요, 난 ㉡ 이 정말 좋아요.

16 다음 그림으로 보아, ㉠ 에 들어갈 알맞은 말은 무엇이겠습니까? (   )

두꺼운 책도

㉠ 책도 좋아요.

① 큰   ② 많은   ③ 적은
④ 얇은   ⑤ 짧은

17 '내'가 좋다고 한 것으로 ㉡ 에 들어갈 알맞은 말은 무엇입니까? (   )
① 책   ② 친구   ③ 우주
④ 해적   ⑤ 괴물

18 다음 책에 대해 바르게 말한 것은 무엇입니까? (   )

① 글자가 너무 많아요.
② 병풍처럼 펼칠 수 있어요.
③ 예쁜 꽃들이 그려져 있어요.
④ 한 가지 색깔로 되어 있어요.
⑤ 동물의 무늬를 알아볼 수 없어요.

19 다음 친구의 말을 통해 알 수 있는, 책을 읽으면 좋은 점은 무엇입니까? (   )

> 아, 내가 몰랐던 것이 이것이구나!

① 몸이 튼튼해진다.
② 몰랐던 것을 알 수 있다.
③ 친구와 사이가 좋아진다.
④ 재미있게 시간을 보낼 수 있다.
⑤ 예의 바른 어린이가 될 수 있다.

20 다음은 재미있게 읽은 책을 소개하는 내용입니다. 책의 어떤 점을 소개한 것입니까? (   )

> 이 책은 『해님 달님』이라는 책입니다.

① 주인공   ② 책의 제목
③ 책을 산 곳   ④ 책을 읽은 느낌
⑤ 재미있었던 부분

· 답안 입력하기   · 평가 분석표 받기

개념 강의

울긋불긋

살랑살랑

씽씽

야옹

2
단원

✳ 강의를 들으며 중요한 내용을 메모하세요!

● 흉내 내는 말이란?

● 흉내 내는 말을 넣어 문장 만들기

● 여러 가지 받침이 있는 낱말

개념 확인하기   정답에 ✔표를 하시오.   정답 28쪽

1 '멍멍', '주렁주렁'과 같이 소리나 모양을 표현한 말을 무엇이라고 합니까?

㉠ 어울리는 말 ☐

㉡ 이어 주는 말 ☐

㉢ 흉내 내는 말 ☐

2 다음 빈칸에 어울리는 흉내 내는 말은 무엇입니까?

비가 ☐ 내렸습니다.

㉠ 주렁주렁 ☐   ㉡ 주룩주룩 ☐

3 「달리기」에서 다리가 재빨리 움직이는 모양을 흉내 내는 말은 무엇입니까?

㉠ 씽씽 ☐   ㉡ 벌렁벌렁 ☐

㉢ 헉헉헉 ☐   ㉣ 다다다다 ☐

4 다음 그림의 낱말을 바르게 쓴 것은 어느 것입니까?

㉠ 북다 ☐

㉡ 불다 ☐

㉢ 붉다 ☐

2
단원

[1~2] 다음 글을 읽고 물음에 답하시오.

> 닭장 속에는 암탉이 ㉠ 꼬꼬댁
> 문간 옆에는 거위가 ㉡ 꽥꽥꽥
> 배나무 밑엔 염소가 ㉢ 매
> 외양간에는 송아지 ㉣ 음매
>
> ㉤

1 ㉠~㉣에 대해 바르게 말한 것은 어느 것입니까? ( )

① 동물이 사람처럼 하는 말이다.
② 동물의 모습을 꾸며 주는 말이다.
③ 동물의 생김새를 흉내 내는 말이다.
④ 동물의 울음소리를 흉내 내는 말이다.
⑤ 동물이 움직이는 모양을 흉내 내는 말이다.

2 다음 표를 보고 위 노랫말과 같이 쓰려고 합니다. ㉤ 에 들어갈 내용으로 알맞은 것은 어느 것입니까? ( )

동물	있는 곳	소리
	뒷마당	멍멍

① 멍멍 강아지
② 뒷마당에서 멍멍
③ 뒷마당에 강아지
④ 강아지가 멍멍 짖는다
⑤ 뒷마당에는 강아지 멍멍

3 다음 중 '솔솔'이 바르게 쓰인 문장은 어느 것입니까? ( )

① 토끼가 솔솔 뜁니다.
② 별이 솔솔 빛납니다.
③ 바람이 솔솔 붑니다.
④ 열매가 솔솔 달렸습니다.
⑤ 오리가 솔솔 헤엄칩니다.

4 다음 중 '활짝'이 자연스럽지 <u>않은</u> 문장은 어느 것입니까? ( )

① 날씨가 활짝 개었습니다.
② 짝꿍이 활짝 웃었습니다.
③ 진달래가 활짝 피었습니다.
④ 어깨를 활짝 펴고 걷습니다.
⑤ 오토바이가 활짝 지나갑니다.

5 보기 와 같이 흉내 내는 말을 넣어 문장을 바르게 쓴 것은 무엇입니까? ( )

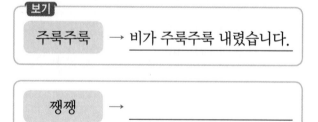

① 새싹이 쨍쨍 피었습니다.
② 햇볕이 쨍쨍 피웠습니다.
③ 빗물이 쨍쨍 내려왔습니다.
④ 햇볕이 쨍쨍 내리쬐었습니다.
⑤ 해바라기가 쨍쨍 열렸습니다.

6 다음 그림을 보고 만든 문장 중 흉내 내는 말이 어울리지 <u>않는</u> 것은 무엇입니까? ( )

① 고양이가 <u>야옹야옹</u> 웁니다.
② 바람이 <u>반짝반짝</u> 불어옵니다.
③ 구름이 <u>둥실둥실</u> 떠 있습니다.
④ 나뭇잎이 <u>살랑살랑</u> 움직입니다.
⑤ 자전거를 탄 사람이 <u>씽씽</u> 지나갑니다.

7 다음 문장의 빈칸에 들어갈 수 있는 흉내 내는 말은 무엇입니까? ( )

 재미있는 이야기를 들으면 ☐ 웃습니다.

① 둥둥   ② 솔솔   ③ 쨍쨍
④ 까르르   ⑤ 두근두근

8 오른쪽 그림을 보고 흉내 내는 말을 넣어 문장을 바르게 쓴 것은 무엇입니까? ( )

① 동생이 방긋방긋 웁니다.
② 동생이 호호호 웃습니다.
③ 동생이 주룩주룩 놉니다.
④ 동생이 훌쩍훌쩍 웁니다.
⑤ 동생이 활짝 뛰어갑니다.

[9~10] 다음 시를 읽고 물음에 답하시오.

> 준비!
> ㉠<u>가슴이 벌렁벌렁</u>
>
> 삑!
>
> 내 발이 다다다다
> 바람이 씽씽
>
> 나도
> 친구도
> ㉡<u>헉헉헉</u>.

9 ㉠에서 어떤 마음이 느껴집니까? ( )

① 슬픈 마음
② 즐거운 마음
③ 긴장한 마음
④ 쓸쓸한 마음
⑤ 화가 난 마음

10 ㉡에서 떠오르는 장면은 어느 것입니까?

( )

[11~13] 다음 시를 읽고 물음에 답하시오.

아빠 방귀 ㉠우르르 쾅 천둥 방귀

엄마 방귀 가르르릉 광 고양이 방귀

내 방귀 삘리리리 ㉡

11 ㉠을 실감 나게 읽으려면 어떻게 하여야 합니까? (   )

① 한 글자씩 끊어서 읽는다.
② 우는 듯한 표정을 하고 읽는다.
③ 속삭이듯이 작은 소리로 읽는다.
④ 천둥을 떠올리며 큰 소리로 읽는다.
⑤ 시냇물을 떠올리며 부드럽게 읽는다.

12 엄마 방귀를 고양이 방귀라고 한 까닭은 무엇이겠습니까? (   )

① 고양이가 엄마를 따라다녀서
② 엄마 얼굴이 고양이와 비슷해서
③ 엄마가 고양이를 좋아하기 때문에
④ 방귀 냄새가 고양이 냄새와 비슷해서
⑤ 방귀 소리가 고양이 소리와 비슷해서

13 ㉡에 들어갈 '내' 방귀 이름으로 알맞은 것은 무엇입니까? (   )

① 꽃 방귀   ② 피리 방귀
③ 구름 방귀   ④ 빗물 방귀
⑤ 호랑이 방귀

[14~15] 다음 글을 읽고 물음에 답하시오.

우리 가족은 공원에 갔다. 단풍이 ㉠ 예쁘게 물들어 있었다. 고추잠자리가 윙윙 날아다니고 우리 강아지도 신이 나서 멍멍 짖었다. 동생도 ㉡ 웃으며 뛰어다녔다. 우리 가족은 단풍을 보며 즐거운 시간을 보냈다.

14 ㉠에 어울리는 흉내 내는 말은 어느 것입니까? (   )

① 두근두근
② 살랑살랑
③ 울긋불긋
④ 부릉부릉
⑤ 초롱초롱

15 ㉡에 들어갈 흉내 내는 말로 어울리지 않는 것은 어느 것입니까? (   )

① 깔깔
② 솔솔
③ 하하
④ 까르르
⑤ 싱글벙글

16 다음 글의 ㉠과 ㉡에 들어갈 글자가 바르게 짝지어진 것은 어느 것입니까? (   )

> 나는 바닷가 모래밭에 ㉠ 아서 친구와 놀았다. 우리는 모래성을 ㉡ 이 쌓았다.

① ㉠ – 안   ㉡ – 만
② ㉠ – 않   ㉡ – 많
③ ㉠ – 앉   ㉡ – 만
④ ㉠ – 안   ㉡ – 많
⑤ ㉠ – 앉   ㉡ – 많

17 다음 그림에 알맞은 낱말은 어느 것입니까?
(   )

① 끈다   ② 끌다   ③ 끊다
④ 끎다   ⑤ 끓다

18 다음 그림을 보고 바르게 쓴 문장은 어느 것입니까? (   )

① 강아지가 가엽다.
② 강아지가 가엾다.
③ 강아지가 가엷다.
④ 강아지가 가엶다.
⑤ 강아지가 가엾다.

19 다음 그림의 낱말 중 받침으로 'ㄼ'이 쓰이는 것은 무엇입니까? (   )

① 아다   ② 달다

③ 삵다   ④ 밞다

⑤ 얻다

2 단원

진도 완료 체크

20 다음 [보기]와 같이 끝말잇기를 할 때, 빈칸에 들어갈 말로 알맞지 않은 것은 무엇입니까?
(   )

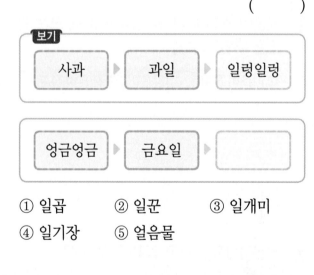

보기

사과 ▶ 과일 ▶ 일렁일렁

엉금엉금 ▶ 금요일 ▶ [   ]

① 일곱   ② 일꾼   ③ 일개미
④ 일기장   ⑤ 얼음물

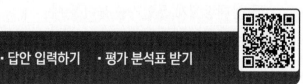

• 답안 입력하기   • 평가 분석표 받기

개념 강의

문장 부호

,	.	!	?
쉼표	마침표	느낌표	물음표

' '	" "
작은따옴표	큰따옴표

✳ 강의를 들으며 중요한 내용을 메모하세요!

● 따옴표의 종류와 쓰임

● 여러 개의 문장으로 표현하기

● 받침에 주의하여 문장 쓰기

개념 확인하기 정답에 ✔표를 하시오.

정답 29쪽

1 인물이 소리 내어 한 말을 적을 때 쓰는 문장 부호는 무엇입니까?

㉠ 큰따옴표 ☐   ㉡ 작은따옴표 ☐

2 작은따옴표는 어떤 경우에 씁니까?

㉠ 상대방에게 무언가를 물어볼 때 ☐
㉡ 인물이 마음속으로 한 말을 적을 때 ☐
㉢ 누군가를 부르거나 대답하는 말을 할 때 ☐

3 다음 그림의 내용을 문장으로 쓸 때 빈칸에 알맞은 말은 무엇입니까?

모두 즐겁게 [   ].

㉠ 잡니다 ☐
㉡ 웃습니다 ☐

4 다음 그림의 내용을 바르게 쓴 문장은 어느 것입니까?

㉠ 아버지께서 달걀을 <u>살마</u> 주셨습니다. ☐
㉡ 아버지께서 달걀을 <u>삶아</u> 주셨습니다. ☐

1 그림의 내용을 알맞게 표현한 문장은 무엇입니까? (　　　)

① 하늘에서 비가 옵니다.
② 친구들이 응원을 합니다.
③ 남자아이가 넘어졌습니다.
④ 공원으로 소풍을 왔습니다.
⑤ 친구들이 줄다리기를 할 준비를 합니다.

2 다음 그림을 보고 문장을 쓸 때, 빈칸에 들어갈 알맞은 말은 무엇입니까? (　　　)

남자아이가 ▢ 부릅니다.

① 깃발을　　　② 만세를
③ 합니다　　　④ 달리기를
⑤ 아이들이

3 다음 그림을 보고 문장을 만든 것으로 알맞은 것은 무엇입니까? (　　　)

① 아이들이 넘어졌습니다.
② 아이들이 손을 흔듭니다.
③ 아이들이 줄넘기를 합니다.
④ 여자아이가 달리기를 합니다.
⑤ 남자아이가 깃발을 흔듭니다.

4 다음과 같은 쓰임을 가진 문장 부호는 무엇입니까? (　　　)

> • 문장의 앞과 뒤에 나누어 쓴다.
> • 인물이 마음속으로 한 말을 적을 때 쓴다.

① 마침표　　　② 물음표
③ 느낌표　　　④ 큰따옴표
⑤ 작은따옴표

5 큰따옴표는 어떤 경우에 쓰는 문장 부호입니까?
(　　　)

① 설명하는 문장이 끝날 때
② 물어보는 문장이 끝날 때
③ 느낌을 나타내는 문장이 끝날 때
④ 인물이 소리 내어 한 말을 적을 때
⑤ 부르는 말이나 대답하는 문장의 뒤에

[6~7] 다음 글을 읽고 물음에 답하시오.

> 마술사가 공연을 시작했습니다.
> ㉠'어떤 마술을 보여 줄까?'
> 우리는 궁금했습니다.
> ㉡"여러분, 모두 여기를 보세요.☐
> "모자 속에 무엇이 들어 있을까요?"
> 마술사의 한마디에 모두 숨죽여 기다렸습니다.
> 펑!
> "토끼가 나왔네요!"
> 우리는 모두 손뼉을 쳤습니다.

6 ㉠에 대한 설명으로 알맞은 것은 무엇입니까?
( )

① 쉼표가 있습니다.
② 토끼가 한 생각입니다.
③ 소리 내어 한 말입니다.
④ 마음속으로 한 말입니다.
⑤ 옆 사람에게 한 말입니다.

7 ㉡ 문장의 빈칸에 들어갈 알맞은 문장 부호는 무엇입니까? ( )

① ☐ "   ② ☐ "   ③ ☐ '
④ ☐ '   ⑤ ☐ !

8 문장 부호의 위치가 바르게 쓰이지 <u>않은</u> 것은 어느 것입니까? ( )

① ☐ .   ② ☐ "   ③ ☐ '
④ ☐ "   ⑤ ☐ ,

[9~10] 다음 그림을 보고 물음에 답하시오.

9 여자아이가 어리둥절한 표정을 지은 까닭은 무엇이겠습니까? ( )

① 남자아이가 화를 내서
② 누가 쓴 책인지 주인을 몰라서
③ 책이 무슨 내용인지 알 수 없어서
④ 남자아이가 책을 건네주는 까닭을 몰라서
⑤ 남자아이가 무엇을 말하려는지 알 수가 없어서

10 남자아이는 어떤 말을 하고 싶었겠습니까?
( )

① 책 같이 보자.
② 책을 빌려줄래?
③ 이 책이 네 것이니?
④ 책을 주워 줘서 고마워.
⑤ 여기 책이 떨어져 있었어.

11 그림과 관련된 생각을 바르게 표현하지 <u>못한</u> 사람은 누구입니까? (   )

① 서윤: 친구는 소중해.

② 승민: 비가 와서 쓸쓸해.

③ 수린: 웃는 모습이 더 좋아.

④ 하진: 친구들이 화해했으면 좋겠어.

⑤ 현이: 친구들이 사이좋게 지내면 좋겠어.

12 다음 중 문장을 자세하게 쓰는 방법으로 옳지 <u>않은</u> 것은 무엇입니까? (   )

① 전체 장면을 보고 문장으로 표현합니다.

② 상황을 생생하게 나타내는 낱말을 씁니다.

③ 장면을 부분으로 나누어 문장으로 표현합니다.

④ 표현하고자 하는 대상이나 상황을 살펴봅니다.

⑤ 문장의 내용과 어울리지 않는 말도 넣어 길게 씁니다.

13 그림을 보고 '호수'를 넣어 쓴 문장이 알맞지 <u>않은</u> 것은 무엇입니까? (   )

① 호수를 잡니다.

② 호수가 넓습니다.

③ 호수가 푸릅니다.

④ 호수가 잔잔합니다.

⑤ 사람들이 호수에서 배를 탑니다.

14 받침이 바르게 쓰인 것은 어느 것입니까?

(   )

①<u>맑은</u> 가을 하늘에 잠자리가 날아다닙니다. 잠자리의 배는 ②<u>굶은</u> 나뭇가지를 ③<u>닮</u>았습니다. 날개는 ④<u>얇은</u> 그물처럼 생겼습니다.

15 그림에 어울리는 낱말은 무엇입니까? (   )

① 올기다   ② 옴기다   ③ 옳기다

④ 옮기다   ⑤ 옮리다

3 단원

진도 완료 체크

16 다음 중 생각이나 느낌을 나타내는 문장이 <u>아</u>닌 것은 무엇입니까? (　　　)

① 친구의 이름은 나영이예요.
② 이 이야기는 너무 무서워요.
③ 맛있는 간식이 먹고 싶어요.
④ 멋진 장난감을 갖고 싶어요.
⑤ 친구들과 노는 것은 재미있어요.

[17~18] 다음 글을 읽고 물음에 답하시오.

> 이른 아침부터 원숭이와 기린이 싸우고 있었어요.
> "나는 좀 더 자야 하니까 다른 나뭇잎을 따 먹어!"
> 나무 밑에서 잠을 자던 원숭이가 기린에게 버럭 소리를 질렀어요.
> "여기 잎이 가장 맛있단 말이야."
> 기린도 물러나지 않았어요.

17 원숭이와 기린이 싸운 까닭은 무엇입니까?
(　　　)

① 서로 장난을 치다가
② 사자에게 혼이 나서
③ 서로 양보를 하지 않아서
④ 원래 사이가 좋지 않아서
⑤ 악어와 코끼리가 싸움을 붙여서

18 다음은 어느 동물의 생각입니까? (　　　)

> 저는 맛있는 나뭇잎이 먹고 싶어요.

① 기린　　　② 악어　　　③ 원숭이
④ 코끼리　　　⑤ 많은 동물들

[19~20] 다음 글을 읽고 물음에 답하시오.

> 그러자 사자가 말했어요.
> "서로 조금씩만 양보하렴. 기린은 배가 고파서 그런 것이고, 원숭이는 잠자는 데 방해가 되니까 화가 났잖아."
> 그제야 원숭이와 기린은 머쓱해하며 마주 보고 웃었어요.
> 원숭이와 기린이 화해하는 모습을 보고 코끼리가 말했어요.
> "우아, 훌륭해! 역시 사자야."
> 악어도 사자를 칭찬했지요.
> "그래, 사자는 정말 ⃝　　　⃝."

19 기린과 원숭이는 누구 덕분에 화해하였습니까? (　　　)

① 토끼　　　② 악어　　　③ 사자
④ 호랑이　　　⑤ 코끼리

20 ⃝ 에 들어갈 말로 알맞은 것은 무엇입니까? (　　　)

① 무섭다니까　　　② 지혜롭다니까
③ 심술궂다니까　　　④ 제멋대로라니까
⑤ 양보를 안 한다니까

・답안 입력하기　・평가 분석표 받기

개념 강의

선생님 말씀을 잘 듣고 있지 않음.

선생님 말씀을 잘 듣고 있음.

※ 강의를 들으며 중요한 내용을 메모하세요!

● 여럿이 함께 들을 때의 바른 자세

● 자신 있게 말하기

● 느낌을 살려 이야기 읽기

4 단원

개념 확인하기 정답에 ✔표를 하시오.

정답 30쪽

1 여럿이 함께 들을 때의 자세로 바르지 <u>않은</u> 것은 무엇입니까?

ㄱ 말하는 사람을 바라보며 듣습니다. ☐

ㄴ 말을 들을 때 딴생각을 하며 듣습니다. ☐

ㄷ 말하는 사람의 말을 귀 기울여 듣습니다. ☐

2 자신 있게 말하는 자세는 무엇입니까?

ㄱ 고개를 숙이고 말합니다. ☐

ㄴ 듣는 사람을 바라보며 말합니다. ☐

ㄷ 조용하게 속삭이는 소리로 말합니다. ☐

3 느낌을 살려 이야기를 읽는 방법으로 알맞은 것은 무엇입니까?

ㄱ 처음부터 끝까지 큰 소리로 읽습니다. ☐

ㄴ 분위기와 상관없이 명랑한 목소리로 읽습니다. ☐

ㄷ 인물의 마음에 어울리는 표정과 목소리로 읽습니다. ☐

4 인물의 표정과 마음이 <u>잘못</u> 연결된 것은 무엇입니까?

ㄱ 웃는 얼굴 – 귀찮은 마음 ☐

ㄴ 찡그린 얼굴 – 속상한 마음 ☐

ㄷ 미소 짓는 얼굴 – 고마운 마음 ☐

[1~2] 다음 그림을 보고 물음에 답하시오.

1 위 그림 속 친구들 ①~⑤번 중에서 듣는 자세가 바른 사람은 누구입니까? (　　　)

2 🄖 친구의 자세가 바르지 <u>않은</u> 까닭은 무엇입니까? (　　　)

① 뒤돌아서 있습니다.

② 다른 곳을 바라보고 있습니다.

③ 옆 친구와 장난을 치고 있습니다.

④ 중요한 내용을 받아 적고 있습니다.

⑤ 옆 친구와 이야기를 하고 있습니다.

3 여럿이 함께 들을 때의 바른 예절은 어느 것입니까? (　　　)

① 낙서를 하며 듣습니다.

② 다른 생각을 하며 듣습니다.

③ 궁금한 것이 있으면 바로 묻습니다.

④ 말하는 사람을 바라보며 집중합니다.

⑤ 말하는 사람이 안 볼 때만 옆 사람과 이야기합니다.

[4~5] 다음 글을 읽고 물음에 답하시오.

　어제는 선생님 말을 제대로 듣지 않아 같은 모둠의 친구들을 화나게 만들기도 했지요.

　"어, 토토야! 네가 상자 가져오기로 했잖아?"

　"상자? 색종이 아니었어?"

　"선생님께서 말씀하실 때 또 딴생각했지? 다른 모둠은 다 멋지게 만드는데 우린 이게 뭐야?"

　다행히 선생님이 다른 상자를 구해 주었지만, 토토네 모둠 것은 영 볼품이 없었어요.

4 토토가 색종이를 가져온 까닭은 무엇입니까?
(　　　)

① 색종이를 좋아해서

② 집에 색종이밖에 없어서

③ 엄마가 색종이를 가져가라고 해서

④ 선생님께서 말씀하실 때 딴생각을 해서

⑤ 선생님께서 색종이를 가져오라고 하셔서

5 토토네 모둠 작품은 어떻게 되었습니까?
( )

① 멋지게 완성되었습니다.
② 볼품없이 만들어졌습니다.
③ 다 만들었는데 부서졌습니다.
④ 준비물이 없어서 만들지 못했습니다.
⑤ 시간이 없어서 다 만들지 못했습니다.

6 왱왱이 말 벌레는 무엇을 먹고 살았습니까?
( )

① 토토의 귀에 있는 먼지
② 토토의 귀에 사는 벌레들
③ 토토의 귀로 쏙 들어가는 말들
④ 토토의 귀 밖에서 맴도는 말들
⑤ 토토의 머리 위에서 사는 벌레들

[6~7] 다음 글을 읽고 물음에 답하시오.

토토는 더 세게 귀를 털었어요.
그랬더니 토토의 귀에서 웬 벌레가 떨어지는 게 아니겠어요?
"으악, 이게 뭐야?"
세상에, 토토의 귓속에 벌레가 한 마리 살고 있었던 거예요.
"넌 누군데 내 귀에서 나오는 거야?"
"나는 '말'을 먹고 사는 왱왱이 말 벌레야. 네 귀에 먹잇감이 아주 많아서 내가 아예 집을 지었지."
토토는 기가 막혔어요.
"뭐라고? 무슨 먹잇감?"
"네가 딴생각을 하면, 말이 귀로 쏙 들어가지 못하고 밖에서 맴돌거든. 그때 내가 그 말들을 싹 가로채 먹는 거야. 딴생각 많이 해 줘서 고마워!"

7 왱왱이 말 벌레가 토토에게 고맙다고 한 까닭은 무엇입니까? ( )

① 토토가 밥을 잘 먹어서
② 토토가 잘 놀아 주어서
③ 토토가 잘 돌봐 주어서
④ 토토가 딴생각을 많이 해서
⑤ 토토가 친구들과 잘 놀아서

[8~9] 다음 글을 읽고 물음에 답하시오.

> **가** 그때 "토토야!" 하고 엄마가 불렀어요. 토토는 부엌으로 달려가 엄마의 눈을 똑바로 쳐다보며 엄마의 말에 귀를 기울였어요. 엄마가 말을 끝내자마자 왱왱이 말 벌레가 재빨리 날아올랐어요.
>
> "왱왱!"
>
> 하지만 엄마의 말은 이미 토토의 귓속으로 쏙 들어간 뒤였어요.
>
> "야호, 성공이다!"
>
> **나** 약이 잔뜩 오른 왱왱이 말 벌레는 토토의 귓속에서 속삭였어요.
>
> "흥, 항상 딴생각을 하지 않고 남의 말을 듣는 게 쉬울 줄 알아? 어디 한번 두고 보자고."
>
> 하지만 토토도 이번에는 결심이 대단했어요. 누가 말을 하든지 눈을 꼭 맞추고 열심히 들었거든요.
>
> 하루, 이틀, 사흘이 지나면서 왱왱이 말 벌레는 차츰 기운을 잃어 갔어요. 목소리도 점점 작아졌지요.

8 토토는 엄마의 말을 들을 때 어떻게 행동했습니까? ( )

① 왱왱이 말 벌레를 쫓았다.

② 딴생각을 하며 말을 듣지 않았다.

③ 왱왱이 말 벌레를 똑바로 쳐다보았다.

④ 눈을 꼭 감고 엄마의 얼굴을 떠올렸다.

⑤ 엄마의 눈을 쳐다보며 말에 귀를 기울였다.

9 왱왱이 말 벌레는 왜 기운을 잃고 목소리도 작아졌겠습니까? ( )

① 몸을 다쳐서

② 편식을 해서

③ 토토가 말을 잘 들어서

④ 말을 너무 많이 먹어서

⑤ 다른 벌레들이 괴롭혀서

[10~11] 다음 그림을 보고 물음에 답하시오.

10 이 친구는 어떤 자세로 말하고 있습니까?

( )

① 고개를 숙인 자세

② 허리를 구부린 자세

③ 고개를 까닥거리는 자세

④ 고개를 옆으로 돌리고 무릎을 구부린 자세

⑤ 머리를 긁적이며 한쪽 다리를 삐딱하게 한 자세

11 이 친구의 자세를 바르게 고쳐 주기 위해서는 어떻게 말해 주면 좋겠습니까? ( )

① 고개를 더 숙여 봐.

② 허리를 뒤로 젖혀 봐.

③ 듣는 사람의 발끝을 바라봐.

④ 두 손을 가슴 앞쪽으로 모아 봐.

⑤ 팔을 내리고 두 다리를 펴고 바르게 서 봐.

12 여러 사람 앞에서 자신 있게 말하는 방법이 아닌 것은 무엇입니까? ( )

① 고개를 들고 말한다.

② 바른 자세로 서서 말한다.

③ 듣는 사람을 바라보며 말한다.

④ 맨 앞에 앉은 사람만 바라보며 말한다.

⑤ 모두 들을 수 있도록 큰 목소리로 말한다.

[13~15] 다음 글을 읽고 물음에 답하시오.

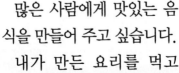

내 꿈은 요리사입니다.

세계 여러 나라의 음식에 대해 공부할 것입니다.

많은 사람에게 맛있는 음식을 만들어 주고 싶습니다.

내가 만든 요리를 먹고 많은 사람이 행복해졌으면 좋겠습니다.

효준

13 효준이의 꿈은 무엇입니까? ( )

① 의사   ② 영양사   ③ 요리사

④ 변호사   ⑤ 경찰관

14 효준이가 요리사가 되어서 하고 싶은 것은 무엇입니까? ( )

① 맛있는 음식을 많이 먹고 싶다.

② 세계 여러 나라를 여행하고 싶다.

③ 많은 사람에게 요리를 가르쳐 주고 싶다.

④ 친구들에게 요리사가 되라고 말하고 싶다.

⑤ 많은 사람에게 맛있는 음식을 만들어 주고 싶다.

15 다음은 효준이의 발표를 듣고 선생님께서 하신 말씀입니다. 빈칸에 들어갈 알맞은 말은 무엇입니까? ( )

효준이의 꿈은 요리사가 되는 것이군요. 효준이는 고개를 들고 듣는 사람을 바라보며 자신 있게 말하였어요. 그런데 너무 작게 말해서 뒤에 친구들은 잘 듣지 못하였을 것 같아요. 앞으로는 모두 들을 수 있도록 □□□□□로 말하면 좋겠어요.

① 큰 목소리   ② 작은 목소리

③ 슬픈 목소리   ④ 가는 목소리

⑤ 우울한 목소리

4 단원

단원 평가

[16~18] 다음 글을 읽고 물음에 답하시오.

> 옛날옛날 어느 동네에 어여쁜 딸을 셋이나 둔 아버지가 있었어요. 하루는 아버지가 딸 셋을 한자리에 불러 이렇게 말했어요.
> "이제 너희도 많이 컸으니 내년엔 할아버지 생신 선물을 준비해 보아라."
> 그러고는 콩 한 알씩을 나눠 주었어요.
> "작디작은 콩 한 알로 선물을 준비하라고? 말도 안 돼."
> 큰딸은 콩을 창밖으로 던져 버렸어요.
> "콩을 심어 놓으면 가만히 둬도 무럭무럭 자랄 테니까!" / 둘째 딸은 콩을 땅에 심고 꾹 ⃞ㄱ 놓았어요.

16 아버지는 세 딸에게 콩 한 알씩을 주며 무엇을 준비하라고 했습니까? (   )

① 저녁 식사
② 잔치 음식
③ 어머니 선물
④ 아버지 선물
⑤ 할아버지 생신 선물

17 받은 콩을 창밖으로 던져 버린 사람은 누구입니까? (   )

① 큰딸
② 둘째 딸
③ 막내딸
④ 어머니
⑤ 할아버지

18 ⃞ㄱ 에 들어갈 낱말의 뜻으로 보아, 다음 중 알맞은 말은 무엇입니까? (   )

> 어떤 대상 위에 발을 올려놓고 눌러

① 발아
② 밥아
③ 밝아
④ 밟아
⑤ 밞아

[19~20] 다음 글을 읽고 물음에 답하시오.

> 그런데 막내딸은 산에 올라가 콩을 미끼로 써서 꿩을 잡았어요.
> "꿩을 팔아서 무엇을 살까?"
> 막내딸은 꿩을 팔아 병아리 한 쌍을 샀어요. 병아리를 어미 닭으로 키우고, 어미 닭이 달걀을 낳으면 병아리를 까게 하여 다시 어미 닭으로 키웠어요.
> 마침내 시간이 흘러 할아버지 생신날이 되었어요. 아버지가 세 딸을 불러 선물을 가져오라고 했어요. 큰딸과 둘째 딸은 고개만 수그리고 아무 말도 하지 못했어요. 그때 막내딸이 송아지를 끌고 나왔어요. 사람들은 깜짝 놀랐어요. 그러자 막내딸은 ⃞ㄱ (으)로 ⃞ㄴ 을/를 사게 된 이야기를 해 주었어요. 할아버지와 아버지는 함박웃음을 지었어요.

19 아버지께서는 큰딸과 둘째 딸에게 어떤 마음이 들었겠습니까? (   )

① 기쁜 마음
② 기특한 마음
③ 대견한 마음
④ 실망스러운 마음
⑤ 자랑스러운 마음

20 ⃞ㄱ 과 ⃞ㄴ 에 들어갈 말을 알맞게 쓴 것은 무엇입니까? (   )

① ㄱ-콩 ㄴ-꿩
② ㄱ-꿩 ㄴ-콩
③ ㄱ-콩 ㄴ-달걀
④ ㄱ-닭 ㄴ-달걀
⑤ ㄱ-콩 ㄴ-송아지

· 답안 입력하기   · 평가 분석표 받기

4 단원

진도 완료 체크

개념 강의

하마와 꾀꼬리 중에서 누가 알맞은 목소리로 잘 읽었나요?

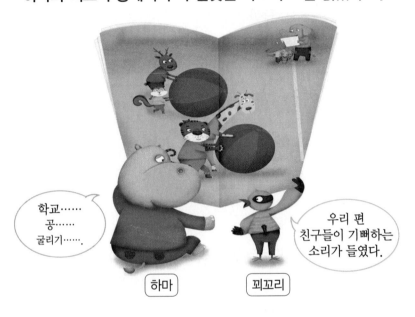

학교······ 공······ 굴리기······.

하마

우리 편 친구들이 기뻐하는 소리가 들렸다.

꾀꼬리

✳ 강의를 들으며 중요한 내용을 메모하세요!

● 알맞은 목소리로 글을 읽어야 하는 까닭

● 시를 소리 내어 읽는 방법

● 알맞은 목소리로 이야기 읽기

5
단원

개념 확인하기 정답에 ✔표를 하시오.

정답 31쪽

1 알맞은 목소리로 글을 읽을 때의 좋은 점은 무엇입니까?

　㉠ 듣는 사람이 바른 자세를 합니다. ☐

　㉡ 듣는 사람이 글의 내용을 잘 이해할 수 있습니다. ☐

2 「너도 와」를 소리 내어 읽는 방법이 <u>아닌</u> 것은 무엇입니까?

　㉠ 장면과 인물의 마음을 떠올리며 읽습니다. ☐

　㉡ 부르는 말의 느낌을 살려 읽습니다. ☐

　㉢ 급하고 빠르게 읽습니다. ☐

3 「슬퍼하는 나무」에서 다음 내용은 어떻게 읽으면 좋겠습니까?

　새 한 마리가 나무에 둥지를 틀고 고운 알을 소복하게 낳아 놓았습니다.

　㉠ 실감 나게 말하듯이 읽습니다. ☐

　㉡ 일어난 일을 설명하듯이 읽습니다. ☐

4 「슬퍼하는 나무」에서 나무가 한 말은 어떻게 읽으면 좋겠습니까?

　㉠ 실감 나게 말하듯이 읽습니다. ☐

　㉡ 일어난 일을 설명하듯이 읽습니다. ☐

1 다음 노랫말에서 똑같다고 한 물건을 두 가지 고르시오. (,   )

무엇이 무엇이 똑같은가
젓가락 두 짝이 똑같아요

무엇이 무엇이 똑같은가
윷가락 네 짝이 똑같아요

① 양말　　　② 신발　　　③ 젓가락
④ 숟가락　　⑤ 윷가락

2 '내'가 공 굴리기 놀이를 한 장소는 어느 곳입니까? (   )

① 집
② 학교
③ 공원
④ 들판
⑤ 놀이터

[2~5] 다음 글을 읽고 물음에 답하시오.

　학교에서 공 굴리기 놀이를 했다. 짝과 함께 큰 공을 빨리 굴리는 놀이였다. 나는 호순이와 짝이 되었다. 우리 차례가 되었다. 나와 호순이는 큰 공을 있는 힘껏 굴렸다. 결승점에 왔을 때 우리 편 친구들이 기뻐하는 소리가 들렸다.

3 '나'는 누구와 짝이 되었습니까? (   )

① 사슴이
② 꾀꼬리
③ 호돌이
④ 호순이
⑤ 코순이

4 '공 굴리기 놀이'는 어떻게 하는 놀이입니까?
(   )

① 작은 공을 멀리 던지는 놀이
② 작은 공을 천천히 굴리는 놀이
③ 짝과 함께 작은 공을 굴리는 놀이
④ 혼자서 큰 공을 멀리 굴리는 놀이
⑤ 짝과 함께 큰 공을 빨리 굴리는 놀이

5 이와 같은 글을 읽는 방법에 대하여 알맞게 말한 친구는 누구입니까? (   )

① 호준: 크게 소리 지르듯이 읽어야 해.
② 진영: 빠른 목소리로 얼른 읽어야 해.
③ 소이: 작은 목소리로 속삭이듯이 읽어야 해.
④ 하민: 아주 느린 목소리로 천천히 읽어야 해.
⑤ 제훈: 알맞은 크기와 알맞은 빠르기의 목소리로 읽어야 해.

6 다음 빈칸에 들어갈 알맞은 말은 무엇입니까? (   )

> 알맞은 목소리로 글을 읽으면 [   ] 사람이 글을 편안하게 들을 수 있습니다.

① 듣는   ② 쓰는   ③ 읽는
④ 말하는   ⑤ 생각하는

[7~9] 다음 글을 읽고 물음에 답하시오.

> **교통안전**
> ❶ 차를 타면 꼭 안전띠를 매요.
> ❷ 차에서 내리기 전에 좌우를 꼭 살펴요.
> ❸ 차에서 내릴 때 옷이 문에 끼지 않게 조심해요.
> ❹ 차에서 내려 길을 건널 때 좌우를 꼭 살펴요.

7 차를 탄 다음에 무엇을 꼭 매야 합니까? (   )

① 가방끈   ② 허리띠   ③ 머리띠
④ 안전띠   ⑤ 신발 끈

8 차에서 내릴 때 주의할 점은 무엇입니까? (   )

① 문을 열어 둡니다.
② 문을 꼭 닫습니다.
③ 안전띠를 꼭 맵니다.
④ 안전띠를 가지고 내립니다.
⑤ 옷이 문에 끼지 않게 조심합니다.

9 다음 그림의 민석이처럼 글을 읽으면 어떻겠습니까? (   )

① 듣는 사람이 편안합니다.
② 읽는 사람의 목이 아픕니다.
③ 글의 내용이 쉽게 느껴집니다.
④ 글의 내용을 이해하기 어렵습니다.
⑤ 읽는 사람이 편안하게 읽을 수 있습니다.

[10~11] 다음 글을 읽고 물음에 답하시오.

우리들은 집에 즐거운 일이 있으면
다 부릅니다.
얘들아, 우리 집에 와.

참새를 만나면
참새야, 너도 와.

노랑나비를 만나면
노랑나비야, 너도 와.

집에 즐거운 일이 있으면
집이 꽉 찹니다.

10 이 시를 읽고 떠오르는 장면으로 보기 어려운 것은 무엇입니까? (　　　)

① 집에 모두 모여 행복해하는 모습
② 즐거운 일 덕분에 집이 꽉 찬 모습
③ 집이 꽉 차서 서로 화를 내는 모습
④ 모두 다 초대해서 즐겁게 노는 모습
⑤ 기쁜 표정으로 돌아다니며 초대하는 모습

11 이 시를 소리 내어 읽는 방법이 <u>아닌</u> 것은 무엇입니까? (　　　)

① 시의 장면을 떠올리며 읽는다.
② 일어난 일을 설명하듯이 읽는다.
③ 비슷한 경험을 떠올리며 읽는다.
④ 인물의 마음을 떠올리며 읽는다.
⑤ 부르는 말의 느낌을 살려서 읽는다.

[12~13] 다음 시를 읽고 물음에 답하시오.

㉠뚝, 뚝.
나팔꽃이 일어나래요.

㉡똑, 똑.
아침 이슬이 세수하래요.

㉢방긋, 방긋.
아침 해가 노래하재요.

12 ㉠~㉢은 각각 누가 낸 소리일지 알맞은 것끼리 모인 것은 무엇입니까? (　　　)

	㉠	㉡	㉢
①	나팔꽃	아침 해	아침 이슬
②	나팔꽃	아침 이슬	아침 해
③	아침 해	나팔꽃	아침 이슬
④	아침 해	아침 이슬	나팔꽃
⑤	아침 이슬	나팔꽃	아침 해

13 이 시를 소리 내어 읽는 방법에 대하여 알맞게 말한 친구는 누구입니까? (　　　)

① 상훈: 씩씩한 목소리로 읽어야 해.
② 민기: 뉴스를 읽듯이 차분하게 읽어야 해.
③ 꽃비: 우울하고 슬픈 느낌이 나게 읽어야 해.
④ 주영: 내용을 설명하듯이 또박또박 읽어야 해.
⑤ 재령: 장면을 떠올리며 흉내 내는 말의 느낌을 살려서 읽어야 해.

[14~15] 다음 글을 읽고 물음에 답하시오.

새 한 마리가 나무에 둥지를 틀고 고운 알을 소복하게 낳아 놓았습니다.

 ㉠이 알을 모두 꺼내 가야지.

 ㉡지금은 안 됩니다, 착한 도련님. 며칠만 지나면 까 놓을 테니 그때 와서 새끼 새들을 가져가십시오.

 그럼 그러지.

14 새는 ㉠을 듣고 무엇이라고 대답하였습니까?
( )

① 알을 하나만 가져가십시오.
② 알을 하루만 빌려주겠습니다.
③ 알은 절대로 줄 수가 없습니다.
④ 알을 하나만 남겨 두고 가져가십시오.
⑤ 며칠만 기다렸다가 새끼 새들이 알에서 나오면 가져가십시오.

15 ㉡은 어떤 마음이 드러나게 읽는 것이 좋겠습니까? ( )

① 즐겁고 흐뭇한 마음
② 간절하고 다급한 마음
③ 미안하고 부끄러운 마음
④ 뿌듯하고 자랑스러운 마음
⑤ 슬프고도 후회스러운 마음

[16~18] 다음 글을 읽고 물음에 답하시오.

 하나, 둘, 셋, 넷, 다섯 마리로구나. 허리춤에 넣어 갈까, 둥지째 떼어 갈까?

 지금은 안 됩니다, 착한 도련님. 며칠만 더 있으면 고운 털이 날 테니 그때 와서 둥지째 가져가십시오.

 그럼 그러지.

㉠며칠이 지나서 와 보니, 새는 한 마리도 없고 둥지만 달린 나무가 바람에 울고 있었습니다.

 내가 가져갈 새끼 새가 모두 어디 갔니?

 누가 아니? 나는 너 때문에 좋은 친구 모두 잃어버렸어. 너 때문에!

16 아이는 새끼 새들을 보고 어떤 생각을 했습니까? ( )

① 나무가 방해를 놓을까 봐 걱정했다.
② 새끼 새가 안 간다고 할까 봐 걱정했다.
③ 어미 새가 어디로 도망갈까 봐 걱정했다.
④ 새끼 새들을 어떻게 돌봐야 할지 생각했다.
⑤ 새끼 새들을 어떻게 가지고 갈지 고민했다.

단원 평가

17 ㉠에서 알 수 있는 내용은 무엇입니까?
( )

① 나무가 새들을 쫓아냈다.
② 어미 새와 나무가 서로 다투었다.
③ 어미 새가 새끼들을 데리고 떠났다.
④ 아이가 새끼 새들을 모두 가져갔다.
⑤ 다른 사람이 새들을 모두 가져갔다.

18 나무의 마음은 어떠하겠습니까? ( )

① 아이가 부럽다.
② 아이가 자랑스럽다.
③ 아이에게 미안하다.
④ 사라진 새가 밉고 원망스럽다.
⑤ 친구를 잃어서 슬프고 아이가 원망스럽다.

[19~20] 다음 글을 읽고 물음에 답하시오.

㉠사냥꾼이 헐레벌떡 뛰어왔습니다.
"여보시오, 혹시 노루 한 마리가 이쪽으로 오는 걸 보지 못했소?"
"노루요? 아니요, 여기에는 아무것도 오지 않았어요."
사냥꾼은 아쉬워하며 숲속으로 사라졌습니다.
㉡"나무꾼님, 목숨을 구해 주셔서 고맙습니다."
노루가 말했습니다.

19 ㉠은 어떻게 읽어야 합니까? ( )

① 슬퍼하는 목소리로 읽는다.
② 부탁하는 목소리로 읽는다.
③ 장난스러운 목소리로 읽는다.
④ 일어난 일을 설명하듯이 읽는다.
⑤ 깜짝 놀란 듯한 목소리로 읽는다.

20 ㉡은 어떤 목소리로 읽는 것이 좋겠습니까?
( )

① 슬픈 목소리
② 화난 목소리
③ 어두운 목소리
④ 우울한 목소리
⑤ 고마워하는 목소리

· 답안 입력하기   · 평가 분석표 받기

✳ 강의를 들으며 중요한 내용을 메모하세요!

● 고운 말을 쓰면 좋은 점

● 자신의 기분을 말하는 방법

● 듣는 사람을 생각하며 자신의 기분 말하기

개념 확인하기 정답에 ✔표를 하시오.

정답 32쪽

1 고운 말을 쓰면 좋은 점은 무엇입니까?

㉠ 듣는 사람의 기분을 좋게 해 줍니다. ☐

㉡ 자신의 기분이 어떤지 잘 알게 됩니다. ☐

2 기분을 나타내는 말을 모두 고르시오.

㉠ 기뻐요 ☐　　㉡ 걸어가요 ☐

㉢ 미안해요 ☐　　㉣ 일어나요 ☐

3 기분이 잘 드러나게 말하는 방법으로 알맞은 것은 무엇입니까?

㉠ 그런 기분이 드는 까닭을 함께 말합니다. ☐

㉡ 그 기분과 반대를 나타내는 기분도 함께 말합니다. ☐

4 친구의 장난감을 망가뜨린 경우에 자신의 기분을 어떻게 말하면 좋겠습니까?

㉠ 장난감을 망가뜨려서 미안해. ☐

㉡ 장난감이 망가져서 너무 부러워. ☐

[1~2] 다음 그림을 보고 물음에 답하시오.

1 동수가 들은 말은 어떤 말입니까? (   )

① 인사말   ② 귓속말
③ 거짓말   ④ 흉내 내는 말
⑤ 칭찬하는 말

2 동수는 친구들이 하는 말을 듣고 기분이 어떠하였겠습니까? (   )

① 좋았을 것이다.   ② 나빴을 것이다.
③ 슬펐을 것이다.   ④ 미안했을 것이다.
⑤ 우울했을 것이다.

3 들으면 기분이 좋아지는 말이 <u>아닌</u> 것은 어느 것입니까? (   )

① 정말 고마워.
② 생일 축하해.
③ 내가 빌려줄게.
④ 이제 너랑 안 놀아.
⑤ 힘내, 넌 할 수 있어.

[4~6] 다음 글을 읽고 물음에 답하시오.

> 어느 날 몽몽 숲에 동물들이 찾아왔어.
> ㉠"친구들아, 정말 반가워."
> 달콤 박쥐가 기쁘게 반겼어.
> 하지만 뾰족 박쥐는,
> ㉡"친구는 무슨 친구! 흥!"

4 달콤 박쥐와 뾰족 박쥐가 사는 곳은 어디입니까? (   )

① 뾰족 산   ② 달콤 숲
③ 몽몽 숲   ④ 몽몽 동굴
⑤ 몽몽 동물원

5 ㉠, ㉡과 같은 말을 들은 동물들의 기분은 어떠하겠습니까? (   )

	㉠	㉡
①	기분 좋다.	기분 좋다.
②	기분 좋다.	속상하다.
③	속상하다.	기분 좋다.
④	속상하다.	화가 난다.
⑤	화가 난다.	속상하다.

6 고운 말을 쓰지 <u>않은</u> 이는 누구입니까?
( )

① 동물들　　　　② 친구들
③ 달콤 박쥐　　　④ 뾰족 박쥐
⑤ 아무도 없다.

[7~8] 다음 글을 읽고 물음에 답하시오.

> 과일나무에 탐스러운 열매가 주렁주렁!
> "나무님, 감사해요!"
> 달콤 박쥐는 공손히 인사하고 동물들을 초대해 오순도순 나눠 먹었어.
> 가시나무에는 딱딱한 열매가 듬성듬성!
> 뾰족 박쥐는 오도독 맛을 보더니,
> "퉤퉤! 무슨 맛이 이래?"
> 그러자 갑자기 뾰족 박쥐의 머리 위로 열매가 후두두, 따다닥!
> ㉠"으악, 뾰족 박쥐 살려!"

7 달콤 박쥐의 말을 들은 과일나무의 기분은 어떠하였겠습니까? ( )

① 뾰족 박쥐가 불쌍하다.
② 뾰족 박쥐를 혼내고 싶다.
③ 거짓말을 들어서 화가 난다.
④ 맛없다는 말을 들어서 속상하다.
⑤ 고맙다는 말을 들어서 기분이 좋다.

8 ㉠으로 보아 뾰족 박쥐에게 있었던 일은 무엇이겠습니까? ( )

① 가시나무 열매를 먹었다.
② 가시나무 열매를 심었다.
③ 과일나무 열매를 맛있게 먹었다.
④ 가시나무 열매가 머리 위로 떨어졌다.
⑤ 과일나무 열매에게 감사하다고 인사했다.

[9~10] 다음 글을 읽고 물음에 답하시오.

> 뾰족 박쥐는 가시나무에 매달려 ㉠ .
> 그때 달콤 박쥐가 포르르 날아와 말했어.
> "울지 마, 친구야. 나랑 가서 열매 먹자."
> "달콤 박쥐야, 고마워!"
> 달콤 박쥐와 뾰족 박쥐가 사이좋게 대롱대롱.

9 ㉠ 에 알맞은 흉내 내는 말은 무엇이겠습니까? ( )

① 에취　　　　　② 꽥꽥
③ 삐악삐악　　　④ 훌쩍훌쩍
⑤ 방긋 방긋

10 뾰족 박쥐는 달콤 박쥐의 말을 듣고 어떤 마음이 들었겠습니까? ( )

① 슬픈 마음　　　② 아쉬운 마음
③ 고마운 마음　　④ 미안한 마음
⑤ 답답한 마음

11 고운 말을 쓰면 좋은 점에 대해 잘못 말한 것은 무엇입니까? ( )

① 친구와 사이좋게 지낼 수 있다.

② 듣는 사람의 기분을 좋게 해 준다.

③ 듣는 사람을 기쁘게 해 줄 수 있다.

④ 친구의 마음을 생각하며 말할 수 있다.

⑤ 거짓말을 하지 않고 솔직하게 말할 수 있다.

12 그림 ❶에서 희동이의 기분은 어떠합니까?

( )

① 세현이의 새 장난감이 부럽다.

② 자기의 새 장난감이 자랑스럽다.

③ 세현이의 장난감을 망가뜨려서 미안하다.

④ 세현이가 장난감을 빌려주지 않아서 얄밉다.

⑤ 엄마가 새 장난감을 안 사 주셔서 원망스럽다.

[12~15] 다음 그림을 보고 물음에 답하시오.

13 그림 ❷에서 세현이의 기분은 어떠하겠습니까? ( )

① 장난감을 보면 볼수록 멋지다.

② 희동이처럼 힘이 세지고 싶다.

③ 희동이에게 장난감을 주고 싶다.

④ 장난감이 망가질까 봐 걱정된다.

⑤ 장난감을 던지니까 더 재미있다.

14 세현이의 장난감이 망가진 까닭은 무엇이겠습니까? ( )

① 장난감이 불량품이어서

② 희동이가 던진 돌에 맞아서

③ 세현이가 장난감을 떨어뜨려서

④ 희동이가 던지고 놀다가 떨어뜨려서

⑤ 세현이와 희동이가 서로 가지고 놀려고 다퉈서

15 그림 ❸에서 세현이의 기분을 말하였습니다. 빈칸에 들어갈 알맞은 말은 무엇입니까?
( )

세현: [＿＿＿＿＿＿] 속상해요.

① 희동이가 혼자만 놀아서
② 새 장난감이 망가져 버려서
③ 희동이와 함께 놀 수 없어서
④ 새 장난감이 또 생길 것 같아서
⑤ 희동이가 나랑 놀지 않을 것 같아서

16 기분이 잘 드러나게 말하는 방법으로 알맞은 것은 무엇입니까? ( )

① 노래를 부르듯이 말한다.
② 아주 큰 목소리로 말한다.
③ 만화 영화의 주인공처럼 말한다.
④ 항상 웃으며 밝은 목소리로 말한다.
⑤ 그런 기분이 드는 까닭을 함께 말한다.

17 다음 그림에서 승혁이를 생각하며 시형이가 할 말로 알맞은 것은 무엇입니까? ( )

① 난 축구 싫어. 너나 해.
② 나 지금 숙제하는 것 안 보여?
③ 미안하지만 나 지금 숙제해야 해. 다음에 같이 놀자.
④ 넌 축구를 너무 좋아해서 탈이야. 나처럼 공부 좀 해.
⑤ 넌 축구 아니면 할 게 없니? 지금 숙제할 시간이잖아.

단원 평가

18 다음 그림에서 듣는 사람을 생각하며 대답할 말로 알맞은 것은 무엇입니까? (   )

말풍선: 미안해! 옷 많이 젖었니?

① 괜찮아. 곧 마를 거야.
② 좀 조심해야지! 왜 이래?
③ 이거 뭐야? 내 옷 말려 줄 거야?
④ 어휴, 이거 새 옷인데. 어쩔 거야?
⑤ 넌 맨날 실수하고 사과만 하면 다니?

19 ㉠에 들어갈 말로 알맞은 것은 무엇입니까?
(   )

① 내 옷에 묻을 뻔했잖아!
② 너 일부러 거기에 둔 거지?
③ 뭐야? 나 때문에 떨어진 거야?
④ 미안해, 실수였어. 내가 주워 줄게.
⑤ 그런 곳에 두니까 크레파스가 떨어지지.

[19~20] 다음 글을 읽고 물음에 답하시오.

20 ㉡에 들어갈 알맞은 말은 무엇입니까?
(   )

① 안녕? 반갑다. 넌 어디에 사니?
② 별로 세게 맞지도 않은 것 같은데.
③ 내 잘못 아니야. 그러게 누가 내 뒤에 있으래?
④ 괜찮니? 미안해. 네가 거기 있는 줄 미처 몰랐어.
⑤ 어? 난 또 누군가 했네. 그 정도 가지고 엄살이 심하구나?

· 답안 입력하기   · 평가 분석표 받기

개념 강의

7
단원

✳ 강의를 들으며 중요한 내용을 메모하세요!

● 누가 무엇을 했는지 파악하는 방법

● 「소금을 만드는 맷돌」

● 내용에 알맞게 제목 붙이기

● 내용을 확인하며 글 읽기

개념 확인하기   정답에 ✔표를 하시오.

정답 33쪽

1 글에서 누가 무엇을 했는지 파악하려고 할 때 살펴봐야 할 점이 <u>아닌</u> 것은 무엇입니까?

    ㉠ 인물의 말 ☐   ㉡ 인물의 행동 ☐

    ㉢ 인물의 생각 ☐   ㉣ 인물의 옷차림 ☐

2 「소금을 만드는 맷돌」에서 맷돌을 훔친 도둑은 배 위에서 무엇이라고 말했습니까?

    ㉠ 나와라, 옷! ☐

    ㉡ 나와라, 소금! ☐

    ㉢ 멈춰라, 맷돌! ☐

3 글에 제목을 붙이는 방법으로 알맞지 <u>않은</u> 것은 무엇입니까?

    ㉠ 글의 내용과 어울리게 붙입니다. ☐

    ㉡ 글의 내용을 길고 자세히 설명하는 말로 붙입니다. ☐

4 내용을 확인하며 글을 읽는 방법으로 알맞지 <u>않</u>은 것은 무엇입니까?

    ㉠ 글 앞부분의 내용만 알아봅니다. ☐

    ㉡ 무엇에 대해 말하고 있는지 생각하며 글을 읽습니다. ☐

1 다음 글에서 설명하는 대상은 무엇입니까?

( )

> • 모양이 둥근 과일이다.
> • 새콤달콤한 맛이 있다.
> • 빨간색이나 초록색이 있다.

① 귤   ② 배
③ 사과   ④ 바나나
⑤ 파인애플

[2~5] 다음 글을 읽고 물음에 답하시오.

> 옛날 옛적에 마음씨 착한 임금님이 살았어요. 임금님은 백성을 아끼고 사랑했어요. 가난한 사람들에게 쌀과 옷을 나누어 주었지요.
>
> 사람들은 모였다 하면 너도나도 임금님 칭찬을 했어요.
>
> "그런데 자네들, 임금님에게 신기한 맷돌이 있다는 거 아나?"
>
> "마음씨가 착하니 하늘이 임금님께 상을 주신 거구먼!"
>
> 그런데 그 이야기를 엿듣던 도둑은 고약한 마음을 먹었어요.
>
> 도둑은 궁궐로 숨어들었어요.
>
> 임금님은 맷돌 앞에서 "나와라!", "멈춰라!"를 외치고 있었어요.
>
> 임금님이 "나와라, 옷!" 하면 옷이 나오고 "멈춰라, 옷!" 하면 멈추는 게 아니겠어요?
>
> 도둑은 자신도 모르게 씩 웃었지요.

2 임금님은 어떤 사람이었습니까? ( )

① 백성을 못살게 군 임금님
② 백성과 친구처럼 지낸 임금님
③ 백성을 아끼고 사랑한 임금님
④ 백성들을 엄격하게 혼내는 임금님
⑤ 혼자서만 잘 먹고 잘살려고 한 임금님

3 이 글의 내용으로 알맞은 것은 무엇입니까?

( )

① 백성들이 모두 임금님을 칭찬했다.
② 도둑이 임금님에게 신기한 맷돌을 바쳤다.
③ 임금님이 신기한 맷돌을 도둑에게 주었다.
④ 도둑이 사람들에게 쌀과 옷을 나누어 주었다.
⑤ 사람들이 임금님에게 도둑을 조심하라고 했다.

4 신기한 맷돌에 대한 설명으로 알맞은 것은 무엇입니까? ( )

① 도둑이 만든 것이다.
② 백성들이 가지고 있었다.
③ 맷돌을 두드리면 쌀이 나왔다.
④ "나와라, 옷!" 하면 옷이 나왔다.
⑤ 임금님은 맷돌로 보석을 만들었다.

5 궁궐에서 맷돌을 본 도둑은 어떤 생각을 하였겠습니까? ( )

① '맷돌을 고장 내야겠다.'
② '맷돌을 몰래 훔쳐 가야겠다.'
③ '똑같은 맷돌을 사러 가야겠다.'
④ '임금님 대신 맷돌을 지켜야겠다.'
⑤ '맷돌을 만드는 방법을 물어보아야겠다.'

[6~7] 다음 글을 읽고 물음에 답하시오.

도둑은 서둘러 배를 타고 바다를 건너 멀리 도망가다가 외쳤어요.

"나와라, 소금!"

그러자 맷돌에서 하얀 소금이 쏟아져 나왔고, 점점 배 안에 쌓여 갔어요. 소금으로 가득 찬 배는 기우뚱기우뚱하면서 가라앉기 시작했어요.

도둑은 너무 놀라 "멈춰라, 소금!"이라는 말을 잊어버렸어요. 결국, 맷돌은 도둑과 함께 바닷속에 가라앉고 말았어요.

6 도둑이 배 위에서 한 말은 무엇입니까?
( )

① "나와라, 옷!" ② "나와라, 쌀!"
③ "나와라, 소금!" ④ "멈춰라, 소금!"
⑤ "쌓여라, 소금!"

7 도둑이 바닷속에 가라앉은 까닭은 무엇입니까? ( )

① 배에 구멍이 났기 때문에
② 배가 바위에 부딪쳤기 때문에
③ 바다에서 폭풍을 만났기 때문에
④ 배에 쌀을 너무 많이 실었기 때문에
⑤ 맷돌에서 소금이 멈추지 않고 나왔기 때문에

[8~10] 다음 글을 읽고 물음에 답하시오.

우리 가족은 놀이공원으로 출발했다. 회전목마를 탈 생각을 하니 마음이 설렜다.

사람들이 서 있는 줄이 길어도 회전목마를 탈 생각에 신이 났다. 드디어 회전목마를 탈 차례가 되었다. 어머니와 나는 말 등에 타고, 동생과 아버지는 마차에 탔다. 처음에는 말이 오르락내리락 움직이는 게 조금 무서웠다. 하지만 시간이 지나니 무섭지 않고 재미있었다.

솜사탕을 먹고 있는 친구들이 부러웠다. 내 마음을 아셨는지 어머니께서 솜사탕을 사 주셨다.

공룡 모양의 솜사탕이 달콤했다.

8 동생이 한 일은 무엇입니까? ( )

① 솜사탕을 사 주었다.
② 빙글빙글 춤을 추었다.
③ 말에게 먹이를 주었다.
④ 회전목마의 마차에 탔다.
⑤ 공룡 모양 솜사탕을 만들었다.

9 이 글에서 일어난 일 중 가장 나중에 있었던 일은 무엇입니까? ( )

① 놀이공원으로 출발한 일
② 가족들과 회전목마를 탄 일
③ 회전목마를 타려고 줄을 선 일
④ 솜사탕을 먹는 친구들을 본 일
⑤ 어머니께서 사 주신 솜사탕을 먹은 일

10 놀이공원에서 느꼈던 '나'의 기분이 <u>아닌</u> 것은 무엇입니까? (   )

① 설렘   ② 신남

③ 무서움   ④ 재미있음

⑤ 부끄러움

[11~13] 다음 글을 읽고 물음에 답하시오..

제목	㉠

　오늘 소방관 아저씨께서 학교에 오셨다.

　아저씨께서는 불이 나면 크게 다칠 수 있다고 말씀하셨다. 그리고 불이 나면 주변에 큰 소리로 알려야 한다고 하셨다. 앞으로 불조심을 해야겠다.

11 글쓴이는 무엇을 보았습니까? (   )

① 학교 건물에 불이 난 것

② 경찰관 아저씨께서 학교에 오신 것

③ 소방관 아저씨께서 학교에 오신 것

④ 소방서에서 아저씨들이 일하시는 것

⑤ 경찰서에서 아저씨들이 일하시는 것

12 글쓴이는 어떤 생각을 하였습니까? (   )

① 불조심을 해야겠다.

② 소방 훈련은 재미있다.

③ 소방차를 타 보고 싶다.

④ 소방관 아저씨는 멋있다.

⑤ 불이 나면 크게 다칠 수 있다.

13 ㉠에 들어갈 알맞은 제목은 무엇입니까? (   )

① 오늘   ② 학교

③ 소방서   ④ 아저씨

⑤ 불조심

[14~15] 다음 글을 읽고 물음에 답하시오.

　학교에서 급식을 먹을 때 자신이 좋아하는 음식만 골라 먹는 친구들이 있습니다. 그런데 좋아하는 음식만 골라 먹으면 건강이 나빠질 수 있습니다. 자신의 건강을 생각해서 음식을 골고루 먹었으면 좋겠습니다.

14 이 글에서는 어떤 문제점에 대해 말하고 있습니까? (   )

① 급식 시간이 자꾸 늦어지는 일

② 급식 반찬이 마음에 들지 않은 일

③ 급식 시간에 질서를 지키지 않는 일

④ 급식을 먹을 때 음식을 많이 남기는 일

⑤ 급식을 먹을 때 자신이 좋아하는 음식만 골라 먹는 일

15 이 글에 어울리는 제목은 무엇입니까? (   )

① 음식을 골고루 먹자

② 음식을 남기지 말자

③ 음식을 맛있게 먹자

④ 급식 시간을 잘 지키자

⑤ 급식 시간에 질서를 지키자

[16~17] 다음 글을 읽고 물음에 답하시오.

> 도서관은 여러 사람이 이용하는 곳입니다. 도서관에서는 다른 사람을 위해 조용히 해야 합니다. 자리에 앉을 때에는 큰 소리가 나지 않도록 의자를 조심히 옮깁니다. 사서 선생님께 궁금한 것을 여쭈어볼 때에도 소곤소곤 말해야 합니다.

16 이 글의 내용으로 알맞지 <u>않은</u> 것은 무엇입니까? (   )

① 친구에게는 크게 말해도 된다.
② 의자를 옮길 때에도 조심한다.
③ 도서관에서는 조용히 해야 한다.
④ 도서관은 여러 사람이 이용하는 곳이다.
⑤ 사서 선생님께는 작은 목소리로 말한다.

17 이 글의 중요한 내용은 무엇입니까? (   )

① 도서관에 가는 길 안내
② 도서관에 책이 많은 까닭
③ 도서관에서 책을 읽는 방법
④ 도서관에서 지켜야 할 예절
⑤ 도서관에 갈 때 필요한 준비물

[18~19] 다음 글을 읽고 물음에 답하시오.

> • 연주가 시작되기 전에 연주회장에 들어갑니다.
> • 휴대 전화의 전원을 끕니다.
> • 연주 중에는 사진이나 동영상을 찍지 않습니다.
> • 큰 소리를 내지 않습니다.
> • 연주가 끝나면 손뼉을 칩니다.

18 무엇을 알리고 싶어서 쓴 글입니까? (   )

① 연주회장에 다녀온 경험
② 악기 연주를 잘하는 방법
③ 연주회장을 찾아가는 방법
④ 연주 중에 사진을 찍는 방법
⑤ 연주회장에서 지켜야 할 예절

19 다음 중 연주회장에서의 행동으로 알맞은 것은 무엇입니까? (   )

① 휴대 전화를 켜 두었다.
② 연주 중에 노래를 따라 불렀다.
③ 연주가 시작된 다음 자리에 앉았다.
④ 친구가 연주하는 모습을 사진으로 찍었다.
⑤ 연주를 끝낸 친구에게 손뼉을 크게 쳐 주었다.

20 중요한 내용을 확인하는 방법으로 알맞은 것은 무엇입니까? (   )

① 글의 길이를 살펴본다.
② 글의 앞부분만 읽는다.
③ 글의 마지막 부분만 읽는다.
④ 재미있는 부분만 골라 읽는다.
⑤ 글에서 알리고 싶은 내용이 무엇인지 생각한다.

· 답안 입력하기   · 평가 분석표 받기

개념 강의

* 강의를 들으며 중요한 내용을 메모하세요!

● 글을 바르게 띄어 읽는 방법

● 글을 읽고 무엇을 설명하는지 아는 방법

● 「뿌리를 먹는 채소」

● 글을 실감 나게 읽는 방법

8 단원

개념 확인하기 정답에 ✔표를 하시오.   정답 34쪽

1 글을 바르게 띄어 읽는 방법으로 알맞지 <u>않은</u> 것은 무엇입니까?

⊙ 문장이 끝나는 곳에 ✔를 합니다. ☐

ⓛ 문장의 내용을 생각하지 않고 띄어 읽습니다. ☐

2 「뿌리를 먹는 채소」에서 뿌리를 먹는 채소가 아닌 것은 무엇입니까?

⊙ 무 ☐   ⓛ 당근 ☐   ⓒ 상추 ☐

3 「개미」에서 띄어 읽어야 하는 부분은 어디입니까?

> 개미들이 줄 지어 가는 것을 보았다.⊙어디로 가는 것일까? 개미를ⓛ따라가 보니 하나의 구멍으로ⓒ들어갔다.

⊙ ☐   ⓛ ☐   ⓒ ☐

4 글을 실감 나게 읽는 방법으로 알맞지 <u>않은</u> 것은 무엇입니까?

⊙ 글자 수를 떠올리며 읽습니다. ☐

ⓛ 장면에 어울리는 표정과 몸짓을 하며 읽습니다. ☐

1 글을 바르게 띄어 읽어야 하는 까닭은 무엇입니까? ( )

① 글을 빨리 읽을 수 있다.
② 뜻을 어렵게 이해할 수 있다.
③ 글을 재미없게 읽을 수 있다.
④ 글자를 쉽게 알아 볼 수 있다.
⑤ 어떤 내용인지 정확하게 알 수 있다.

3 이 글을 띄어 읽는 방법으로 알맞은 것은 무엇입니까? ( )

① 문장은 모두 이어서 읽는다.
② 문장이 끝날 때마다 띄어 읽는다.
③ 낱말과 낱말 사이에서 쉬어 읽는다.
④ 문장 부호 다음에는 띄어 읽지 않는다.
⑤ 마침표 뒤에는 ∨를 하고 조금 쉬어 읽는다.

[4~5] 다음 글을 읽고 물음에 답하시오.

> 개미들이 줄지어 가는 것을 보았다. 어디로 가는 것일까? 개미를 따라가 보니 하나의 구멍으로 들어갔다. 새집으로 이사를 가나? 개미들이 줄지어 움직이는 모습이 참 신기했다.

[2~3] 다음 글을 읽고 물음에 답하시오.

> 추석은 온 가족이 모이는 명절입니다. 곳곳에 사는 친척들이 고향 집으로 옵니다. 오랜만에 만난 가족은 도란도란 이야기를 나누며 음식을 만듭니다. 햇과일과 햇곡식으로 만든 음식은 정성스럽게 차례상에 올리고 가족과 나누어 먹습니다.

4 글쓴이는 무엇을 보았습니까? ( )

① 개미들이 집을 만드는 것을 보았다.
② 개미들이 줄지어 가는 것을 보았다.
③ 개미들이 구멍을 만드는 것을 보았다.
④ 개미들이 벽을 기어오르는 것을 보았다.
⑤ 개미들이 구멍에서 나오는 것을 보았다.

2 추석에 하는 일이 <u>아닌</u> 것은 무엇입니까?
( )

① 차례를 지낸다.
② 햇곡식으로 음식을 만든다.
③ 친척들이 고향으로 모인다.
④ 온 가족이 논에서 모내기를 한다.
⑤ 오랜만에 만난 가족과 이야기를 나눈다.

5 글쓴이는 개미들을 보고 어떤 생각을 했나요?
( )

① 개미들의 모습이 참 슬펐다.
② 개미들의 모습이 참 신기했다.
③ 개미들의 모습이 참 무서웠다.
④ 개미들의 모습이 참 익숙했다.
⑤ 개미들의 모습이 참 두려웠다.

[6~8] 다음 글을 읽고 물음에 답하시오.

비사치기는 돌멩이를 이용한 놀이입니다. 먼저, 평평하고 잘 세워지는 손바닥만 한 돌멩이를 준비합니다. 두 편으로 나누고 땅바닥에 줄을 긋습니다. 가위바위보를 하여 진 편은 준비한 돌멩이를 줄 위에 세워 놓습니다. 이긴 편은 한 사람씩 나와 자신의 돌을 가지고 상대의 돌을 넘어뜨립니다. 돌은 발등이나 배 위에 올려 옮길 수도 있고, 무릎 사이에 끼워 옮길 수도 있습니다. 세워 놓은 상대의 돌멩이를 다 넘어뜨리면 이깁니다.

6 비사치기는 어떻게 하는 놀이입니까? (   )

① 발로 돌을 차는 놀이
② 상대의 지우개를 던지는 놀이
③ 손바닥에 돌멩이를 숨기는 놀이
④ 상대의 돌멩이를 넘어뜨리는 놀이
⑤ 숨겨진 상대의 돌멩이를 찾는 놀이

7 이 글에서 띄어 읽어야 하는 부분에 바르게 표시한 것은 무엇입니까? (   )

① 비사치기는 돌멩이를 이용한 놀이입니다. ✌
② 두 편으로 나누고 땅바닥에 줄을 긋습니다. ✔
③ 가위바위보를 하여 진 편은 준비한 돌멩이를 줄 위에 세워 놓습니다. ✔
④ 이긴 편은 한 사람씩 ✔나와 자신의 돌을 가지고 상대의 돌을 넘어뜨립니다. ✌
⑤ 세워 놓은 상대의 돌멩이를 다 넘어뜨리면 이깁니다. ✔

8 비사치기에 대한 설명으로 알맞지 <u>않은</u> 것은 무엇입니까? (   )

① 돌을 발등에 올려 옮긴다.
② 두 편으로 나누어서 놀이를 한다.
③ 돌을 가지고 승부를 겨루는 놀이이다.
④ 돌을 가장 먼저 넘어뜨린 사람이 이긴다.
⑤ 평평하고 잘 세워지는 손바닥만 한 돌멩이가 필요하다.

[9~10] 다음 글을 읽고 물음에 답하시오.

지우개

여러분은 어떤 지우개를 가지고 있나요? 지우개의 모양과 색깔은 여러 가지입니다.

흔히 볼 수 있는 지우개는 상자 모양입니다. 그리고 동물 모양, 과일 모양, 막대 모양도 있습니다.

지우개의 색깔도 여러 가지입니다. ㉠<u>흰색, 파란색, 빨간색처럼 한 가지 색으로 된 것도 있지만, 여러 가지 색이 섞인 것도 있습니다.</u>

9 ㉠은 지우개의 무엇을 설명한 부분입니까?
(   )

① 가격   ② 모양   ③ 색깔
④ 쓰임   ⑤ 크기

10 명수가 글을 읽고 설명하는 대상을 파악한 방법은 무엇입니까? (   )

글의 제목을 보니 지우개에 대하여 설명하였구나.

명수

① 글쓴이를 알아보았다.
② 글의 그림을 확인하였다.
③ 글의 제목을 확인하였다.
④ 주장하는 것이 무엇인지 알아보았다.
⑤ 어떤 특징을 설명하는지 알아보았다.

[11～12] 다음 글을 읽고 물음에 답하시오.

우리는 종이를 자를 때 가위를 사용합니다. 가위에는 손잡이와 날이 있습니다.

가위를 사용할 때 잡는 곳이 손잡이입니다. 주로 엄지손가락과 나머지 손가락으로 잡습니다.

물건을 자르는 곳은 날입니다. 가위의 날은 매끄러운 것이 많지만 홈이 파인 것도 있습니다.

11 가위는 언제 사용합니까? (   )

① 책을 읽을 때   ② 글씨를 쓸 때
③ 글씨를 지울 때   ④ 종이를 접을 때
⑤ 종이를 자를 때

12 이 글에서 설명하는 내용으로 알맞지 않은 것은 무엇입니까? (   )

① 가위에는 손잡이와 날이 있다.
② 가위의 날은 매끄러운 것이 많다.
③ 가위를 사용할 때 잡는 곳은 날이다.
④ 가위를 사용할 때 잡는 곳은 손잡이다.
⑤ 가위를 사용할 때 주로 엄지손가락과 나머지 손가락으로 잡는다.

[13～15] 다음 글을 읽고 물음에 답하시오.

뿌리를 먹는 채소는 우리 몸을 튼튼하게 합니다. 뿌리를 먹는 채소에는 무, 고구마, 당근, 우엉 등이 있습니다.

무는 소화에 도움을 줍니다. 당근에는 눈에 좋은 영양소가 매우 많습니다. 고구마나 우엉을 먹으면 변비에 잘 걸리지 않습니다.

13 이 글에서 설명한 채소가 아닌 것은 무엇입니까? (   )

① 무   ② 당근
③ 우엉   ④ 오이
⑤ 고구마

14 이 글의 내용으로 알맞지 않은 것은 무엇입니까? (   )

① 무는 소화에 도움을 준다.
② 당근은 뿌리를 먹는 채소이다.
③ 고구마는 뿌리를 먹는 채소이다.
④ 우엉을 먹으면 변비에 잘 걸린다.
⑤ 뿌리를 먹는 채소는 우리 몸을 튼튼하게 한다.

8
단원

단원 평가

15 뿌리를 먹는 채소 중 눈에 좋은 영양소가 매우 많은 채소는 무엇입니까? (　　　)

① 우엉　　　　　② 당근
③ 상추　　　　　④ 토마토
⑤ 브로콜리

16 무엇을 설명하는지 생각하며 읽어야 하는 글이 <u>아닌</u> 것은 무엇입니까? (　　　)

① 그림책
② 장난감 조립 방법
③ 놀이 기구 타는 법
④ 컴퓨터 게임의 방법
⑤ 약봉지의 주의 사항

8 단원

진도 완료 체크

[17~18] 다음 글을 읽고 물음에 답하시오.

나는 작아요. 엄마 품에 폭 안길 만큼 아주 작아요.
㉠그렇지만 나는 자라요. 하루하루 아주 조금씩조금씩.
색종이를 오려 종이에 딱 붙이는 순간이나 내 이름을 쓸 때에도 나는 자라요.
동생을 꼭 껴안아 주는 순간에도 나는 자라요.

17 이 글을 읽을 때 떠오르는 장면은 무엇입니까? (　　　)

① 아이가 친구와 노는 장면
② 아이가 이름을 쓰는 장면
③ 아이가 공놀이를 하는 장면
④ 엄마가 아이를 업어 주는 장면
⑤ 아이가 스스로 밥을 먹는 장면

18 ㉠을 실감 나게 읽는 방법은 무엇입니까? (　　　)

① 찡그린 표정으로 읽는다.
② 힘없는 목소리로 읽는다.
③ 데굴데굴 구르면서 읽는다.
④ 눈물을 닦는 시늉을 하면서 읽는다.
⑤ 키가 커지는 시늉을 하면서 읽는다.

19 글을 실감 나게 읽는 방법으로 알맞지 <u>않은</u> 것은 무엇입니까? (　　　)

① 글쓴이를 떠올리며 읽는다.
② 글의 장면을 떠올리며 읽는다.
③ 목소리를 알맞게 하고 읽는다.
④ 장면에 어울리는 몸짓을 하며 읽는다.
⑤ 장면에 어울리는 표정을 지으며 읽는다.

20 ㉠~㉤ 중에서 ∨를 하고 띄어 읽는 부분은 어느 것입니까? (　　　)

봄이 되면 농부들은 논에 물을㉠대고 벼를 심습니다. 벼는 물속에서㉡뿌리를 내리고 자랍니다.㉢벼는 여름내 햇볕을 받으며 자라다가 가을에는 누렇게㉣변하면서 익습니다. 익은 벼는㉤이삭이 축 늘어집니다.

① ㉠　　　　② ㉡　　　　③ ㉢
④ ㉣　　　　⑤ ㉤

· 답안 입력하기　· 평가 분석표 받기

개념 강의

✻ 강의를 들으며 중요한 내용을 메모하세요!

● 겪은 일이 잘 드러나게 말하기

● 겪은 일에 대한 생각이나 느낌 말하기

● 기억에 남는 일을 일기로 쓰기

개념 확인하기 정답에 ✓표를 하시오.

정답 35쪽

1 겪은 일이 잘 드러나게 말하는 방법으로 알맞지 않은 것은 무엇입니까?

㉠ 일어나지 않은 일을 상상해서 말합니다. ☐

㉡ 일에 대한 생각이나 느낌을 말합니다. ☐

㉢ 언제 어디에서 누구와 어떤 일이 있었는 지 자세히 말합니다. ☐

2 생각이나 느낌을 나타내는 표현으로 알맞은 것은 무엇입니까?

㉠ 던지다 ☐   ㉡ 기쁘다 ☐

3 자전거를 배울 때 드는 생각이나 느낌으로 알맞은 것은 무엇입니까?

㉠ 음식이 어떤 맛일까 궁금하다. ☐

㉡ 넘어질까 봐 두렵지만 자전거를 반드시 배워야겠다. ☐

4 겪은 일을 일기로 쓸 때 들어가야 할 내용으로 알맞지 않은 것은 무엇입니까?

㉠ 겪은 일 ☐

㉡ 생각이나 느낌 ☐

㉢ 글을 읽을 사람 ☐

단원 평가

[1~3] 다솜이의 일기를 읽고 물음에 답하시오.

20○○년 11월 14일 월요일	날씨: 흐림

물고기를 샀다. 물고기에게 '단풍'이라는 이름을 지어 주었다. 물고기가 단풍처럼 빨갛기 때문이다. 이제부터 날마다 단풍이에게 먹이도 주고, 단풍이와 이야기도 하면서 사이좋게 지낼 것이다.

9 단원

1 다솜이는 어떤 일을 일기로 썼습니까?
( )

① 친구와 논 일
② 물고기를 산 일
③ 단풍잎을 주운 일
④ 물고기를 구경한 일
⑤ 물고기를 강에 놓아준 일

2 다솜이는 물고기에게 어떤 이름을 지어 주었습니까? ( )

① 가을 ② 단풍 ③ 빨강
④ 낙엽 ⑤ 초록

3 다솜이가 여러 가지 일 중에서 문제 1번의 일을 골라 일기를 쓴 까닭은 무엇이겠습니까?
( )

① 쓸 내용이 없어서
② 선생님께서 쓰라고 하셔서
③ 어머니께서 쓰라고 하셔서
④ 가장 기억에 남고 재미있어서
⑤ 앞으로 내가 하고 싶은 일이라서

[4~5] 다음 글을 읽고 물음에 답하시오.

민지: 지난가을, 추석이 되기 얼마 전 사과가 빨갛게 익어 갈 때쯤 우리 학교 운동장에서 가을 운동회가 열렸습니다.
찬서: 어떤 경기를 했습니까?
민지: 훌라후프 오래 돌리기, 청백 이어달리기, 줄다리기를 했습니다.
서윤: 어떤 경기가 가장 인상적이었나요?
민지: 학생과 부모님이 다 함께 모둠을 이루어 협동해서 줄을 당겼던 줄다리기가 무척 신이 났습니다.

4 민지는 어떤 경기가 가장 인상적이었다고 했습니까? ( )

① 숨바꼭질 ② 줄다리기
③ 보물찾기 ④ 청백 이어달리기
⑤ 훌라후프 오래 돌리기

5 민지는 어떤 상황에서 말하기를 하고 있겠습니까? ( )

① 전화로 이야기하기
② 가족들과 가족회의 하기
③ 친구와 단둘이 이야기하기
④ 여러 사람 앞에서 발표하기
⑤ 방송을 하기 위해서 혼자서 녹음하기

6 겪은 일이 잘 드러나게 말할 때 주의해야 할 점이 <u>아닌</u> 것은 어느 것입니까? (　　　)

① 누구와 있었던 일인지 말합니다.
② 어디에서 있었던 일인지 말합니다.
③ 주고받은 대화는 말할 필요가 없습니다.
④ 언제, 어디에서 있었던 일인지 말합니다.
⑤ 더 말하고 싶은 내용도 생각해 말합니다.

[7～8] 다음 글을 읽고 물음에 답하시오.

> 동생이랑 놀이터에서 모래 장난을 하며 재미있게 놀고 있었다. 그러다가 동생이 뿌린 모래가 내 눈에 들어갔다. 나는 눈이 따갑고 아파서 동생에게 화를 냈다. 동생은 엉엉 울었다. 동생을 울렸다고 엄마한테 꾸중을 들었다. 동생이 먼저 잘못한 건데 나만 꾸중을 들어서 억울했다.

7 무엇을 한 일을 쓴 글입니까? (　　　)

① 소꿉놀이　　　② 병원놀이
③ 블록 쌓기　　　④ 모래 장난
⑤ 그림 그리기

8 '내'가 억울하다고 생각한 까닭은 무엇입니까?
(　　　)

① 동생이 화를 내서
② 동생만 칭찬을 들어서
③ 엄마한테 '나'만 꾸중을 들어서
④ 아빠한테 '동생'만 꾸중을 들어서
⑤ '내' 눈에 들어간 모래가 빠지지 않아서

9 다음과 같이 자전거를 배울 때 드는 생각이나 느낌으로 알맞은 것은 무엇입니까? (　　　)

① 어떤 맛일까 궁금하다.
② 이상한 맛이 날까 봐 두렵다.
③ 여러 가지 책이 많아서 신기하다.
④ 넘어질까 봐 두렵지만 꼭 배워야겠다.
⑤ 새로운 친구를 사귀어서 기분이 좋다.

[10～11] 다음 글을 읽고 물음에 답하시오.

> 운동회 때 달리기를 했다. 내 차례가 되자 긴장되어 가슴이 떨렸다. 열심히 달렸지만 일 등을 하지 못해 아쉬웠다. 그래도 달리기는 신난다.

10 언제 일어난 일입니까? (　　　)

① 입학식　　　② 운동회
③ 학예회　　　④ 졸업식
⑤ 생일잔치

11 '내'가 겪은 일은 무엇입니까? (　　　)

① 자전거를 탄 일
② 가게놀이를 한 일
③ 운동회 때 달리기를 한 일
④ 놀이터에서 모래 장난을 한 일
⑤ 엄마께서 맛있는 음식을 해주신 일

[12~13] 다음 글을 읽고 물음에 답하시오.

> 가게놀이를 했다. 모둠마다 가게를 만들었다. 우리 모둠은 장난감 가게를 꾸몄다. 나는 물건을 파는 사람을 했다. 도깨비 인형도 팔고, 변신 로봇도 팔았다. 내 물건이 팔릴 때 기분이 좋았다.

12 '내'가 겪은 일은 무엇입니까? ( )

① 책을 읽은 일
② 장난감을 산 일
③ 가게놀이를 한 일
④ 가게에서 물건을 산 일
⑤ 친구들과 도깨비 인형을 만든 일

13 '나'는 자신의 물건이 팔릴 때 어떤 생각이나 느낌이 들었습니까? ( )

① 억울했다.
② 무서웠다.
③ 화가 났다.
④ 기분이 좋았다.
⑤ 아쉬운 기분이 들었다.

14 다음 중 생각이나 느낌을 나타내는 표현이 아닌 것은 무엇입니까? ( )

① 뛰다
② 기쁘다
③ 아쉽다
④ 신난다
⑤ 부끄럽다

[15~17] 다음 글을 읽고 물음에 답하시오.

> 나는 체육 시간에 친구들과 운동장에서 달리기를 했다. 모둠을 나누어 이어달리기를 했다. 우리 모둠은 4등으로 꼴찌를 했다. 나는 힘들게 달렸는데도 꼴찌를 한 것이 실망스러워 아무 말도 하지 않고 있었다. 그런데 친구들이 "힘내! 다음 기회가 있잖아."라고 말해 주어서 다시 기분이 좋아졌다.

15 '내'가 한 일의 시간 순서로 알맞은 것은 무엇입니까? ( )

> ㉮ 우리 모둠이 꼴찌를 했다.
> ㉯ 운동장에서 이어달리기를 했다.
> ㉰ 친구들이 위로해 주어서 기분이 좋아졌다.
> ㉱ '나'는 실망스러워 아무 말도 하지 않았다.

① ㉮ - ㉯ - ㉰ - ㉱
② ㉮ - ㉯ - ㉱ - ㉰
③ ㉯ - ㉮ - ㉰ - ㉱
④ ㉯ - ㉮ - ㉱ - ㉰
⑤ ㉯ - ㉰ - ㉱ - ㉮

16 '내'가 실망스러워한 까닭은 무엇입니까?
( )

① 동생과 다퉈서
② 선생님께 꾸중을 들어서
③ 친구들이 간식을 주지 않아서
④ 힘들게 달렸는데도 꼴찌를 해서
⑤ 아쉽게 이어달리기에서 2등을 해서

17 이 글의 제목으로 알맞은 것은 무엇입니까?
( )

① 가게놀이
② 무서운 친구들
③ 우리 체육 선생님
④ 즐거운 체육 시간
⑤ 이어달리기를 하는 방법

[18～19] 다음 글을 읽고 물음에 답하시오.

날짜	20○○년 11월 22일 화요일
날씨	해가 반짝

제목 : 서점 나들이

아빠와 함께 서점에 갔다. ㉠여러 가지 책이 많아서 참 신기했다. 내가 읽고 싶었던 책을 찾아서 반가웠다. 앞으로 서점에 더 자주 가고 싶다.

18 '나'는 아빠와 함께 어디에 갔습니까?
( )

① 시장   ② 공원   ③ 서점
④ 도서관   ⑤ 박물관

19 ㉠은 일기에 들어가야 할 내용 중에서 무엇입니까? ( )

① 날짜   ② 요일   ③ 날씨
④ 겪은 일   ⑤ 생각이나 느낌

9
단원

진도 완료
체크

20 일기를 쓸 때 생각할 내용으로 알맞지 않은 것은 어느 것입니까? ( )

① 무슨 일을 했나요?
② 누구와 한 일인가요?
③ 어떻게 꾸며서 지어낼까요?
④ 어떤 생각이나 느낌이 들었나요?
⑤ 언제, 어디에서 있었던 일인가요?

· 답안 입력하기   · 평가 분석표 받기

개념 강의

✱ 강의를 들으며 중요한 내용을 메모하세요!

● 인물의 모습과 행동을 상상하며 이야기 듣기

●「별을 삼킨 괴물」

● 이야기를 읽고 인물의 모습과 행동 상상하기

●「숲속 재봉사」

개념 확인하기　정답에 ✔표를 하시오.

정답 36쪽

1 인물을 상상하며 이야기를 들을 때 떠올려 보아야 할 것은 무엇입니까?

　㉠ 인물의 모습과 행동 ☐

　㉡ 이야기를 같이 듣는 친구 ☐

2 「별을 삼킨 괴물」에서 토끼가 말한 괴물의 모습은 무엇입니까?

　㉠ 빵빵한 배를 가지고 있었다. ☐

　㉡ 쫑긋쫑긋 귀를 가지고 있었다. ☐

3 이야기를 읽고 인물의 모습과 행동을 상상하는 방법으로 알맞지 <u>않은</u> 것은 무엇입니까?

　㉠ 인물의 이름을 나타낸 부분을 찾습니다. ☐

　㉡ 인물의 모습과 행동을 나타낸 부분을 찾습니다. ☐

4 「숲속 재봉사」에서 동물들이 숲속 재봉사에게 만들어 달라고 부탁한 것은 무엇입니까?

　㉠ 책 ☐　　㉡ 옷 ☐　　㉢ 침대 ☐

[1~4] 다음 글을 읽고 물음에 답하시오.

어느 날, 무시무시한 괴물이 별들을 모두 삼키고 사라졌어요. 마을은 온통 캄캄한 어둠으로 뒤덮였죠. 빛나는 별이 사라지자 마을 사람들은 슬픔에 빠졌어요. 그래서 마을에서 가장 용감한 노랑이, 초록이, 주홍이는 별을 되찾기 위해 길을 떠났어요. 세 아이들은 길을 나섰지만 별을 삼킨 괴물이 어떻게 생겼는지 아무것도 몰랐어요.

아이들은 귀가 쫑긋쫑긋한 토끼를 만났어요.

"토끼야, 별을 삼킨 괴물이 어떻게 생겼는지 알고 있니?"

토끼가 대답했어요.

"글쎄, 새가 노래하는 모습을 보느라 잘 보지 못했어. 그런데 나처럼 작은 소리도 잘 들을 수 있는 ㉠ 귀를 가지고 있었어."

1 세 아이들이 길을 떠난 까닭은 무엇입니까?
( )

① 노랑이를 찾기 위해서
② 토끼와 친해지기 위해서
③ 노래하는 새를 찾기 위해서
④ 숨겨진 보물을 찾기 위해서
⑤ 괴물이 삼킨 별을 되찾기 위해서

2 ㉠ 에 들어갈 알맞은 말은 무엇입니까?
( )

① 북슬북슬　　② 쫑긋쫑긋
③ 둥글둥글　　④ 반짝반짝
⑤ 오물오물

3 토끼는 왜 괴물을 잘 보지 못했습니까?
( )

① 별을 삼키느라
② 괴물을 찾느라
③ 노래를 부르느라
④ 친구와 공부하느라
⑤ 새가 노래하는 모습을 보느라

4 이 이야기의 내용으로 알맞지 <u>않은</u> 것은 무엇입니까? ( )

① 무시무시한 괴물이 별들을 모두 삼켰다.
② 빛나는 달이 사라지자 사람들은 슬픔에 빠졌다.
③ 노랑이, 초롱이, 주홍이는 마을에서 가장 용감하다.
④ 토끼는 별을 삼킨 괴물을 잘 보지는 못했다.
⑤ 노랑이, 초롱이, 주홍이는 별을 되찾기 위해 길을 떠났다.

5 다음 사진을 보고 상상할 수 있는 소리는 무엇입니까? ( )

① 새 소리
② 음악 소리
③ 빗방울 소리
④ 사자 울음소리
⑤ 사람의 목소리

10 단원

[6~8] 다음 글을 읽고 물음에 답하시오.

> 아이들은 갈기가 북슬북슬한 사자를 만났어요.
> "사자야, 별을 삼킨 괴물이 어떻게 생겼는지 알고 있니?" / 사자가 대답했어요.
> "글쎄, 갈기를 빗느라 잘 보지 못했어. 그런데 나처럼 북슬북슬한 갈기를 가지고 있었어."
> 아이들은 이빨이 뾰족뾰족한 악어를 만났어요.
> "악어야, 별을 삼킨 괴물이 어떻게 생겼는지 알고 있니?" / 악어가 대답했어요.
> "글쎄, 이빨을 닦느라 잘 보지 못했어. 그런데 나처럼 뾰족뾰족 날카로운 이빨을 가지고 있었어."

6 아이들이 만난 동물은 누구입니까? (   )

① 사자, 토끼   ② 사자, 악어

③ 악어, 토끼   ④ 사슴, 악어

⑤ 사슴, 토끼

7 다음 그림은 누구의 이야기를 듣고 괴물의 모습을 상상한 것이겠습니까? (   )

① 새   ② 사자
③ 악어   ④ 주홍이
⑤ 마을 사람들

8 악어는 왜 괴물을 잘 보지 못했습니까?
(   )

① 밥을 먹느라   ② 거울을 보느라

③ 이빨을 닦느라   ④ 낮잠을 자느라

⑤ 친구들과 노느라

[9~10] 다음 글을 읽고 물음에 답하시오.

> 가 "괴물아, 별들을 내놔!"
> 아이들이 외쳤어요.
> "안 돼! 나는 너무 못생겨서 아무도 좋아하지 않아. 별을 먹고 반짝반짝 멋있어져서 친구들과 뛰어놀고 싶단 말이야."
> 괴물이 떼를 쓰며 말했어요.
> 나 "그럼 나랑 놀아 줄 거야?"
> 괴물이 대답했어요.
> ㉠"응, 그런데 별을 너무 많이 먹어서 배가 곰처럼 빵빵하구나. 같이 뛰어놀기 힘들겠는걸?"
> 주홍이가 꾀를 써서 말했어요.
> 괴물은 친구들과 놀고 싶어서 얼른 대답했어요.
> "별을 모두 뱉어 내면 돼. 자, 봐 봐."
> 쿠와아아아아아.

9 괴물은 왜 별을 내놓지 않겠다고 했습니까?
(   )

① 배가 많이 고팠기 때문에

② 별이 괴물의 것이기 때문에

③ 세 아이들이 별을 삼킬까 봐

④ 별을 내놓으면 기운이 없어져서

⑤ 별을 먹고 멋있어져서 친구들과 뛰어놀려고

10 주홍이가 ㉠과 같이 말한 까닭은 무엇입니까?
(   )

① 괴물을 혼내려고

② 초록이와 화해하려고

③ 괴물을 도망가게 하려고

④ 괴물과 친구가 되기 싫어서

⑤ 괴물이 별을 뱉어 내게 하려고

깊고 깊은 숲속에 옷 만들기를 아주 좋아하는 재봉사가 살았어요.

달달달달

사각사각

스륵스륵

조물조물

숲속 재봉사는 밤이나 낮이나 쉬지 않고 옷을 만들었어요.

이 하늘 저 하늘 새들이 날아와 멋진 옷을 부탁했어요.

춤출 때 입을 거예요.

11 재봉사는 무엇을 좋아했습니까? (   )

① 요리하기　　　　② 빨래하기

③ 청소하기　　　　④ 옷 만들기

⑤ 노래 부르기

12 이 글에서 옷 만드는 모습을 나타낸 말이 <u>아닌</u> 것은 어느 것입니까? (   )

① 달달달달　　　　② 사각사각

③ 스륵스륵　　　　④ 조물조물

⑤ 구불구불

13 이 이야기의 내용으로 알맞은 것은 무엇입니까? (   )

① 재봉사는 낮에만 옷을 만든다.

② 재봉사는 밤에만 옷을 만들었다.

③ 재봉사는 옷 만들기를 싫어했다.

④ 새들이 날아와 멋진 옷을 부탁했다.

⑤ 새들이 날아와 옷 만드는 일을 구경했다.

깊은 물 얕은 물 물고기들이 헤엄쳐 와 어여쁜 옷을 졸랐어요.

오징어는 무지개 양말에 구두 신고 다리를 뽐낼 거예요.

넓은 들판에 사는 크고 큰 동물들과 작고 작은 곤충들도 마음먹은 옷을 이야기했어요.

사자는 바람 불면 털이 눈을 가려서 모자가 필요해요.

높은 산 낮은 산 동물들도 필요한 옷을 부탁했어요.

토끼는 팔랑거리는 치마 입고 깡충깡충 뛸 거예요.

그렇게 모두 꿈꿔 왔던 옷을 입어 보았어요.

그리고 한바탕 잔치가 벌어졌어요.

10
단원

14 다음과 같은 생각을 하는 동물은 누구입니까?
(   )

> '무지개 양말에 구두 신고 다리를 뽐내고 싶어.'

① 새　　　　② 곤충　　　　③ 사자

④ 토끼　　　　⑤ 오징어

15 동물들은 모두 꿈꿔 왔던 옷을 입고 무엇을 했습니까? (   )

① 잔치　　　　② 달리기　　　　③ 운동회

④ 입학식　　　　⑤ 졸업식

단원 평가

[16~19] 다음 그림을 보고 물음에 답하시오.

16 그림의 내용으로 보아 그림 가는 무슨 이야기일까요? ( )

① 콩쥐 팥쥐 ② 백설 공주
③ 흥부 놀부 ④ 나무꾼과 사슴
⑤ 미운 아기 오리

17 그림 가에서 사슴이 할 말로 알맞은 것은 어느 것인가요? ( )

① 항아리가 깨졌어. 어떻게 하지?
② 걱정하지 마세요. 제가 도와드릴게요.
③ 살려 주세요. 살려 주세요. 사냥꾼이 쫓아와요.
④ 나와 함께 즐겁게 놀지 않을래?

18 그림 나에서 흥부가 다음과 같이 말을 한다면 어떤 목소리가 어울릴까요? ( )

다리가 부러졌네. 많이 아프겠구나.

① 기쁜 목소리 ② 화난 목소리
③ 뿌듯한 목소리 ④ 심술궂은 목소리
⑤ 걱정하는 목소리

19 그림 다에서 두꺼비가 다음 말을 한다면 어떤 목소리가 어울리겠습니까? ( )

걱정하지 마세요. 제가 도와드릴게요.

① 화난 목소리
② 뽐내는 목소리
③ 미안해하는 목소리
④ 부끄러워하는 목소리
⑤ 다정하고 믿음직한 목소리

20 이야기 속 인물의 모습과 행동을 상상하는 방법으로 알맞은 것은 무엇입니까? ( )

① 부모님께 물어본다.
② 인터넷에 검색한다.
③ 이야기의 내용을 잘 살피지 않고 상상만 한다.
④ 이야기의 내용을 잘 알고 있는 친구에게 물어본다.
⑤ 인물의 모습과 행동이 나타난 부분을 바탕으로 모습과 행동을 떠올려 본다.

· 답안 입력하기 · 평가 분석표 받기

기초 학습능력 강화 프로그램

매일매일 쌓이는 국어 기초력

똑똑한 하루

독해&어휘&글쓰기

공부 습관 형성

10분이면 하루치 공부를 마칠 수
있어서 아이들 스스로 쉽게
학습할 수 있도록 구성

국어 기초력 향상

어휘는 물론 독해에서 글쓰기까지
초등 국어 전 영역을 책임지는
완벽한 커리큘럼으로 국어 기초력 향상

재미있는 놀이 학습

꼭 필요한 상식과 함께
창의적 사고력 확장을 돕는
게임 형식의 구성으로 즐겁게 학습

쉽다! 재미있다! 똑똑하다! 똑똑한 하루 시리즈
예비초~6학년 각 A·B (14권)

홈스쿨링

우등생

온라인 학습북

국어 1·2

수학 전문 교재

● 연산 학습

빅터연산	예비초~6학년, 총 20권
참의융합 빅터연산	예비초~4학년, 총 16권

● 개념 학습

개념클릭 해법수학	1~6학년, 학기용

● 수준별 수학 전문서

해결의법칙(개념/유형/응용)	1~6학년, 학기용

● 서술형·문장제 문제해결서

수학도 독해가 힘이다	1~6학년, 학기용

● 단원평가 대비

수학 단원평가	1~6학년, 학기용

● 단기완성 학습

초등 수학전략	1~6학년, 학기용

● 상위권 학습

최고수준 수학	1~6학년, 학기용
최강 TOT 수학	1~6학년, 학년용

● 경시대회 대비

해법 수학경시대회 기출문제	1~6학년, 학기용

국가수준 시험 대비 교재

● 해법 기초학력 진단평가 문제집	2~6학년·중1 신입생, 총 6권

예비 중등 교재

● 해법 반편성 배치고사 예상문제	6학년
● 해법 신입생 시리즈(수학/영어)	6학년

맞춤형 학교 시험대비 교재

● 열공 전과목 단원평가	1~6학년, 학기용(1학기 2~6년)
● 해법 총정리	1~6학년, 학기용

한자 교재

● 해법 NEW 한자능력검정시험 자격증 한번에 따기	6~3급, 총 8권
● 씽씽 한자 자격시험	8~7급, 총 2권

빈틈없는
수준별 학습으로
빠져나갈 구멍 없이
완전봉쇄!

사고력

서술형

독해력

이제 긴 문제도
어렵지 않아요!

기본기와 서술형을 한 번에, 확실하게
수학 자신감은 덤으로!

수학리더 시리즈 (초1~6 / 학기용)

[연산]　　　[개념]　　　[기본]　　　[유형]　　　[기본+응용]　　　[응용·심화]

찐 천재님들의
거짓없는 솔직 후기

천재교육 도서의 사용 후기를 남겨주세요!

이벤트 혜택

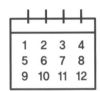

매월

100명 추첨

5,000

상품권 5천원권

이벤트 참여 방법

STEP 1
온라인 서점 또는 블로그에 리뷰(서평) 작성하기!

STEP 2
왼쪽 QR코드 접속 후 작성한 리뷰의 URL을 남기면 끝!

※ 상기 내용은 변동될 수 있으며, 자세한 내용은 QR코드 페이지를 참고해주세요.

정답은 정확하게
풀이는 자세하게

꼬꼬
꼼꼼
풀이집

국어 1·2

천재교육

정답과 풀이

1-2

교과서 진도북

1 소중한 책을 소개해요 ·········· 2쪽

2 소리와 모양을 흉내 내요 ·········· 4쪽

3 문장으로 표현해요 ·········· 7쪽

4 바른 자세로 말해요 ·········· 9쪽

5 알맞은 목소리로 읽어요 ·········· 12쪽

6 고운 말을 해요 ·········· 14쪽

7 무엇이 중요할까요 ·········· 17쪽

8 띄어 읽어요 ·········· 19쪽

9 겪은 일을 글로 써요 ·········· 22쪽

10 인물의 말과 행동을 상상해요 ·········· 24쪽

온라인 학습북 ·········· 27쪽

1. 소중한 책을 소개해요

퀴즈

1 ㉡

진도 학습

1 (1) ○ **2** (1) ㉠ (2) ㉢ (3) ㉣ (4) ㉡ **3** ⑤
4 (1) 예 신데렐라 이야기 (2) 예 신데렐라 **5** 심심할 때
6 (3) ○ **7** ② **8** (1) ㉡ (2) ㉠
9 예

10 ②

11 (3) ○ **12** (1) ㉡ (2) ㉠ **13** (1) ○ (2) × (3) ○
14 돌잔치
15 (1)

16 ②, ④ **17** 건강하고 행복하게 자라는 것 **18** (1) 낚
(2) 있 **19** (1) ㉡ (2) ㉠ **20** ① 있 ② 낚 ③ 쌌
④ 닭 ⑤ 갔 ⑥ 깎 ⑦ 없 ⑧ 섞 **21** ① **22** (2) ○
23 ① 공룡 ② 괴물 ③ 우주 ④ 해적
24

(3) ㉠ 사랑빵집
㉡ 매일매일 통닭

25 (1) ㉠, ㉡ (2) 사진기(카메라) (3) 자동차 그림 등
26 (2) ○ **27** (1) ○ **28** ③
29 (1) 예 소금이 나오는 맷돌 (2) 도둑 (3) 도둑이 '그쳐라 소
금!'을 잊어버려 바다에 빠지는 부분 (4) 욕심을 부리면 안 된
다고 생각했다.

1 책을 읽은 경험을 나타낸 그림입니다.

2 집, 교실, 도서관, 서점, 공원 등 여러 장소에서 책을
읽고 있습니다.

3 그림으로 보아 흥부와 놀부 이야기임을 알 수 있습
니다.

4 읽었던 책 중 기억에 남는 제목과 주인공의 이름을
생각하여 써 봅시다.

5 1연에서 발가락은 심심할 때면 저희끼리 꼼질꼼질한
다고 표현하였습니다.

6 '꼼질꼼질'은 조금씩 계속 움직이는 모양을 흉내 내
는 말입니다.

7 2연에서 발가락은 저희끼리 꼼질거리면서 서로 '예
쁘다, 예쁘다' 한다고 하였습니다.

8 시의 각 부분에서 어떠한 모습이 떠오르는지, 어떤
느낌이 드는지를 생각하여 재미있는 까닭을 말할 수
있습니다.

9 발가락을 사람처럼 꾸미거나 산봉우리, 섬 등으로
그려 볼 수도 있습니다. 발가락을 보고 떠올릴 수 있
는 것들을 재미있게 상상해 봅니다.

10 잠을 자는 시간인데도 불이 켜져 있어서 아이가 전
등을 껐습니다.

11 수많은 전등이 켜져 있는 모습에서 사람들이 필요하
지 않은 전기를 마구 써서 지구가 아프다는 것을 알
수 있습니다.

12 전등이 환하게 켜져 있어서 울 것 같은 지구의 표정,
편안하게 잠을 자는 지구의 표정을 만화에서 찾아봅
니다.

13 지구의 환경을 보호할 수 있는 다양한 방법을 생각
해 볼 수 있습니다.

> **왜 틀렸을까?**
> 쓰레기를 아무 곳에 버리거나 샴푸나 비누, 세제를 함부로
> 쓰면 지구의 자연환경이 오염되므로 지구를 아프게 하는
> 일입니다.

14 아기의 첫 번째 생일에는 돌잔치를 했습니다.

15 실을 잡는 아이는 오래 살 것이라고, 책을 잡는 아이
는 공부를 잘할 것이라고, 쌀을 잡는 아이는 부자가
될 것이라고 하였습니다.

> **더 알아보기**
> 아이가 돌잡이에서 잡는 물건의 특성과 성질에 따라 조상
> 들이 하는 것이 달랐습니다. 실은 아주 길기 때문에 오래
> 살 것이라고 생각하였고, 책은 공부를 하는 물건이므로
> 공부를 잘할 것이라고 생각하였습니다. 또 쌀은 옛날에
> 중요한 재산이었기 때문에 부자가 될 것이라고 생각하였
> 습니다.

16 돌잔치는 아기의 첫 번째 생일에 하고, 돌잔치 때 돌잡이를 하므로 돌잡이도 아기의 첫 번째 생일에 하는 것을 알 수 있습니다.

17 글의 마지막 문장에서 조상들이 돌잔치를 하면서 바란 점이 나와 있습니다.

<table>
<tr><td colspan="2">채점 기준</td></tr>
<tr><td>평가</td><td>답안 내용</td></tr>
<tr><td>상</td><td>글의 마지막 문장에서 조상들이 돌잔치를 하면서 바랐던 점을 모두 찾아 '아기가 건강하고 행복하게 자라는 것'이라고 썼습니다.</td></tr>
<tr><td>중</td><td>'아기가 건강하게 자라는 것', '아기가 행복하게 자라는 것' 중 한 가지만 썼습니다.</td></tr>
<tr><td>하</td><td>글의 내용과 관련이 있는 내용이지만 조상들이 바라는 것과는 다른 내용을 썼습니다.</td></tr>
</table>

19 'ㅆ' 받침은 익숙하더라도 '묶다', '닦다',와 같이 'ㄲ' 받침은 헷갈릴 수 있습니다. 'ㄲ' 받침이 있는 낱말을 하나씩 하나씩 익혀 둡니다.

> **더 알아보기**
> **'ㄲ' 받침이 있는 낱말**
> ① 밖: 무엇에 의하여 둘러싸이지 않은 공간. 또는 그쪽.
> ② 꺾다: 길고 탄력이 있거나 단단한 물체를 구부려 다시 펴지지 않게 하거나 아주 끊어지게 하다.
> ③ 엮다: 노끈이나 새끼 따위의 여러 가닥을 얽거나 이리저리 어긋매어 어떤 물건을 만들다.
> ④ 겪다: 어렵거나 경험될 만한 일을 당하여 치르다.

20 '이를 닦다', '연필을 깎다', '재료를 섞다'의 'ㄲ' 받침을 바르게 찾아 썼는지 확인합니다.

23 그림이 어떤 책을 나타냈는지 살펴보고 글에서 어떤 책을 좋아한다고 하였는지 찾아 씁니다.

24 (1) 털이 꼬불꼬불하고 목에 리본을 달고 있는 개가 잃어버린 강아지 '하늘이'입니다. (2) 건강하게 생활하기 위한 표어로 '손을 깨끗이 씻읍시다'를 찾을 수 있습니다. (3) 그림에서 빵 가게는 '사랑빵집'이고, 통닭 가게는 '매일매일 통닭'입니다.

25 ㉠은 강아지 얼굴 모양, ㉡은 고양이 얼굴 모양, ㉢은 카메라 모양, ㉣은 자동차 모양의 책입니다. ㉣은 자동차 모양의 책이므로 여러 가지 탈것에 대해 소개하는 책임을 짐작할 수 있습니다.

26 (2)의 친구는 책을 읽고 몰랐던 것에 대해 생각하였습니다.

27 (1)의 친구는 책을 읽고 '정말 재미있어.'라고 생각하였습니다.

28 책을 읽는 사람은 자기 자신이므로 책을 소개할 때 말할 내용으로 알맞지 않습니다.

> **더 알아보기**
> **재미있게 읽은 책 소개하기**
> ① 책을 읽었던 경험을 떠올립니다.
> ② 그 책을 소개하고 싶은 까닭을 생각해 봅니다.
> ③ 책의 제목, 주인공, 줄거리, 재미있었던 부분, 책을 읽고 느낀 점 등을 소개합니다.
> ④ 책을 직접 준비해서 보여 주며 소개하면 더 좋습니다.

29 재미있게 읽었던 책을 떠올려 보고, 그 책에 대해 소개할 내용을 간단히 써 봅니다.

<table>
<tr><td colspan="2">채점 기준</td></tr>
<tr><td>평가</td><td>답안 내용</td></tr>
<tr><td>상</td><td>(1)~(4)까지 책에 대한 내용을 알맞게 썼고, 특히 (3)의 재미있었던 부분이나 (4)의 생각하거나 느낀 점을 구체적으로 썼습니다.</td></tr>
<tr><td>중</td><td>(1)~(4)까지 책에 대한 내용을 맞게 썼지만, (4)의 생각하거나 느낀 점에 대해 '재미있다', '슬프다'와 같이 간단한 낱말로만 썼습니다.</td></tr>
<tr><td>하</td><td>(1)~(4) 중 (1)의 제목과 (2) 등장인물만 간단히 쓰고, (3)의 재미있었던 부분이나 (4)의 생각하거나 느낀 점에 대해서는 정리하지 않았습니다.</td></tr>
</table>

> **단원 평가**   교과서 진도북 19~21쪽
>
> **1** (1) 서점 (2) 도서관   **2** (1) ○   **3** (2) ○ (3) ○
> **4** ④   **5** 꼼질꼼질   **6** 예쁘다   **7** (1) ㉡ (2) ㉠
> **8** ③   **9** ②   **10** 아기의 첫 번째 생일에
> **11** ⑤   **12** ①, ③, ④   **13** (2) ○   **14** 책
> **15** (1) × (2) ○ (3) ○   **16** 낚   **17** 섞었다   **18** 갔다
> **19** 닦았다   **20** (1) 예 흥부와 놀부 (2) 예 흥부를 괴롭히던 놀부가 도깨비에게 혼쭐나는 모습이 재미있어서 소개하고 싶다.

1 '계산대'가 있는 서점과 '대출·반납'이 있는 도서관에서 책을 읽고 있는 모습의 그림입니다.

> **왜 틀렸을까?**
> 서점은 책을 사는 곳이기 때문에 돈을 지불할 수 있는 계산대가 필요합니다. 도서관은 책을 빌려서 볼 수 있는 곳이기 때문에 대출·반납을 할 수 있는 곳이 필요합니다.

2 여러 사람이 이용하는 곳에서는 다른 사람에게 피해가 가지 않도록 조용히 하여야 합니다.

3 책을 읽으면 재미를 느낄 수 있고 몰랐던 것도 새롭게 알 수 있습니다.

4 시의 제목을 보고 무엇에 대해 쓴 시인지 알 수 있습니다.

6 발가락들이 서로서로 예쁘다, 예쁘다 하고 칭찬해 주는 장면이 떠오르는 시입니다.

7 전기를 마구 써서 아파하던 지구는 전기를 절약했을 때 마음이 놓였을 것입니다.

8 전기를 만들려면 그만큼 지구의 자원을 많이 써야 하므로 지구가 아파한다고 표현하였습니다.

9 글의 제목을 보고 무엇에 대해 설명하고 있는지 알 수 있습니다.

10 아기의 첫 번째 생일에 치르는 생일잔치를 '돌잔치'라고 합니다. '돌'은 아기가 태어난 날로부터 한 해가 되는 날을 뜻합니다.

13 주로 농사를 짓고 살았던 옛날에는 쌀이 부자의 기준이 되었으므로 쌀을 잡은 아이는 부자가 될 것이라고 생각하였습니다.

14 아이가 책을 잡으면 공부를 잘하게 될 것이라고 생각하였습니다.

15 부잣집에서만 돌잔치를 했다는 내용은 글에 있지 않습니다.

16 '낚다', '낚시'의 '낚' 자에는 'ㄲ'이 받침으로 쓰입니다.

20 책을 소개하고 싶은 까닭으로 책의 재미있었던 부분이나 책을 읽고 생각하거나 느꼈던 점을 바탕으로 쓰면 더 좋은 점수를 받을 수 있습니다.

채점 기준

평가	답안 내용
상	(1)에 책의 제목을 정확히 쓰고, (2)에 책을 소개하는 까닭으로 그 책의 재미있었던 부분이나 새롭게 알게 되었던 부분 등을 들어 썼습니다.
중	(1)에 책의 제목을 썼으나 (2)에서 책을 소개하는 까닭을 '재미있어서'와 같이 간단한 낱말로 된 표현을 썼습니다.
하	(1)에 책의 제목을 썼지만 (2)에서 책을 소개하는 까닭을 쓰지 않았거나 '흥부와 놀부가 주인공입니다.'와 같이 엉뚱한 내용을 썼습니다.

6 2. 소리와 모양을 흉내 내요

1 예 주룩주룩

1 (1) 닭장 속 (2) 문간 옆 (3) 배나무 밑 (4) 외양간

2 (1) ④ (2) ② (3) ① (4) ③   **3** (1) 예 꾸이익(끼아악)

(2) 예 매애애(미애애) (3) 예 음머어(음무우)

4 (1) ③ (2) ② (3) ①   **5** (1) 주렁주렁 (2) 반짝반짝

6 (1) 쏙쏙 (2) 주룩주룩 (3) 쨍쨍 (4) 활짝

7 (1) 예 야옹야옹 (2) 예 둥실둥실 (3) 예 씽씽

8 (1) 예 반짝반짝 (2) 예 훌쩍훌쩍 (3) 예 까르르   **9** 달리기

10 (1)   (2)

   (3)   (4)

11 ⑤   **12** (1) 예 삑 불었습니다. (2) 예 다다다다 달렸습니다. (3) 예 씽씽 불었습니다. (4) 예 헉헉헉 숨을 내쉬었습니다.

13 ④   **14** ⑤   **15** 예 피시시시 풍선 방귀

16 (1) ③ (2) ① (3) ②   **17** (1) 냠냠 (2) 찰칵   **18** 모래성

19 ㄳ   **20** 많   **21** (1) ㄲ (2) ㅓ, ㅃ   **22** (1) ㄹㅂ

(2) ㄶ (3) ㅃ (4) ㄳ   **23** (1) 기차(기관차) 등 (2) 도화지(도라지) 등 (3) 이불 등   **24** (1) 예 글자 – 자라 (2) 예 과일 – 일렁일렁 (3) 예 지글지글 – 글썽글썽   **25** (1) 예 선물

(2) 예 기둥 (3) 예 둥지

1 노래 가사에서 각각의 동물이 있는 곳을 찾아볼 수 있습니다.

2 '꼬꼬댁', '꽥꽥' 등은 동물의 울음소리를 흉내 내는 말입니다.

3 자신의 경험과 느낌을 살려 재미있게 바꾸어 봅니다.

4 '빙글빙글', '흔들흔들', '퉁퉁' 등 모양을 흉내 내는 여러 가지 말을 상상해 볼 수 있습니다.

5 '주렁주렁'은 열매가 많이 달린 모양, '반짝반짝'은 별빛이 반짝이는 모양을 흉내 내는 말입니다.

6 '쏙쏙' 싹을 틔우고, '주룩주룩' 비가 내리고, 햇볕이 '쨍쨍' 내리쬐다와 같이 문장과 함께 흉내 내는 말을 익혀 두는 것이 좋습니다.

7 '둥실둥실'은 어떤 물체가 공중이나 물 위에 가볍게 떠서 움직이는 모양을 흉내 내는 말입니다.

8 주어진 답안 외에도 '두 눈이 초롱초롱 빛납니다.', '엉엉 웁니다.', '헤실헤실 웃습니다.'와 같은 흉내 내는 말도 쓸 수 있습니다.

9 말하는 이는 친구들과 달리기 시합을 하고 있습니다.

10 출발하기 전에는 가슴이 '벌렁벌렁' 뛰다가, '삑' 하고 호루라기 소리가 울리자 '다다다다' 달립니다. 달리기가 끝나고 난 뒤에는 숨을 '헉헉헉' 쉽니다.

11 달리기를 앞두고 긴장하여 가슴이 뛰는 것을 '두근두근, 쿵쾅쿵쾅' 등으로 표현할 수 있습니다.

12 달리기를 하기 전, 달리고 있는 도중, 달리기가 끝난 뒤로 나누어 생각해 봅니다.

> **더 알아보기**
> **달리기를 하는 과정과 흉내 내는 말**
>
> | 과정 | 흉내 내는 말 | 문장 |
> |---|---|---|
> | 달리기 전 | 벌렁벌렁 | 가슴이 <u>벌렁벌렁</u> 뛰었습니다. |
> | 출발 신호 | 삑 | 호루라기를 <u>삑</u> 불었습니다. |
> | 달리는 도중 | 다다다다 씽씽 | <u>다다다다</u> 달립니다. 바람이 <u>씽씽</u> 붑니다. |
> | 달리기가 끝난 뒤 | 헉헉헉 | 지쳐서 <u>헉헉헉</u> 숨을 내쉬었습니다. |

15 내 방귀는 어떤 소리가 나는지 시와 같이 여러 가지 흉내 내는 말로 표현할 수 있습니다.

> **채점 기준**
>
> | 평가 | 답안 내용 |
> |---|---|
> | 상 | '피시시시 풍선 방귀, 뽕뽕뽕 뽕나무 방귀'와 같이 방귀 소리를 흉내 내는 말로 표현하고, 방귀 이름도 그 소리에 알맞게 표현했습니다. 방귀 소리를 쓴 글자도 시와 같이 크기를 달리하여 재미있게 꾸며 썼습니다. |
> | 중 | '피시시시 고양이 방귀'와 같이 방귀 소리를 흉내 내는 말로 표현하였지만 방귀 이름이 그 소리와 비슷하다고 보기 어렵습니다. |
> | 하 | 시에 이미 나온 방귀 소리를 썼거나 방귀 소리를 흉내 내는 말로 표현하지 못하였습니다. |

16 짙고 엷은 여러 가지 빛깔이 뒤섞인 모양을 '울긋불긋'이라고 합니다.

17 사진을 찍을 때 나는 카메라 소리와 음식을 먹는 소리나 모양을 흉내 내는 말을 찾습니다.

18 '나'는 바닷가 모래밭에서 모래성을 쌓았습니다.

19 '앉다'의 '앉' 자에는 겹받침 'ㄵ'이 쓰였습니다.

20 '많이'의 '많' 자에는 겹받침 'ㄶ'이 쓰였습니다.

21 겹받침이 쓰인 글자입니다. 겹받침에서 각각의 자음자를 따로 쓰지 않도록 주의합니다.

22 겹받침이 쓰이는 낱말입니다. 겹받침에 주의하며 낱말의 글자를 익혀 둡니다.

23 ⑴에는 '기'로 시작하고 '차'로 끝나는 낱말이 들어가고, ⑵에는 '도'로 시작하고 '지'로 끝나는 낱말이 들어갑니다.

24 앞 낱말의 끝 글자로 시작하는 낱말을 이어서 쓰고, '방글방글', '지글지글', '일렁일렁'과 같은 흉내 내는 말도 짚어 봅니다.

> **더 알아보기**
> • 방글방글: 입을 조금 벌리고 소리 없이 자꾸 귀엽고 보드랍게 웃는 모양.
> • 지글지글: 적은 양의 액체나 기름 따위가 걸쭉하게 잦아들면서 자꾸 세게 끓는 소리. 또는 그 모양.
> • 일렁일렁: 크고 긴 물건 따위가 자꾸 이리저리로 크게 흔들리는 모양.

25 앞 낱말의 끝 글자로 시작하는 낱말을 다양하게 생각해 봅니다.

> **단원 평가** 교과서 진도북 31~33쪽
>
> **1** 예 음매 **2** ①, ⑤ **3** ⑤ **4** ⑴ 예 주룩주룩
> ⑵ 예 쨍쨍 **5** ⑤ **6** 예 아기가 아장아장 걷습니다.
> **7** 훌쩍훌쩍, 까르르 **8** ②, ⑤ **9** 예 씽씽 / 팔짝팔짝
> **10** 예 바람개비가 빙글빙글 돕니다. **11** ② **12** ⑴ ○
> **13** 숨을 내쉬었습니다. 등 **14** ⑴ ② ⑵ ③ ⑶ ①
> **15** ③ **16** ⑴ 소곤소곤 ⑵ 티격태격 **17** ㄵ
> **18** ② **19** ㉠ 안 ㉡ 앉 ㉢ 않 **20** ⑴ 만이 → 많이
> ⑵ 얄븐 → 얇은

1 송아지의 울음소리로 '음매', '엄매' 등을 쓸 수 있습니다.

2 '팡팡'은 물건이 갑자기 잇따라 튀는 소리나 모양을, '통통'은 물건이 잇따라 조금 무겁게 튀는 소리나 모양을 흉내 내는 말입니다.

3 '주렁주렁'은 열매가 많이 달려 있는 모양을 흉내내는 말입니다.

> **더 알아보기**
> ① 출렁출렁: 물 따위가 자꾸 큰 물결을 이루며 흔들리는 소리. 또는 그 모양.
> ③ 뭉게뭉게: 연기나 구름 따위가 크게 둥근 모양을 이루면서 잇따라 나오는 모양.
> ④ 주룩주룩: 굵은 물줄기나 빗물 따위가 빠르게 자꾸 흐르거나 내리는 소리. 또는 그 모양.

4 '쨍쨍' 다음에 '내리쬐다'가 들어감에 주의합니다.

> **더 알아보기**
> '쨍쨍' 다음에는 햇볕이 내리쬔다는 내용이 들어가야 합니다. '내리쬐다'를 '내려쬐다' 등으로 잘못 쓰지 않도록 주의합니다.

5 '단풍이 울긋불긋 물들었습니다.'가 자연스럽습니다.

6 '아기가 아장아장 걷습니다.', '엄마가 짝짝 박수를 칩니다.'와 같이 문장을 만들 수 있습니다.

7 '훌쩍훌쩍'은 흐느껴 우는 소리나 모양을, '까르르'는 웃는 소리나 모양을 흉내 내는 말입니다.

8 '두 눈이 반짝반짝 빛납니다.', '두 눈이 초롱초롱 빛납니다.'와 같이 흉내 내는 말을 넣을 수 있습니다.

9 '씽씽 줄넘기를 합니다.', '팔짝팔짝 뜁니다.'와 같이 문장을 만들어 생각해 봅니다.

10 바람개비가 도는 모양을 흉내 내는 말 '빙글빙글'을 넣어 문장을 만들 수 있습니다.

채점 기준	
평가	**답안 내용**
상	바람개비가 빙글빙글 돕니다.
	→ 문장의 내용이 그림과 알맞고, 흉내 내는 말도 문장과 자연스러움.
중	아이들이 빙글빙글 돌립니다.
	→ 흉내 내는 말 '빙글빙글'을 썼으나 '바람개비'를 넣지 못하여 문장이 자연스럽지 않음.
하	아이들이 바람개비를 돌립니다.
	→ 알맞은 흉내 내는 말을 넣지 못함.

11 '준비'는 미리 마련하여 갖춘다는 뜻의 말로 어떤 소리나 모양을 흉내 내는 말은 아닙니다.

12 발을 굴러 열심히 달리는 소리와 모양을 '다다다다'로 표현하였습니다.

13 '헉헉'은 숨이 차서 자꾸만 숨을 몰아쉬는 소리나 모양을 흉내 내는 말입니다.

14 천둥에 어울리는 소리, 고양이에 어울리는 소리, 피리에 어울리는 소리를 찾아 연결합니다.

15 '짖었다'고 하였으므로 ③에는 강아지가 짖는 소리 '멍멍'이 들어가는 것이 어울립니다.

16 소리나 모양을 다양하게 표현할 수 있지만 사전에 있는 맞춤법에 맞는 말도 바르게 익혀 둡니다. '소근소근'이 아닌 '소곤소곤', '티격티격'이 아닌 '티격태격', '우당탕탕'이 아닌 '우당퉁탕', '우당탕퉁탕'이 바른 말입니다.

17 '앉다'와 '얹다'에는 겹받침 'ㄵ'이 쓰입니다. '얹다'는 물건을 위에 올려놓는다는 뜻입니다. ◉ 선반 위에 그릇을 얹다.

18 실, 줄, 끈 따위의 이어진 것을 잘라 따로 떨어지게 하다의 뜻을 가진 '끊다'가 줄이 끊어지는 그림에 알맞은 낱말입니다.

> **왜 틀렸을까?**
> 그림에 알맞은 낱말을 알기 위해서는 낱말의 뜻을 잘 알고 있어야 합니다. 받침에 주의하여 알맞은 낱말을 골라 봅시다.
> ③ 끌다: 바닥에 댄 채로 잡아당기다.
> ④ 끓다: 액체가 몹시 뜨거워져서 소리를 내면서 거품이 솟아오르다.

19 '품에 안다', '의자에 앉다', '울지 않다'와 같이 문장 안에서 앞말과 이어 바른 낱말을 익혀 두는 것이 좋습니다.

> **더 알아보기**
> • 안다: 두 팔을 벌려 가슴 쪽으로 끌어당기거나 그렇게 하여 품 안에 있게 하다.
> • 앉다: 사람이나 동물이 윗몸을 바로 한 상태에서 엉덩이에 몸무게를 실어 다른 물건이나 바닥에 몸을 올려놓다.
> • 않다: 어떤 행동을 안 하다.

20 '놀이터에는 친구들이 많이 와 있었습니다. 얇은 옷을 입은 나는 조금 추웠습니다.'와 같이 '만이'는 '많이'로, '얄븐'은 '얇은'으로 고쳐 써야 합니다.

6

3. 문장으로 표현해요

1 (2) ○

1 예 (가을) 운동회 날

2 (1)
 (2)

3 응원을   **4** (1) 예 합니다 (2) 예 한 아이가   **5** 토끼

6 (1) ② (2) ③   **7** (1) ㉠ (2) ㉡, ㉢, ㉣

8

(1) " " , " " (2) ' ,

9 (1) ㉠ ○, ㉺ ○ (2) ㉡ ○, ㉫ ○ (3) ㉢ ○, ㉭ ○

10 해설 참조   **11** ④   **12** ⑤   **13** (1) 나

(2) 다   **14** (1) 예 소중하다. (2) 예 보기 좋다. **15** ④

16 ㉯   **17** (1) 동생이 (2) 웃습니다 (3) 잔잔합니다 (4) 배를

18 (1) ○   **19** (1) ㉡ (2) ㉠   **20** (1) 닮았습니다

(2) 얇은   **21** 맑, 굵   **22** (1) 끓다 (2) 넓다   **23** 삶아

24 ①, ④   **25** ⑤   **26** (1) 원숭이 (2) 나뭇잎

27 양보   **28** ①, ②   **29** 유진   **30** 예 원숭이야, 배가 고픈 친구를 위해 조금 시끄럽더라도 네가 좀 참아 주면 좋겠어. 예 기린아, 잠을 자는 원숭이에게 방해가 되지 않도록 다른 나뭇잎을 따 먹는 것이 좋겠어.

1 ㉠   **2** (1) 원숭이 (2) 기린   **3** 양보

---

1 그림을 보면 학생들이 학교 운동장에 모여 달리기를 하고 있고, 친구들을 응원하고 있는 것을 알 수 있습니다. 따라서 운동회를 하고 있는 장면을 그린 그림이라는 것을 짐작할 수 있습니다.

2 문장을 읽고, 문장과 어울리는 그림을 찾아 붙임딱지를 붙여 봅니다.

3 친구들이 응원을 하고 있는 모습입니다.

4 아이들이 줄넘기를 하고 있고, 한 아이가 넘어졌습니다.

5 마술사의 모자에서 토끼가 나왔고, 우리는 박수를 쳤습니다.

6 ' '는 작은따옴표이고 " "는 큰따옴표입니다.

7 ㉠ 문장에는 작은따옴표, ㉡, ㉢, ㉣ 문장에는 큰따옴표가 있습니다.

> **왜 틀렸을까?**
>
> 작은따옴표는 인물이 마음속으로 한 말을 적을 때 씁니다. 큰따옴표는 인물이 소리 내어 한 말을 적을 때 씁니다. 따라서 작은따옴표가 쓰인 '어떤 마술을 보여 줄까?'는 아이들이 마음속으로 궁금해한 말을 쓴 것이고, 큰따옴표가 쓰인 "여러분, 모두 여기를 보세요.", "모자 속에 무엇이 들어 있을까요?", "토끼가 나왔네요!"는 마술사가 소리 내어 한 말을 쓴 것입니다.

8 그림을 살펴보고 소리 내어 한 말이면 큰따옴표를, 마음속으로 한 말이면 작은따옴표를 붙입니다.

9 (1)은 마음속으로 한 말을 적을 때 쓰는 작은따옴표, (2)는 소리 내어 한 말을 적을 때 쓰는 큰따옴표, (3)은 궁금한 점을 물어볼 때 쓰는 물음표입니다.

10 소리 내어 한 말이면 큰따옴표를 쓰고, 물어보는 말에는 물음표를 씁니다.

> **더 알아보기**
>
>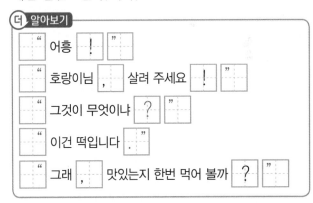
>
> " 어흥 ! "
>
> " 호랑이님 , 살려 주세요 ! "
>
> " 그것이 무엇이냐 ? "
>
> " 이건 떡입니다 . "
>
> " 그래 , 맛있는지 한번 먹어 볼까 ? "

11 남자아이의 생각을 보아 고맙다는 말을 하고 싶어한다는 것을 알 수 있습니다.

12 남자아이가 고마운 마음을 말로 표현하지 못하고 생각만 하고 있어서 여자아이는 어리둥절한 표정을 지었습니다.

13 나는 사이가 좋아 보이고, 다는 다투고 있는 듯한 모습입니다.

14 그림 나와 다를 보고 친구 관계에 대한 자신의 생각을 누가 어찌하다, 무엇이 어떠하다는 내용의 문장으로 써 봅니다.

더 알아보기

생각을 문장으로 나타내는 방법

① 하고 싶은 말을 떠올립니다.

② 자신의 생각을 간단히 말해 봅니다.

③ 자신의 생각이 분명히 드러나도록 문장을 만들어 씁니다.

15 아이들이 물놀이를 하고 있지는 않습니다.

16 한 장면을 보고 여러 개의 문장으로 표현한 ④가 더 자세합니다.

17 알맞은 낱말을 넣어 그림의 내용을 문장으로 표현해 봅니다.

18 문장에 낱말을 넣어 틀린 문장이 되지 않도록 주의해야 합니다.

19 잠자리의 배는 굵은 나뭇가지를 닮았고, 날개는 얇은 그물처럼 생겼다고 하였습니다.

21 '맑'자와 '굵'자에 받침 'ㄹㄱ'이 들어 있습니다.

더 알아보기

받침 'ㄹㄱ'이 쓰인 낱말

• 밝다: 불빛 따위가 환하다.

• 붉다: 빛깔이 핏빛 또는 익은 고추의 빛과 같다.

• 긁다: 손톱이나 뾰족한 기구 따위로 바닥이나 거죽을 문지르다.

22 (1)은 냄비에 물이 끓고 있고, (2)는 넓은 들판입니다. 받침에 주의하여 어울리는 낱말을 씁니다.

23 물에 넣고 끓이다는 뜻의 '삶다'를 활용하여 씁니다.

24 이른 아침부터 원숭이와 기린이 싸우고 있습니다.

25 서로 양보하지 않고 자기 입장만 내세웠습니다.

왜 틀렸을까?

기린은 원숭이가 자고 있는 나무의 나뭇잎이 먹고 싶었고, 원숭이는 조금 더 자고 싶은 마음에 다른 나뭇잎을 따 먹으라고 말하며 다툼이 일어났습니다. 기린과 원숭이의 대화를 통해 서로 양보는 하지 않고 자기 생각만 하고 있다는 것을 알 수 있습니다.

26 원숭이는 좀 더 자고 싶었고, 기린은 나뭇잎을 먹고 싶었습니다.

27 사자는 기린과 원숭이에게 조금씩만 양보하라고 하였습니다.

28 코끼리는 사자에게 훌륭하다고 말하였고, 악어는 사자에게 지혜롭다고 말하였습니다.

29 유진이가 사자와 같은 경험을 말하였습니다.

왜 틀렸을까?

사자는 싸우고 있는 원숭이와 기린에게 서로 조금씩 양보하라고 말하고 있습니다. 기린은 배가 고파서 원숭이가 자고 있는 나무의 잎을 먹은 것이고, 원숭이는 잠자는 데 방해가 되어 기린에게 화가 난 것이라고 설명해 주고 있습니다. 사자의 말을 통해 원숭이와 기린이 화해하고 있으니 다투는 친구들을 말리고 화해를 시킨 적이 있다고 말하는 유진이가 사자와 같은 경험을 했다고 할 수 있습니다.

30 원숭이나 기린에게 하고 싶은 말을 문장으로 써 봅니다.

채점 기준

다음 내용에 모두 '예'로 답할 수 있는 답안만 정답으로 인정합니다.

	예	아니요
• 누구에게 하는 말인지 드러나게 썼나요?	○	×
• 자신의 생각이 잘 드러나게 문장으로 썼나요?	○	×

단원 평가 교과서 진도북 **46~49**쪽

1 ⑤   **2** 깃발을   **3** (1) ○   **4** ㉢   **5** ④

6 (2) ○   **7** 큰따옴표   **8** ⑤

9

	"	"		"	"
			,		

10 ③   **11** (2) ○   **12** (1) 예 웃으면서   **13** 넓은

14 볶음밥   **15** (1) 읽다 (2) 밝다   **16** 긁   **17** 얇은

18 ⑤   **19** ⑤   **20** 예 서로 조금씩 양보해야 합니다.

1 아이들의 사진을 찍고 있는 선생님은 없습니다.

2 선생님은 깃발을 들고 있습니다.

3 마침표는 ☐ 와 같이 씁니다.

4 '어떤 마술을 보여 줄까?'의 문장 양쪽 끝에 작은따옴표가 쓰였습니다.

5 따옴표는 문장의 양 끝에 씁니다.

6 작은따옴표는 인물이 마음속으로 한 말을 적을 때 씁니다.

7 ㉠과 ㉡에 모두 큰따옴표가 있습니다.

8 글쓴이가 말하고자 하는 뜻이 잘 전달되지 않아서 읽는 사람이 뜻을 쉽게 파악하기 어려워집니다.

9 소리를 내어 한 말은 큰따옴표를 씁니다.

10 물어보는 문장이므로 물음표를 씁니다.

11 혜미는 더워서 괴로운 상황입니다. 더우니 창문을 열어 달라고 공손히 말해야 합니다.

> **왜 틀렸을까?**
> 혜미의 아버지는 어른이기 때문에 어른에게 부탁의 말을 건넬 때는 공손하게 말을 해야 합니다.

12 상황을 생생하게 나타내는 낱말을 넣어 더 자세하게 쓸 수 있습니다.

13 'ㄼ'을 써서 '넓은'을 씁니다.

14 '볶음밥'이 맞는 표현입니다.

15 (1)은 책을 읽고 있는 장면이고, (2)는 빛을 밝게 비추는 장면입니다.

16 '굵' 자에 'ㄺ'이 쓰였습니다.

17 '얇다'의 뜻입니다. 잠자리의 날개는 얇은 그물처럼 생겼다고 표현할 수 있습니다.

18 많은 동물이 모여 살아서 다툼이 많다고 하였습니다.

19 '물러나지 안았어요'를 '물러나지 않았어요'로 고쳐야 합니다.

> **왜 틀렸을까?**
> 서로 다른 두 개의 자음으로 이루어진 받침을 겹받침이라고 합니다. '안았어요'의 '안다'는 무언가를 품에 안는다는 뜻입니다. '아니 하였어요'의 뜻을 가진 '않았어요'로 써야 바릅니다.

20 어떻게 하면 원숭이나 기린이 다투지 않고 화해할 수 있을지 자신의 생각을 문장으로 써 봅니다.

채점 기준

평가	답안 내용
상	서로 조금씩 양보해야 합니다.
	→ 서로 양보하거나 배려해야 한다는 내용으로 씀.
중	사자가 나서서 화해시켜야 합니다.
	→ 글의 내용을 미리 알고 써서 자신의 생각이 잘 드러나지 않음.
하	기린이 잘못했습니다.
	→ 다투지 않을 방법이 아닌 한 동물만의 잘못을 탓함.

4. 바른 자세로 말해요

퀴즈

교과서 진도북 51쪽

1 (1) ○

진도 학습

교과서 진도북 53~61쪽

3 ③   **4** ②   **5** (1) ○ (2) ○ (3) ×   **6** ①
7 ③   **8** 딴생각   **9** ⑤   **10** (1) ○   **11** ⑤
12 ('말'을 먹고 사는) 왱왱이 말 벌레   **13** ⑤   **14** 귀
15 ⑤   **16** ④   **17** 딴생각   **18** ①, ④   **19** 기운, 목소리   **20** (1) ○   **21** (1) 바라보며 (2) 기울여
22 (1) 고개 (2) 듣는 사람 (3) 자세 (4) 큰 목소리   **23** ③
24 (1) ○   **25** 콩 한 알   **26** (1) ② (2) ① (3) ③
27 (1) ㉠ (2) ㉡   **28** ①, ⑤   **29** 병아리 (한 쌍)
30 (1) ○ (2) ○   **31** 송아지   **32** ④   **33** ①

자습서 확인 문제 58쪽

1 ㉡   **2** ④   **3** 말하는 사람

1~2 동물원에서 여럿이 함께 선생님의 설명을 듣고 있습니다. 선생님을 바라보며 듣고, 이해가 되었으면 고개를 끄덕여도 좋습니다. 옆 친구와 이야기하거나 이야기를 듣는 장소를 벗어나면 안 됩니다.

3 선생님께서 설명하실 때에 딴짓을 하면 안 됩니다.

> **더 알아보기**
> **여럿이 함께 들을 때의 예절**
> ① 말하는 사람을 바라보며 듣습니다.
> ② 이해가 되었으면 고개를 끄덕여도 좋습니다.
> ③ 다른 친구가 말을 할 때 방해하지 않습니다.
> ④ 이야기를 듣는 장소를 벗어나면 안 됩니다.

4 뒤돌아서 떠드는 남자아이는 들을 때의 예절에 어긋나게 행동하였습니다.

5 이야기를 듣는 중간에 말하는 사람의 말을 끊어서는 안 됩니다.

6 토토는 귀가 아주 큰 꼬마 토끼라고 하였습니다.

7 엄마는 쓰레기를 버리러 가셨는데 엄마가 없어진 줄 알고 토토는 엉엉 울었습니다.

8 곰순이가 약속 장소를 말하였지만 토토는 딴생각을 하느라 듣지 못했습니다.

9 토토는 친구들 말이 자신의 귀로 들어오지 않고 어디로 가 버렸는지 궁금해하였습니다.

10 선생님의 말씀에 귀 기울이지 않아서 토토는 준비물을 잘못 들었습니다.

11 준비물을 제대로 챙겨 오지 못한 토토에게 친구들은 화를 냈고, 토토네 모둠 작품은 영 볼품이 없었습니다.

12 토토가 귀를 털자 왱왱이 말 벌레가 나왔습니다.

13 왱왱이 말 벌레는 귀로 들어가지 못하고 밖에서 맴도는 말을 먹고 삽니다. 토토는 딴생각을 자주 했고, 토토가 딴생각을 할 때 귀로 들어가지 못한 말이 많아서 토토의 귀에 집을 지었습니다.

14 말이 토토의 귀로 제대로 들어가지 못하고 밖에서 맴돌게 되면, 왱왱이 말 벌레가 그 말을 먹는다고 하였습니다.

15 토토가 딴생각하면 먹을 것이 많아져 왱왱이 말 벌레가 좋아합니다.

16 토토는 속이 상하고 화가 났습니다.

17 토토가 딴생각을 안 해야 왱왱이 말 벌레가 먹을 것이 없어집니다.

18 토토는 왱왱이 말 벌레를 쫓아내기로 결심했습니다. 왱왱이 말 벌레는 토토가 딴생각을 하면 귓속으로 들어가지 못하고 맴도는 말을 먹는다고 하였으므로 토토는 딴생각을 안 하고 다른 사람의 말을 귀 기울여 듣기로 결심하였습니다.

19 말을 먹지 못해서 점점 기운을 잃고 목소리는 작아졌습니다.

평가	답안 내용
상	'기운'과 '목소리'를 각각 정확하게 씀.
하	'기운'과 '목소리' 중 하나만 알맞게 씀.

채점 기준

20 언제든 딴생각이 많아지면 다시 찾아온다고 하였습니다.

21 말하는 사람을 바라보고, 말하는 사람의 말을 귀 기울여 듣습니다.

22 자신 있게 말하는 자세를 정리해 봅니다.

23 글쓴이의 꿈은 요리사입니다.

24 듣는 사람을 바라보며 바른 자세로 서서 큰 목소리로 말합니다.

25 콩 한 알을 주며 할아버지 생신 선물을 준비하라고 하였습니다.

26 큰딸은 콩 한 알로 선물을 어떻게 준비하냐며 창밖으로 던져 버렸습니다.

27 인물의 마음을 살펴 인물의 마음에 어울리는 표정과 목소리를 생각합니다.

28 느낌을 살려 이야기를 읽어 주려면 인물의 마음을 알아보고 인물의 마음에 어울리는 표정과 목소리로 읽어야 합니다.

29 막내딸은 꿩을 팔아 병아리를 샀습니다.

30 큰딸과 둘째 딸은 선물을 마련하지 못해 고개만 숙이고 아무 말도 못하였습니다.

31~32 막내딸은 병아리 때부터 키운 닭이 달걀을 낳으면 병아리를 까게 하여 다시 닭으로 키웠고, 닭들을 팔아 송아지를 샀습니다.

33 콩 한 알로 송아지를 마련한 막내딸을 보며 기특하고 대견한 마음이 들었을 것입니다.

단원 평가 교과서 진도북 **62~65**쪽

1 나, 마, 바 **2** ②, ④ **3** (1) 예 가 (2) 예 다른 곳을 바라보지 않고 선생님을 쳐다보며 들어야 해.
4 상자 **5** 딴생각 **6** ① **7** ② **8** 굵겠지
9 (1) ○ **10** 지유 **11** 현장 체험학습 **12** (2) ○
13 ② **14** 꿩 **15** (3) ○ **16** 예 지혜롭다.
17 (1) ② (2) ② (3) ① **18** ④ **19** 연습 **20** ④

1 나, 마, 바 친구가 바른 자세로 듣고 있습니다.

2 말하는 사람을 바라보고, 중요한 내용을 받아 적으며 들었습니다.

3 가, 다, 라, 사, 아 중 한 명을 골라 고른 친구의 고칠 점을 씁니다.

채점 기준	
평가	답안 내용
상	(1) 예 다 (2) 예 친구와 떠들지 말고 선생님 말씀을 잘 들어야 해. → 가, 다, 라, 사, 아 중 한 명을 골라 고칠 점을 알맞게 씀.
하	(1) 예 사 (2) 예 그러면 안 돼. → 고칠 점이 무엇인지 제대로 드러나지 않게 쓴 경우.

왜 틀렸을까?

• 선생님의 말씀을 열심히 듣고 있는 사람과 열심히 듣지 않는 사람으로 나누어 봅니다.

열심히 듣는 사람	열심히 듣지 않는 사람
나, 마, 바	가, 다, 라, 사, 아

– 가 : 딴곳을 바라보고 있습니다.
– 다, 라 : 선생님을 바라보지 않고 옆 친구와 이야기를 나누고 있습니다.
– 사, 아 : 선생님의 말씀을 듣지 않고 자리를 이동하고 있습니다.

4 토토는 상자를 가져오기로 했는데 색종이를 가져왔습니다.

5 토토가 딴생각을 해서 선생님의 말씀을 제대로 듣지 못하였습니다.

6 왱왱이 말 벌레는 토토가 딴생각을 할 때 귀로 들어가지 못한 말을 먹습니다.

7 딴생각을 안 하면 말들이 토토의 귓속으로 들어가게 됩니다.

8 식사를 하지 않고 거른다는 뜻의 낱말은 '굶다'라고 씁니다. 겹받침 'ㄻ'에 주의하여 씁니다.

9 바른 자세로 엄마의 말을 들었더니 말이 밖에서 맴돌지 않고 토토의 귓속으로 들어갔습니다.

10 말하는 사람을 바라보며 들어야 합니다. 듣는 도중에 궁금한 점이 생기면 기다렸다가 물어볼 기회를

받으면 묻는 것이 좋습니다.

11 첫 번째 문장을 보면 내일은 수목원으로 현장 체험 학습을 가는 날이라고 하였습니다.

12 ⑵가 선생님의 말씀대로 과자를 통에 담아 넣었고, 물과 돗자리를 챙긴 모습입니다.

13 말끝을 흐리지 말고 또박또박 정확하게 말합니다.

더 알아보기
바른 자세로 말해야 하는 까닭
① 말하는 사람이 바른 자세로 서 있지 않으면 듣는 사람이 이야기의 내용에 집중할 수가 없습니다.
② 목소리가 너무 작으면 무슨 이야기인지 정확하게 알기 어렵습니다.

14 막내딸은 산에 올라가 콩을 미끼로 써서 꿩을 잡았습니다.

15 꿩을 팔아서 무엇을 살지 곰곰이 떠올리는 표정과 기분 좋은 목소리로 읽으면 인물의 마음이 더 잘 드러나게 할 수 있습니다.

더 알아보기
느낌을 살려 이야기 읽어 주기
① 인물의 마음을 생각하며 이야기를 읽습니다.
② 인물의 마음에 어울리는 표정으로 읽습니다.
③ 인물의 마음에 어울리는 목소리로 읽습니다.

16 콩 한 알로 송아지를 마련한 막내딸은 지혜로운 인물입니다.

17 막내딸은 송아지를 데려왔지만 큰딸과 둘째 딸은 아무것도 준비하지 못하였습니다.

더 알아보기
막내딸이 송아지를 사게 된 이야기
막내딸은 콩으로 꿩을 잡고, 잡은 꿩을 팔아 병아리 한 쌍을 샀습니다. 병아리를 닭이 될 때까지 잘 키우고, 닭이 달걀을 낳으면 병아리를 까게 하여 다시 닭으로 키웠습니다. 막내딸은 이렇게 생긴 닭들을 팔아 송아지까지 마련할 수 있었습니다.

18 첫 번째 문장을 읽고 글쓴이가 무엇을 잘하는지 알수 있습니다.

19 피아노를 잘 치려면 조금씩이라도 매일 연습하는 것이 중요하다고 하였습니다.

20 친구들 앞에서 발표를 할 때에는 글의 내용에 어울리는 표정을 지으며 말합니다.

5. 알맞은 목소리로 읽어요

퀴즈
교과서 진도북 **67** 쪽

1 (2) ○

진도 학습
교과서 진도북 **69~75** 쪽

1 ②, ③   **2** (3) ○   **3** 예 내 운동화 두 짝이 / 엄마 귀고리 두 짝이   **4** 공 굴리기   **5** ③   **6** 꾀꼬리
7 미현   **8** ④   **9** ①, ⑤
10

참새	노랑나비

11 도진   **12** ①   **13** ④   **14** 걱정돼요
15 (1) ① (2) ②   **16** ⑤   **17** (3) ○   **18** ④
19 예 슬프다 / 속상하다 / 마음이 아프다   **20** ③, ⑤
21 ⑤   **22** 예 냄새를 맡은 것 / 냄새만 맡은 것
23 (1) ③ (2) ①   **24** ②   **25** ②   **26** ③
27 (1) ㉠, ㉢ (2) ㉡, ㉣

1 젓가락 두 짝이 똑같고 윷가락 네 짝이 똑같다고 하였습니다.

2 '똑같은가', '똑같아요' 등의 되풀이되는 말의 재미를 느낄 수 있는 노래입니다.

3 두 개가 서로 짝을 이루며 같은 모양을 한 물건을 떠올려 씁니다.

4 '나'는 학교에서 공 굴리기 놀이를 하였습니다.

5 '나'는 호순이와 짝이 되었다고 하였습니다.

6 글을 읽을 때에는 꾀꼬리가 읽은 것처럼 알맞은 빠르기로 또박또박 읽어야 합니다.

7 알맞은 목소리로 글을 읽으면 듣는 사람이 더 편안하게 들을 수 있고 글의 내용도 잘 이해할 수 있어서 좋습니다.

8 집에 즐거운 일이 있으면 다 부른다고 하였습니다.

9 시에서 되풀이되어 나온 말을 찾습니다. '너도 와', '집에 즐거운 일이 있으면'이 두 번 나왔습니다.

10 2연에서 참새, 3연에서 노랑나비를 만나서 집으로 불렀습니다.

11 즐거운 일이 있을 때 만난 노랑나비를 집으로 초대하는 말이므로, 부르는 말의 느낌을 살려 읽습니다.

더 알아보기

소리 내어 시 「너도 와」 읽기

① 시 속 인물의 즐거운 마음이나 시에서 떠오르는 즐거운 장면을 생각하며 읽습니다.

모두 모이면 즐겁겠는걸!

② '참새야, 너도 와.'나 '노랑나비야, 너도 와.' 부분은 부르는 말의 느낌을 살려서 읽습니다.

12 "이 알을 모두 꺼내 가야지."라고 말한 것을 보면 아이가 새알을 모두 꺼내 가려고 하는 것을 알 수 있습니다.

13 ㉠은 인물이 한 말이 아니므로 일어난 일을 설명하듯이 읽는 부분에 해당합니다.

14 새는 자신의 알을 모두 가져간다는 말을 듣고 걱정스러웠을 것입니다.

15 인물의 말은 실제로 말하듯이 읽고, 이야기의 설명 부분은 일어난 일을 설명하듯이 읽습니다.

16 아이가 한 말 "하나, 둘, 셋, 넷, 다섯 마리로구나."를 통해 알 수 있습니다.

17 새는 자신의 새끼 새들을 가져가려는 아이에게 고운 털이 나면 가져가라고 하였습니다.

18 새끼 새들을 빼앗길 수도 있는 상황이므로 다급한 목소리, 애원하는 목소리가 어울립니다.

19 나무는 친구를 잃어서 슬프고 아이가 원망스러웠을 것입니다.

채점 기준

평가	답안 내용
상	예 슬프다 / 아이가 밉다 / 화가 난다
	→ 친구를 잃은 나무의 마음으로 알맞은 내용을 문장의 형태에 맞게 씀.
중	예 싫다 / 별로다
	→ 나무가 처한 상황에 맞기는 하지만 나무의 기분이 뚜렷이 드러나는 표현으로 보기 어려움.
하	예 훌쩍
	→ 나무의 기분을 알 수 있는 표현이지만 문장으로 끝맺어 쓰지 못한 경우.

20 구두쇠 영감과 최 서방이 나오는 이야기입니다.

21 구두쇠 영감이 최 서방을 붙잡고 화를 내며 한 말이므로 화난 목소리로 읽는 것이 잘 어울립니다.

22 구두쇠 영감은 국밥 냄새를 맡은 것도 국밥을 먹은 것과 같다고 하였습니다.

채점 기준	
평가	답안 내용
상	예 냄새를 맡은 것 / 냄새만 맡은 것
	→ '냄새를 맡은 것'이라는 내용이 분명히 드러나게 씀.
하	예 냄새
	→ 일부 내용을 빠뜨리고 쓴 경우.

23 이야기의 내용만 나오는 부분은 일어난 일을 설명하듯이 읽고, 인물이 한 말은 실제로 말하는 것처럼 읽습니다.

> **왜 틀렸을까?**
> ⊙ "아, 국밥 냄새를 맡았으면 돈을 내야지."
> → 구두쇠 영감이 화를 내며 한 말이므로, 화가 난 마음이 느껴지는 목소리로 읽습니다.
> ⓒ 최 서방은 기가 막혔어요.
> → 이야기의 내용을 설명하는 부분이므로, 설명하듯이 읽습니다.
> ⓒ "냄새 맡은 값이라니요?"
> → 최 서방이 황당해하며 묻는 말이므로, 당황한 마음이 느껴지는 목소리로 읽습니다.

24 엽전이 들어 있는 돈주머니를 흔들면 '짤랑짤랑' 소리가 날 것입니다.

> **더 알아보기**
> ① 쿵쾅쿵쾅: 터지는 소리나 북소리 등이 크고 작게 변하면서 계속 요란하게 울릴 때 나는 소리. 또는 단단하고 큰 물건이 계속 부딪치며 나는 소리.
> ③ 삐악삐악: 병아리가 우는 소리를 흉내 내는 말.
> ④ 철썩철썩: 철써덕철써덕을 줄여 쓴 말로, 많은 물 같은 것이 부딪치는 소리나 모양을 흉내 내는 말.
> 예 파도가 철썩철썩 치고 있습니다.
> ⑤ 꿀꺽꿀꺽: 액체나 음식물 등이 목구멍으로 한꺼번에 많이 넘어가는 소리나 모양을 흉내 내는 말.
> 예 몹시 목이 말라서 물을 꿀꺽꿀꺽 마셨습니다.

25 최 서방은 구두쇠 영감에게 돈주머니를 흔들어 돈이 흔들리는 소리를 들려주는 것으로 냄새 맡은 값을 냈습니다.

26 구두쇠 영감은 창피하여 얼굴이 빨개졌습니다.

27 인물이 한 말은 실감 나게 말하듯이 읽고, 나머지 이야기 부분은 일어난 일을 설명하듯이 읽습니다.

단원 평가	교과서 진도북 76~79쪽

1 ② **2** 똑같아요 **3** ② **4** (1) 짝 (2) 큰 공
5 ②, ④ **6** (2) ○ **7** ③ **8** (2) × **9** 주호
10 (3) ○ **11** ③ **12** (1) ③ (2) ① (3) ②
13 부드러운 느낌, 귀여운 느낌 **14** ④ **15** ③
16 (고운) 털 **17** (3) ○ **18** ⑤ **19** ②, ⑤
20 (1) ③ (2) ①

1 딸기와 수박은 서로 똑같지도 않고 짝을 이루는 것도 아니므로, ⊙과 바꾸어 쓸 수 없습니다.

2 첫 번째 연의 끝부분에 쓰인 '똑같아요'가 들어가기에 알맞은 부분입니다.

3 '나'는 학교에서 호순이와 짝이 되어 공 굴리기 놀이를 하였습니다.

4 공 굴리기 놀이는 짝과 함께 큰 공을 빨리 굴리는 놀이입니다.

채점 기준	
평가	답안 내용
상	(1)에 '짝'을, (2)에 '큰 공'을 모두 정확하게 씀.
중	(1)에 '짝'을, (2)에 '큰 공'을 썼으나 틀린 글자가 있는 경우.
하	(1)이나 (2) 중에서 한 가지만 알맞게 쓴 경우.

5 알맞은 크기와 빠르기의 목소리로 글을 읽습니다.

6 알맞은 목소리로 읽으면 듣는 사람이 편안하게 들을 수 있고 글의 내용도 잘 이해할 수 있습니다.

7 시에서 우리들은 즐거운 일이 있으면 다 부른다고 하였습니다.

8 집에 즐거운 일이 있으면 꽉 찬다는 내용 등으로 보아 즐겁고 행복한 장면을 떠올릴 수 있는 시입니다.

9 집에 즐거운 일이 생겨서 많은 사람이 모인 경험을 이야기한 친구를 찾습니다.

10 즐거운 마음을 담아 친구를 초대하듯이 부르는 말의 느낌을 살려 읽으면 더욱 실감 납니다.

11 즐겁고 행복한 마음을 느낄 수 있으므로, 집에 사람이 많으면 힘들기만 하다는 생각은 '우리들'의 마음으로 보기 어렵습니다.

12 1연에서 나팔꽃이 '뚜, 뚜.' 하며 일어나라고 하였고, 2연에서 아침 이슬이 '똑, 똑.' 하며 세수하라고 하였습니다. 3연에서는 아침 해가 '방긋, 방긋' 노래하자고 하였습니다.

13 아침에 부드럽게 깨우는 느낌, 귀엽고 예쁜 느낌을 살려서 읽을 수 있는 부분입니다.

14 알을 모두 꺼내 가야겠다는 아이의 말은, 장난스러운 목소리나 욕심이 많은 목소리가 어울립니다.

15 알을 빼앗길까 봐 걱정하며 다급하게 애원하는 목소리로 읽을 수 있는 부분입니다.

16 새는 아이에게 새끼 새들에게 털이 날 때까지 기다려 달라고 하였습니다. 며칠이 지나서 와 보니 새는 이미 도망가고 없었습니다.

17 '며칠이 지나 새알은 모두 새끼 새가 되었습니다.' 부분은 이야기의 내용을 쓴 부분이므로 일어난 일을 설명하듯이 읽습니다.

> **왜** 틀렸을까?
>
> ⑴ 그럼 그러지.
> → 아이가 어미 새의 부탁을 듣고 대답하는 말입니다. 알겠다는 느낌이 드러나게 읽습니다.
> ⑵ 지금은 안 됩니다, 착한 도련님.
> → 어미 새가 아이에게 부탁하는 말입니다. 지금 가져가면 안 된다고 부탁하는 마음이 느껴지게 읽습니다.

18 새끼 새들이 사라진 영문을 몰라 궁금해하고 있으므로 말끝을 올려서 물어보는 목소리로 읽습니다.

19 나무는 아이 때문에 친구를 잃어 슬프고 화날 것입니다.

20 구덩이에 빠졌던 호랑이는 화가 났을 것이고, 부채 때문에 코가 커진 사람은 놀랐을 것입니다. 호랑이의 말은 화난 목소리로, 코가 커진 사람은 깜짝 놀란 목소리로 읽습니다.

> **더** 알아보기
>
>
> 에구머니, 이게 뭐야?
> → 빨간 부채로 코를 부치면 코가 커지고, 파란 부채로 코를 부치면 코가 작아지는 것에 놀란 장면입니다.

---

6. 고운 말을 해요

퀴즈   교과서 진도북 **81**쪽

1 ㉡

진도 학습   교과서 진도북 **83~89**쪽

1 ⑤	**2** ②	**3** ②	**4** ⑵ ○	**5** 뾰족
6 ⑴ ③ ⑵ ①		**7** ⑤	**8** ⑤	**9** 딱딱한
10 ⑤	**11** ④	**12** ③	**13** ⑴ × ⑵ ○ ⑶ ○	
14 ④	**15**			

> **15** 걱정스럽다.

16 ⑴ 화나요 ⑵ 미안해요   **17** ⑵ ○ ⑶ ○

18 창수   **19** 수민   **20** ⑵ ○

21 예 친구들 앞에 서니까 / 너희들 앞에 서니까

22 ⑶ ○   **23** ④, ⑤   **24** ③   **25** ⑤

26 ⑴ ㉡ ⑵ ㉠ ⑶ ㉢

자습서 확인 문제 86쪽

1 ㉡   **2** 고운   **3** 예 고마운

1 동수는 친구들 앞에서 노래를 부르고 칭찬을 들었습니다.

2 동수의 생일잔치를 하는 그림이므로, "생일 축하해."라는 말을 들었을 것입니다.

3 동수는 친구들로부터 기분을 좋게 하는 말을 들었습니다.

> **더** 알아보기
>
> • 기분을 좋게 하는 말 예
> – 친구야, 힘내.
> – 내가 도와줄게.
> – 넌 할 수 있어.

4 들었을 때 기분을 좋게 하는 말을 구별해 봅니다. ⑴이나 ⑶과 같은 말을 듣는다면 기분이 좋지 않을 것입니다.

5 달콤 박쥐와 뾰족 박쥐가 살고 있었습니다.

6 달콤 박쥐는 "친구들아, 정말 반가워!"라고 말하며 동물들을 반갑게 맞아 주었지만, 뾰족 박쥐는 "친구는 무슨 친구! 흥!" 하고 말하며 고운 말을 쓰지 않았습니다.

7 고운 말로 반갑게 맞아 준 달콤 박쥐 덕분에 기분이 좋을 것이고, 달콤 박쥐와 친하게 지내고 싶은 마음도 들 것입니다.

> **더 알아보기**
> • 고운 말을 쓰면 좋은 점
> ① 듣는 사람의 기분을 좋게 해 줍니다.
> ② 친구와 사이좋게 지낼 수 있습니다.
> ③ 친구의 마음을 생각하며 말할 수 있습니다.

8 달콤 박쥐는 과일나무에 탐스러운 열매가 열리자 나무에게 고맙다고 인사한 다음 동물들을 초대해서 오순도순 열매를 나눠 먹었습니다.

9 가시나무에는 딱딱한 열매가 듬성듬성 열렸다고 하였습니다.

10 뾰족 박쥐가 딱딱한 열매를 먹어 보고 한 말을 보면 어떤 맛일지 짐작할 수 있습니다. "퉤퉤! 무슨 맛이 이래?"라고 말하며 뱉어 버렸으므로 맛이 없었을 것입니다.

11 가시나무는 자신의 열매를 멋대로 따 먹고는 투덜거리며 뱉어 버린 뾰족 박쥐에게 기분이 상하였을 것입니다.

12 뾰족 박쥐가 달콤 박쥐에게 화를 내며 싸운 내용은 나타나 있지 않습니다.

13 울지 말라고 달래 주는 말, 고마운 마음을 나타내는 말은 고운 말에 해당합니다.

14 세현이의 새 장난감을 희동이가 함부로 가지고 놀다가 망가뜨리고 말았습니다.

15 세현이는 희동이가 장난감을 높이 던지면서 놀 때 장난감이 망가질까 봐 걱정스러웠을 것입니다.

16 새 장난감이 망가진 세현이는 속상한 마음이 들 것입니다. 화가 날 수도 있고, 슬프게 생각할 수도 있습니다. 희동이는 세현이의 장난감을 망가뜨려서 미안한 마음이 들었을 것입니다.

17 기분을 나타내는 말과 왜 그런 기분이 드는지 까닭을 함께 말하면 기분이 잘 드러나게 말할 수 있습니다.

18 정민이처럼 친구에게 아기 같은 옷을 입고 왔다고 놀리면 그 말을 듣는 친구는 기분이 좋지 않을 것입니다.

19 예은이는 친구의 잘못을 지적하는 말을 하였고, 수

민이는 친구에게 고운 말로 도와준다고 하였습니다.

20 고운 말을 쓰면 서로 기분이 좋아지고, 더욱 친해질 수 있습니다.

21 많이 떨린다는 말만 하면, 친구들이 내 기분을 잘 알지 못할 수도 있습니다. 그런 기분이 든 까닭을 함께 말하는 것이 좋습니다.

평가	답안 내용
상	예 친구들 앞에 서니까 → 많이 떨린다는 기분을 나타내는 말의 앞에 들어갈 까닭으로 적절한 내용을 씀.
중	예 너희들 때문이야. → 많이 떨리는 까닭으로 볼 수 있는 내용이지만 뒤에 나오는 말과 자연스럽게 이어지지 않음.
하	예 어쩐지 → 많이 떨린다는 기분을 나타내는 말의 앞에 들어갈 까닭으로 적절하지 않음.

22 속상한 기분이 든 까닭을 함께 말하면 잘못을 한 친구도 내 기분을 잘 알 수 있습니다.

23 지우는 자신이 읽고 있던 책을 더 읽고 싶은데 승호가 갑자기 바꾸어 읽자고 하여 난처한 기분이 들었을 것입니다.

> **더 알아보기**
> • 듣는 사람을 생각하며 자신의 기분 말하기
> ① 자신의 솔직한 기분을 생각해 봅니다.
> ② 듣는 사람의 기분을 생각하며 말합니다.

24 지우가 승호의 기분을 생각하며 자신의 솔직한 기분을 잘 말했기 때문에 기분이 상하지 않았습니다.

> **왜 틀렸을까?**
> ① 너는 맨날 그러더라? → 친구의 기분을 상하게 할 수 있는 말입니다.
> ② 읽던 책이나 마저 읽어. → 이 말을 들은 친구가 무안할 수 있을 것입니다.
> ④ 그렇게 참을성이 없어서 어떡하니? → 친구를 탓하는 말에 해당합니다.
> ⑤ 이 책은 어려워서 너는 읽기 힘들걸? → 친구를 무시하는 말입니다.

25 민지가 정민이의 그림에 물을 엎질렀습니다. 민지의 기분을 생각하며 정민이의 솔직한 기분을 말하는 것이 좋습니다.

정답과 풀이 | **15**

26 친구가 약속 시간에 늦은 상황, 친구가 자신의 지우개를 착각하고 가져갔던 상황, 친구가 자신에게 빗물을 튀긴 상황에 알맞은 대답을 떠올려 봅니다.

단원 평가
교과서 진도북 **90~93** 쪽

1 ②	**2** ③	**3** ④	**4** ㉠
5 (1) ② (2) ①			**6** (1) 달콤 박쥐
(2) 나무님, 감사해요!			**7** (1) ②, ③ (2) ①
8 ⑤	**9** ③	**10** (2) ○	**11** ③
12 ②	**13** ③	**14** ②, ⑤	**15** (3) ○
16 (1) ㉠ (2) ㉡		**17** (2) ○	**18** ㉠
19 (1) ② (2) ③		**20** ①, ③	

1 동수는 첫 번째 그림에서 모자가 참 잘 어울린다는 말을 들었고, 두 번째 그림에서는 노래를 참 잘한다는 말을 들었습니다.

2 친구가 자신에게 함께 놀자고 하였으므로 기분이 좋았을 것입니다.

3 "이제 너랑 안 놀아." 같은 말을 들으면 기분이 좋지 않을 것입니다.

4 친구들을 반갑게 맞이하며 하는 말이 고운 말에 해당합니다.

5 ㉠과 같은 고운 말을 들으면 기분이 좋을 것이고, ㉡과 같은 말을 들으면 기분이 좋지 않을 것입니다.

6 달콤 박쥐가 한 말이 고운 말입니다.

채점 기준

평가	답안 내용
상	달콤 박쥐를 고르고, 달콤 박쥐가 한 말을 문장부호까지 정확하게 찾아 씀.
중	달콤 박쥐를 고르고, 달콤 박쥐가 한 말을 썼지만 틀린 글자가 있거나 문장 부호를 빠뜨린 채 쓴 경우.
하	달콤 박쥐를 고르기만 하고 달콤 박쥐가 한 말을 제대로 쓰지 못한 경우.

7 달콤 박쥐는 과일나무에게 공손히 인사하고 동물들을 초대하였습니다.

8 뾰족 박쥐는 딱딱한 열매에 머리를 맞아 아파서 훌쩍훌쩍 울었습니다.

9 달콤 박쥐가 울고 있던 자신을 달래 주고, 맛있는 열매를 같이 먹으러 가자는 말을 하였으므로, 뾰족 박쥐는 달콤 박쥐에게 고마울 것입니다.

10 달콤 박쥐와 뾰족 박쥐가 사이좋게 매달려 있었으므로 웃는 얼굴이 어울립니다.

11 첫 번째 그림에서 세현이는 희동이에게 새 장난감을 보여 주었습니다.

12 희동이는 세현이가 보여 준 새 장난감을 부러워하였습니다.

13 세현이는 자신의 장난감이 망가질까 봐 걱정스러웠을 것입니다.

14 '새 장난감이 망가져서' 부분은 그런 기분이 든 까닭이므로, 세현이의 기분을 나타내는 말로는 슬프거나 속상하다는 말이 잘 어울립니다.

15 희동이는 자신이 세현이의 장난감을 망가뜨려서 미안한 마음이 들었을 것입니다. 이처럼 그런 기분이 드는 까닭을 함께 말하면 자신의 기분을 더 잘 나타낼 수 있습니다.

16 ㉠이 그런 기분이 든 까닭, ㉡이 기분을 나타내는 말에 해당합니다.

17 화만 내면 듣는 친구의 기분이 안 좋아질 수 있으므로, 속상한 자신의 기분을 까닭과 함께 차분하게 말하는 것이 좋습니다.

18 왜 그런 기분이 드는지 더 잘 이해할 수 있기 때문에 기분을 말할 때 그런 기분이 드는 까닭을 함께 말하는 것이 좋습니다.

19 그림에 물을 엎지른 친구와 빗물을 튀긴 친구에게 알맞은 말을 구별해 봅니다.

20 자신의 잘못에 대해 솔직하게 사과하며 듣는 사람의 기분을 생각하여 말합니다.

> **왜 틀렸을까?**
> ② 깜짝이야!
> → 자신의 기분을 드러내는 말이지만 듣는 사람의 기분을 생각해 주는 말이 아닙니다.
> ④ 엄살 부리긴!
> → 듣는 사람은 이 말을 듣고 기분이 좋지 않을 것입니다.
> ⑤ 근데 누구니?
> → 자신의 잘못을 사과하는 말이 아니므로, 빈칸에 들어가기에 적절하지 않습니다.

7. 무엇이 중요할까요

1 전체

1 다람쥐   **2** (1) ○ (3) ○   **3** ②, ③, ⑤   **4** 감

5 ①   **6** ①, ③, ⑤   **7** ①, ⑤   **8** ④

9 (1) ○   **10** (1) ㉣ (2) ㉢   **11** 예 "나와라!", "멈춰라!"   **12** ③   **13** ④   **14** (3) ○

15 예 나와라, 소금!   **16** ⑤   **17** 예 욕심을 너무 많이 부리면 남에게 피해를 줄 수 있다. / 욕심 때문에 언젠가는 벌을 받을지도 모른다.

18 ③

19 (1) 예 무서웠다 (2) 예 재미있었다   **20** (2) ○

21 (1) 놀이공원 (2) 회전목마 (3) 솜사탕

22

23 ②   **24** ㉠, ㉢, ㉣, ㉡   **25** (2) ○

26 큰 소리   **27** ③   **28** (2) ○

29 도서관   **30** (1) ○ (2) ○

31 (2) ×   **32** ①, ③

1 ㉢   **2** ㉡   **3** 맷돌

1 그림과 글을 하나씩 살펴보고 모든 조건에 맞는 동물을 찾습니다.

2 오렌지, 감, 귤 등이 주황색이며 꼭지가 있는 열매입니다.

3 포도, 바나나, 파인애플은 첫 번째 설명에 알맞지 않으므로 ㉡에 들어갈 수 없습니다.

4 감은 햇볕에 말려서 곶감으로 만들 수 있습니다.

5 닭은 농장에서 기르고 사람들이 달걀을 즐겨 먹습니다.

6 도둑, 백성, 임금님이 이야기에 나옵니다.

8 사람들은 임금님에게 신기한 맷돌이 있다는 이야기를 하였습니다.

10 도둑은 맷돌을 훔치기 위해 궁궐로 숨어들었습니다.

> **더 알아보기**
> 누가 무엇을 했는지 파악하는 방법
> ① 인물의 생각을 알아봅니다.
> ② 인물의 말을 살펴봅니다.
> ③ 인물의 행동을 살펴봅니다.

11 임금님은 맷돌 앞에서 "나와라!", "멈춰라!"를 외치고 있었습니다.

12 신기한 맷돌을 보고 씩 웃었다고 하였으므로 즐거운 목소리로 읽는 것이 알맞습니다.

13 도둑은 모두 잠든 사이 맷돌을 훔쳐 도망쳤습니다.

14 맷돌을 훔친 도둑은 서둘러 배를 타고 바다를 건너 멀리 도망갔습니다.

15 도둑은 맷돌을 보고 "나와라, 소금!"이라고 말하였을 것입니다.

> **더 알아보기**
> 인물이 한 말을 파악하는 문제
> ① 이야기의 앞뒤 내용을 살펴보고, 도둑이 무엇이라고 말하였을지 생각해 봅니다.
> ② 임금님이 맷돌에서 옷을 나오게 할 때 "나와라, 옷!"이라고 말했습니다. 따라서 무엇을 나오게 하려면 "나와라!" 하고 말해야 한다는 것을 알 수 있습니다.
> ③ 도둑이 외쳤을 때 소금이 나온 것을 보면 도둑은 "나와라, 소금!"이라고 말했을 것입니다.

16 도둑은 너무 놀라 "멈춰라, 소금!"이라는 말을 잊어버렸습니다.

17 채점 기준

평가	답안 내용
상	**정답 키워드** 욕심 / 남의 물건 남의 물건을 탐내면 안 된다. / 너무 많은 욕심을 부리면 언젠가는 벌을 받게 된다. ➡ 도둑이 잘못한 것이 무엇인지 쓰고, 이러한 행동을 해서는 안 된다는 내용을 씀.
중	임금님의 맷돌을 훔쳤다. / 욕심을 부렸다. ➡ 도둑이 무엇을 잘못했는지 썼지만, 이러한 행동을 통해 알 수 있는 교훈이 드러나지 않음.
하	거짓말을 하면 안 된다. ➡ 도둑이 한 행동과 관련 없는 교훈을 씀.

18 '나'는 회전목마를 탈 생각에 마음이 설렜습니다.

19 처음에는 무서웠지만 나중에는 재미있었습니다.

20 나는 회전목마의 말을 타고 공룡 모양의 솜사탕을 먹었습니다.

21 그림을 보고 인물이 한 행동을 살펴보면 일어난 일을 알 수 있습니다.

> **더 알아보기**
> 글에서 어떤 일이 있었는지 차례대로 정리하는 문제
> 일어난 일을 생각하며 글을 읽으면 이야기의 주요 내용을 정리하는 데 도움이 됩니다. 글과 그림을 함께 살펴보며 이야기의 중심이 되는 사건을 정리합니다.
> ⑴ 한 가족이 어디로 가고 있는 그림입니다.
> ⑵ 가족이 회전목마를 타고 있는 그림입니다.
> ⑶ 아이들이 공룡 모양 솜사탕을 들고 있는 그림입니다.

22 파리가 달콤한 냄새를 따라 주머니 속으로 들어가는 순서대로 붙임딱지를 붙입니다.

23 벌레잡이풀이 달콤한 냄새로 파리를 잡았습니다.

24 민찬이는 손과 발을 씻고, 바나나를 먹어야 합니다. 그다음 바나나 껍질을 버리고, 필통에 있는 연필을 깎아야 합니다.

25 지진이 났을 때 서둘러 밖으로 뛰어나가면 안 됩니다.

26 수희는 불이 나면 주변에 큰 소리로 알려야 한다는 것을 알았습니다.

27 불조심에 대해 배웠기 때문에 '불조심'이 제목으로 가장 잘 어울립니다.

> **더 알아보기**
> 내용에 알맞은 제목을 붙이는 문제
> ① 제목은 글의 내용을 잘 드러내야 합니다.
> ② 글에 나타난 여러 가지 낱말 중에서 글 전체의 내용을 포함하는 것을 골라야 합니다.
> ③ 수희는 불이 났을 때 해야 할 일을 배웠습니다. 그리고 불조심을 해야겠다고 생각하였습니다.
> ④ 수희가 겪은 일이나 수희의 생각을 나타낼 수 있는 낱말은 '불조심'입니다.

28 글의 내용과 관련이 없는 내용은 제목으로 어울리지 않습니다.

29 도서관에서 지켜야 할 예절에 대하여 쓴 글입니다.

30 자리에 앉을 때에도 조용히 해야 합니다.

31 글 전체의 내용을 알아보고, 글에서 알리고 싶은 내용이 무엇인지 생각하여 내용을 정리합니다.

> **더 알아보기**
> 내용을 확인하며 글 읽기
> ① 무엇에 대해 말하고 있는지 생각합니다.
> ② 글 전체의 내용을 알아봅니다.
> ③ 글에서 알리고 싶은 내용이 무엇인지 생각합니다.
> ④ 내용을 정리합니다.

32 연주가 시작되기 전에 들어가고, 연주 중에는 조용히 합니다. 연주가 끝나면 손뼉을 칩니다.

단원 평가
교과서 진도북 106~109쪽

1 예 다람쥐 **2** ① **3** ① **4** ②, ④
5 바닷속 **6** ③ **7** 비둘기 **8** 가족 **9** ③
10 ⑤ **11** 파리 **12** ① **13** ⑴ 예 불조심 ⑵
예 불조심에 대해 배웠기 때문이다. **14** ④
15 ⑤ **16** ⑤ **17** ⑴ × ⑵ ○ **18** 다윤
19 예 사진이나 동영상을 촬영하지 않는다.
20 ③, ④

1 하나의 문장마다 어울리는 동물을 떠올려 봅니다.

> **더 알아보기**
> 설명을 읽고 동물 떠올리기 예
> • 나무를 잘 타요. → 청설모, 원숭이, 판다, 다람쥐 등
> • 꼬리가 있어요. → 호랑이, 토끼, 강아지, 다람쥐 등
> • 줄무늬가 있어요. → 얼룩말, 호랑이, 다람쥐 등

2 감에 대한 설명입니다.

3 도둑은 맷돌을 훔치기 위하여 궁궐로 몰래 숨어들었습니다.

4 임금님은 맷돌 앞에서 "나와라, 옷!", "멈춰라, 옷!"이라고 외쳤습니다.

5 욕심을 부리던 도둑은 맷돌과 함께 바닷속으로 가라앉았습니다.

6 사냥꾼은 비둘기를 쏘려고 했지만, 개미에게 다리를 물린 다음 놀라서 하늘로 총을 쏘았습니다.

> **왜 틀렸을까?**
> ②: 개미가 사냥꾼의 다리를 꽉 깨물었습니다.
> ④: 사냥꾼은 비둘기에게 살금살금 다가갔습니다.

7 비둘기는 나무에서 졸고 있다가 총소리를 듣고 깜짝 놀랐습니다.

8 가족이 놀이공원에 가는 모습이 나타나 있습니다.

9 '나'는 회전목마의 말을 탔습니다.

10 처음에는 조금 무서웠지만, 시간이 지나니 재미있게 느껴졌습니다.

11 파리가 주머니처럼 생긴 벌레잡이풀 위에 앉아 있습니다.

12 불조심을 해야겠다는 생각이 가장 중요합니다.

13

채점 기준	
평가	답안 내용
상	글의 내용에 어울리는 제목을 쓰고, 제목을 붙인 까닭을 구체적으로 썼습니다.
중	글의 내용에 어울리는 제목을 썼지만, 제목을 붙인 까닭을 구체적으로 쓰지 못했습니다.

14 좋아하는 음식만 골라 먹으면 건강이 나빠질 수 있기 때문입니다.

15 건강을 위해 음식을 골고루 먹어야 한다는 내용에 어울리는 제목을 고릅니다.

> **더 알아보기**
> 내용에 알맞게 제목 붙이기
> ① 글의 내용을 잘 드러내는 말이어야 합니다.
> ② 글의 내용과 어울려야 합니다.
> ③ 제목은 글의 내용을 포함하는 말이어야 합니다.

16 도서관은 여러 사람이 이용하는 곳이기 때문에 다른 사람을 위해 조용히 해야 합니다.

17 도서관에서는 소곤소곤 말해야 합니다.

18 연주가 시작되기 전에 입장하고, 휴대 전화를 꺼 놓아야 합니다.

19

채점 기준	
평가	답안 내용
상	'사진이나 동영상을 찍지 않는다.'와 같이 지문에 없는 내용으로 연주회장에서 지켜야 할 일을 쓰면 배점을 줍니다.
중	지문에 있는 내용을 썼습니다.

20 긴 문장인지, 흉내 내는 말을 사용하였는지는 중요한 내용을 확인하는 방법과 관련이 없습니다.

6

8. 띄어 읽어요

> **퀴즈**   교과서 진도북 **111**쪽
>
> **1** 특징

> **진도 학습**   교과서 진도북 **113~121**쪽

1 ②   **2** 금토끼   **3** ③   **4** (2) ○   **5** 줄

6 신기했다 **7** 개미들이 줄지어 가는 것을 보았다.∨어디로 가는 것일까?∨개미를 따라가 보니 하나의 구멍으로 들어갔다.∨새집으로 이사를 가나?∨개미들이 줄지어 움직이는 모습이 참 신기했다.   **8** 영호   **9** ②   **10** ⑤

11 ④   **12** ㉢   **13** (1) ○

14 (2) ○   **15** 거짓말   **16** ①   **17** 지원

18 (1) ㉠ (2) ㉡ (3) ㉢   **19** (1) 손잡이 (2) 날

20 박물관

21 ㉠ ㉡ ㉢ ㉣

22 뜻   **23** (1) ○   **24** (1) ㉡ (2) ㉠ (3) ㉢

25 ③   **26** 송편   **27** ⑤   **28** ④   **29** ④

30 (1) ㉡ (2) ㉢ (3) ㉠   **31** 은지   **32** (3) ×

33 엄마   **34** (2) ○   **35** (3) ○   **36** 봄이 되면 농부들은 논에 물을 대고 벼를 심습니다.∨벼는 물속에서 뿌리를 내리고 자랍니다.∨벼는 여름내 햇볕을 받으며 자라다가 가을에는 누렇게 변하면서 익습니다.∨익은 벼는 이삭이 축 늘어집니다.

1 세배는 설날에 하는 일입니다. 추석에는 송편을 빚고 성묘를 갑니다.

2 문장이 끝날 때마다 조금 쉬어 읽어야 합니다.

3 글을 띄어 읽지 않으면 중요한 내용을 잘 이해할 수가 없습니다.

> **더 알아보기**
> 글을 바르게 띄어 읽어야 하는 까닭을 알고 있는지 확인하는 문제입니다. 띄어 읽기를 하지 않으면 듣는 사람은 무슨 뜻인지 이해하기 어렵습니다. 또한 글을 띄어 읽지 않으면 듣는 사람은 중요한 내용을 잘 이해할 수가 없습니다.

4 무당벌레가 방에 들어가는 그림이므로 ⑵와 같이 띄어 읽어야 합니다.

> **왜 틀렸을까?**
> ⑴과 같이 읽으면 '무당벌레 모양의 가방'에 들어간다는 뜻이 됩니다.

5 개미들이 줄지어 가는 것을 보았습니다.

6 글쓴이는 개미들이 참 신기하다고 생각했습니다.

7 문장과 문장 사이에서 잠시 쉬면서 띄어 읽어야 합니다.

> **더 알아보기**
> 글을 바르게 띄어 읽는 방법
> ① 문장을 확인합니다.
> ② 문장이 끝나는 곳에 ∨를 합니다.
> ③ ∨를 한 곳에서 잠시 쉬었다가 읽습니다.
> ④ 문장의 내용을 생각하며 띄어 읽습니다.

8 '새집으로 이사를 가나?' 하고 묻는 문장이므로 궁금한 마음이 잘 드러나게 끝부분을 올려 읽는 것이 좋습니다.

9 낱말마다 띄어 읽으면 내용을 이해하기 어렵습니다.

10 비사치기를 할 때는 평평하고 잘 세워지는 돌멩이가 필요합니다.

11 세워 놓은 상대방의 돌멩이를 다 넘어뜨리면 이기게 됩니다.

12 문장과 문장 사이에 표시한 부분을 찾아야 합니다.

> **더 알아보기**
> 글을 띄어 읽어야 하는 곳을 알고 있는지 확인하는 문제입니다. 문장이 끝나는 곳을 확인하며 문장이 끝날 때마다 띄어 읽어야 합니다. 문제에서 문장이 끝나는 곳에 띄어 읽기 표시를 한 곳은 ⓒ입니다. ㉠과 ㉡은 문장의 중간에 표시를 했기 때문에 알맞지 않습니다.

13 한 글자씩 띄어 읽는 것이 아니라 문장과 문장 사이에서 띄어 읽어야 합니다.

14 처음에는 양치기 소년이 재미로 늑대가 나타났다고 소리쳤지만, 나중에 진짜 늑대가 나타났습니다. 그러나 마을 사람들은 양치기 소년의 말을 믿지 않았습니다.

15 양치기 소년의 거짓말 때문에 마을 사람들은 양치기 소년의 말을 믿지 않았습니다.

16 ㉠은 문장이 끝나는 곳이 아닙니다.

17 소년처럼 계속 거짓말을 해서는 안 됩니다.

18 무엇을 보고 설명하는 대상을 파악하였는지 확인합니다.

> **더 알아보기**
> 글을 읽고 무엇을 설명하는지 아는 방법
> ① 제목을 확인합니다.
> ② 설명하는 것이 무엇인지 알아봅니다.
> ③ 어떤 특징을 설명하는지 알아봅니다.

19 가위의 손잡이와 날에 대하여 설명하였습니다.

20 박물관에서 볼 수 있는 표지판입니다.

21 표지판의 뜻과 어울리는 그림을 찾아 봅니다.

표지판	뜻
	위험한 일이 생기면 이곳을 통해 밖으로 나가요.
	목이 마르면 이곳에서 물을 마실 수 있어요.
	여기에서는 사진을 찍으면 안 돼요.
	화장실에 가고 싶을 때는 이곳을 이용해요.

22 박물관에 있는 표지판에 담긴 뜻을 알려 주었습니다.

23 학교 주변 어린이 보호 구역 표지판입니다.

24 각 설명이 나타내는 직업을 찾아 봅니다.

25 우리 동네에 있는 여러 가지 직업을 가진 사람들에 대하여 설명하였습니다.

26 송편을 설명하는 글입니다. 글쓴이가 무엇에 대하여 알려 주고 있는지, 글에서 자주 나오는 말이 무엇인지 생각해 봅니다.

28 설명하는 글을 읽을 때에는 무엇을 설명하는지 생각해야 합니다.

29 상추는 잎을 먹는 채소입니다.

> **더 알아보기**
> 글에서 무엇을 설명하는지 파악하는 문제입니다. 설명하는 글을 읽을 때에는 밑줄을 긋거나 중요한 내용을 생각하며 읽는 것이 좋습니다. 이 글은 뿌리를 먹는 채소에 대하여 설명한 글입니다. 그중에서도 뿌리를 먹는 채소의 종류와 좋은 점에 대하여 알려 주고 있습니다. 뿌리를 먹는 채소에는 무, 고구마, 당근, 우엉 등이 있다고 하였습니다.

30 각각의 채소가 어디에 좋은지 살펴봅니다.

무	소화에 도움을 준다.
당근	눈에 좋다.
고구마	변비에 잘 걸리지 않는다.
우엉	변비에 잘 걸리지 않는다.

31 편지는 어떤 대상에 대하여 알려 주는 글이 아닙니다.

> **더 알아보기**
>
> 설명하는 글을 읽을 때
> • 약을 먹을 때: 약을 먹는 방법, 주의할 점 등
> • 장난감을 조립할 때: 만드는 순서나 방법
> • 놀이 기구를 탈 때: 타는 방법, 주의할 점 등

32 설명하는 글을 읽을 때 반복되는 낱말의 개수를 세어 볼 필요는 없습니다.

33 나는 엄마 품에 폭 안길 만큼 아주 작습니다.

34 동생을 꼭 껴안는 듯한 몸짓을 하며 읽으면 더 실감납니다.

35 '내'가 잘할 수 있는 일이므로 자신감 넘치게 읽는 것이 좋습니다.

단원 평가 교과서 진도북 **122~125** 쪽

1 ④	**2** ②	**3** ①	**4** ②, ④	**5** 문장
6 ④	**7** (1) ○	**8** 지우개	**9** ①	
10 ②	**11** ②	**12** ③	**13** 뿌리	

14 무는 소화에 도움을 줍니다.

15 (1) ② (2) ① **16** 직업 **17** ⑤ **18** ③

19 예 설레는 표정으로 읽는다. **20** ④

1 추석에는 햇과일과 햇곡식으로 만든 음식을 먹습니다.

2 띄어 읽기를 하지 않으면 내용을 잘 알아듣지 못해서 글의 내용을 이해하기가 어렵습니다.

3 개미들이 줄지어 움직이는 모습이 참 신기하다고 생각했습니다.

4 문장과 문장 사이를 띄어 읽어야 합니다.

5 바르게 읽으려면 문장과 문장 사이에 잠시 쉬면서 띄어 읽어야 합니다.

6 세워 놓은 상대방의 돌멩이를 다 넘어뜨리면 이기는 놀이입니다.

7 문장이 끝나는 곳에 ∨를 하고 띄어 읽습니다.

9 상자 모양, 동물 모양, 과일 모양, 막대 모양은 지우개의 모양에 대한 설명입니다.

10 가위에 대하여 설명하였습니다.

11 표지판에 담긴 뜻에 대하여 설명한 글입니다.

12 비상구를 알려 주는 표지판은 ③입니다.

> **더 알아보기**
>
> ①: 길을 건너는 횡단보도를 알려 줍니다.
> ②: 위험한 곳을 알려 줍니다.
> ④: 엘리베이터가 있는 곳을 알려 줍니다.

13 글의 제목과 내용을 보면 뿌리를 먹는 채소에 대한 글이라는 것을 알 수 있습니다.

15 우엉과 당근에 대한 설명을 찾아 연결합니다.

16 여러 가지 직업에 대하여 설명하였습니다.

17 '나'는 작지만 계속 자라고 있음을 말하고 있습니다.

18 '나'는 어려운 것을 할 수 있거나, 즐거운 순간, 새로운 것을 경험할 때 자라고 있습니다. 친구와 싸우는 내용은 나타나 있지 않습니다.

19

채점 기준	
평가	답안 내용
상	'심장이 뛰는 듯한 몸짓을 하며 읽는다.', '설레는 표정으로 읽는다.'등과 같이 장면에 어울리는 표정이나 목소리로 읽는다는 내용을 썼습니다.
중	'설렌다', '떨린다'와 같이 기분을 나타내는 말만 썼습니다.
하	글을 읽을 때의 목소리나 몸짓을 표현하였지만 장면과 어울리지 않습니다.

20 목소리를 장면과 어울리게 하여 읽어야 실감이 납니다.

> **더 알아보기**
>
> 이야기를 실감 나게 읽는 방법
> • 목소리의 크기를 알맞게 하고 읽습니다.
> • 장면을 떠올리며 읽습니다.
> • 장면에 어울리는 표정과 몸짓을 하며 읽습니다.
> • 이야기에 나오는 사람처럼 읽습니다.
> • 항상 크고 우렁찬 목소리로 읽는 것이 아니라, 장면과 어울리게 하여 읽어야 실감이 납니다.

6

9. 겪은 일을 글로 써요

퀴즈

교과서 진도북 127쪽

1 (1) ○

진도 학습

교과서 진도북 129~136쪽

1 ①   **2** (2) ○   **3** 물고기   **4** ④

5

6 (1) 지난 5월(지난 5월, 민들레 필 무렵) (2) 국립중앙박물
관   **7** (1) ○   **8** ④   **9** ①, ②, ④

10 (2) ○   **11** 예 사슴이랑 놀았어.   **12** ③   **13** 기린

14 놀이터   **15** ㉡ → ㉣ → ㉠   **16** (2) ○   **17** (3) ○

18 ②   **19** ④   **20** 좋았다

21 (1) ○ (2) ○ (3) △

22 예 신났다. 기뻤다.

23 (1) 체육 시간에 (2) 운동장에서

24 ㉮ → ㉣ → ㉡   **25** 꼴찌(4등)

26 ①   **27** 힘내! 다음 기회가 있잖아.

28 (1) ○ (2) ○   **29** 연날리기   **30** ①, ④

31 ①   **32** ⑤   **33** (2) ○

34 서점   **35** ⑤   **36** ⑤   **37** ㉮ → ㉡ → ㉣

1 다솜이는 아침 등굣길에 친구를 만났습니다.

2 그림 ❻에는 다솜이가 물고기를 사는 모습이 나타나 있습니다.

3 다솜이는 '물고기를 산 일'을 일기에 썼습니다.

4 물고기를 산 일이 가장 기억에 남아서 일기로 쓴 것입니다.

5 ㉮에서는 3월 초에 있었던 입학식에 대해서 이야기를 나누고 있습니다.

6 지난 5월, 민들레 필 무렵에 국립중앙박물관으로 현장 체험학습을 갔습니다.

7 학생과 학부모님이 협동해서 줄을 당겼던 줄다리기가 무척 신이 났다고 했습니다.

8 언제 누구와 어떤 일이 있었는지를 말하고, 겪은 일에 대한 생각이나 느낌도 말합니다.

더 알아보기

겪은 일이 잘 드러나게 말하기 위해서는 자세히 말해야 합니다. 자세하게 말하려면 언제, 어디에서, 누구와, 어떤 일이 있었는지 자세히 말해야 합니다. 그리고 그 일에 대한 생각이나 느낌을 말해야 합니다. 듣는 사람이 누구인지는 상관이 없습니다.

9 말하고 싶은 내용만 말하거나 자유롭게 상상한 내용을 말하는 것은 알맞지 않습니다.

10 어디에서 먹었느냐고 묻는 말에는 장소를 나타내는 말로 대답을 해야 알맞습니다.

11 누구랑 놀았느냐고 물었으므로 '누구'와 놀았는지를 반드시 말해야 합니다.

12 기린과 하마 모두 선생님께서 칭찬해 주셨다고 말했습니다.

13 기린이 하마보다 겪은 일을 더 자세하게 말했습니다.

14 글 ㉮는 놀이터에서 겪은 일이고, 글 ㉯는 운동회 때 겪은 일입니다.

더 알아보기

겪은 일이 잘 드러나게 말하기
① 언제 어디에서 누구와 어떤 일이 있었는지 자세히 말합니다.
② 주고받은 대화도 말합니다.
③ 그 일에 대한 생각이나 느낌을 말합니다.
④ 더 말하고 싶은 내용을 생각해 말합니다.

15 '나'는 처음에는 재미있게 모래 장난을 했지만, 모래가 눈에 들어가자 동생에게 화를 냈고, 그 일 때문에 엄마한테 꾸중을 들어서 억울했습니다.

16 동생이 뿌린 모래가 눈에 들어가서 화를 낸 것인데, 엄마는 '나'만 꾸중을 하셔서 억울했습니다.

17 신나는 상황에 어울리는 표정은 (3)과 같이 활짝 웃는 것입니다.

18 준우는 모둠을 만들어 가게놀이를 했습니다.

19 준우네 모둠은 장난감 가게를 꾸몄습니다.

20 준우는 자기 물건이 팔릴 때 기분이 좋았다고 했습니다.

21 (1), (2)는 겪은 일을 쓴 것이고, (3)은 생각이나 느낌을 쓴 것입니다.

더 알아보기

생각이나 느낌은 '기분 좋다, 슬프다, 부끄럽다, ~하고 싶다'처럼 어떤 일에 대해 머릿속에 떠오르는 의견이나 기분을 말합니다. 겪은 일과 생각이나 느낌을 구분하는 활동은 그 자체가 중요한 것이 아니라 글을 쓸 때 생각이나 느낌을 잘 쓸 수 있도록 하기 위함입니다. 이런 점에 주목하여 어떤 일에 대한 생각이나 느낌을 풍부하게 표현할 수 있도록 연습해 봅시다.

22 실제 있었던 일이나 겪은 일이 아니라 생각이나 느낌을 나타내는 표현을 썼으면 정답으로 인정합니다.

23 체육 시간에 운동장에서 있었던 일입니다.

24 이어달리기를 했는데 지호네 모둠이 꼴찌를 해서 지호가 실망하자 친구들이 위로해 주었습니다.

25 지호는 힘들게 달렸는데도 지호네 모둠이 꼴찌를 해서 실망스러워했습니다.

26 지호는 친구들이 힘내라고 위로해 주어서 기분이 좋아졌습니다.

27 친구들은 "힘내! 다음 기회가 있잖아."라고 지호를 위로했습니다.

채점 기준

평가	답안 내용
상	힘내! 다음 기회가 있잖아.
	→ 친구들의 말을 직접 인용함.
중	다음 기회가 있다며 힘내라고
	→ 친구들이 말하려는 뜻을 제시함.
하	힘내라고
	→ 친구들의 말을 온전히 제시하지 않음.

28 체육 시간에 이어달리기를 한 것은 맞지만 이어달리기를 하는 방법에 대한 내용은 없습니다.

더 알아보기

제목을 정할 때 생각할 점
① 겪은 일 중에서 가장 중요한 점을 생각합니다.
② 가장 하고 싶은 말을 생각합니다.
③ 가장 중요한 사람이나 물건을 생각합니다.

29 준호는 연날리기 한 일을 일기로 썼습니다.

30 준호는 연날리기를 할 때 신기했고 참 재미있었다고 했습니다.

31 날짜와 날씨는 썼지만 언제, 어디에서, 누구와 있었던 일인지, 왜 재미있었는지 등을 쓰지 않았습니다.

더 알아보기

준호의 일기에서 부족한 점
① 왜 재미있었는지 쓰지 않았습니다.
② 누구와 있었던 일인지 쓰지 않았습니다.
③ 어떤 점이 재미있었는지 쓰지 않았습니다.
④ 어디에서 있었던 일인지 쓰지 않았습니다.

32 ㉠에 언제, 어디에서, 누구와 있었던 일인지를 쓰면 겪은 일이 더 자세하게 드러나게 됩니다.

33 재미있었다는 말을 되풀이하는 것보다는 어떤 점이 재미있었는지 자세하게 써야 합니다.

더 알아보기

겪은 일에 대한 생각이나 느낌 말하기
① 생각이나 느낌을 나타내는 여러 가지 표현을 알아봅니다.
   예 기쁘다, 신나다, 화나다, 부끄럽다, 놀라다, 아쉽다, 귀찮다 등
② 겪은 일에 대해 어떤 생각이나 느낌이 들었는지 생각해 봅니다.
③ 그런 생각이나 느낌이 든 까닭도 말해 봅니다.

34 아빠와 함께 서점에 간 일을 쓴 일기입니다.

35 날씨를 쓰는 칸에 '해가 반짝'이라고 써 있습니다.

36 '일기를 읽을 사람'은 일기에 들어가야 할 내용이 아닙니다.

37 일기를 쓸 때에는 하루 동안 겪은 일을 떠올린 다음, 한 가지 일을 정해서 쓸 내용을 정리하고, 그 내용을 바탕으로 일기를 씁니다.

단원 평가 교과서 진도북 **137~139**쪽

1 (3) ○   **2** ②   **3** 빨갛기   **4** (3) ×   **5** 국립중앙박물관   **6** 나   **7** 예 동생이랑 놀이터에서 모래 장난을 한 일   **8** 모래   **9** ⑤   **10** (2) ○   **11** 가게놀이   **12** ②, ③   **13** ㉣   **14** ②   **15** ⑤   **16** ④   **17** (1) ㉠ (2) ㉤   **18** ③   **19** (2) ○ (3) ○   **20** 날씨

2 다솜이는 날씨를 쓰는 칸에 '흐림'이라고 썼습니다.

3 물고기가 단풍처럼 빨갛기 때문에 '단풍'이라는 이름을 지어 주었습니다.

4 '앞으로 내가 하고 싶은 일'은 겪은 일이 아니므로 겪은 일을 글로 쓰기에 알맞지 않습니다.

5 국립중앙박물관으로 현장 체험학습을 갔습니다.

6 가는 모둠의 친구들끼리 이야기를 나누는 상황이고, 나는 여러 사람 앞에서 운동회에 대해 발표하는 상황입니다.

7

평가	답안 내용
채점 기준	
상	동생이랑 놀이터에서 모래 장난을 한 일
	→ 누구와 어디에서 무엇을 한 일인지를 자세하게 씀.
중	동생과 놀이터에서 논 일
	→ 무엇을 하며 논 일인지를 자세히 쓰지 않음.
하	놀이터에서 겪은 일
	→ 누구와 무엇을 했는지를 자세히 쓰지 않음.

8 동생이 뿌린 모래가 '내'눈에 들어가서 '나'는 눈이 따갑고 아팠습니다.

9 동생이 뿌린 모래가 눈에 들어가서 동생에게 화를 낸 것인데, 엄마는 '나'만 꾸중을 하셔서 억울했습니다.

10 (1)은 신나는 표정, (2)는 화나는 표정, (3)은 억울한 표정입니다.

12 준우는 도깨비 인형과 변신 로봇을 팔았습니다.

13 ㉠, ㉡, ㉢은 준우가 겪은 일입니다.

14 '말하다'는 행동을 나타내는 표현입니다.

15 체육 활동 시간에 운동장에서 있었던 일입니다.

16 지호는 친구들과 이어달리기를 했습니다.

17 지호네 모둠이 꼴찌를 했을 때는 실망스러웠지만 친구들이 위로해 주어서 기분이 좋아졌습니다.

19 (1)은 글쓴이가 겪은 일을 쓴 것입니다.

20 '날씨'를 써야 합니다.

> **더 알아보기**
> 기억에 남는 일을 일기로 쓰기
> ① 어제 하루 동안 자신이 겪은 일을 떠올려서 정리합니다.
> ② 한 가지 일을 정해 일기로 쓸 내용을 정리합니다.
> ③ 정리한 내용을 바탕으로 일기를 씁니다.

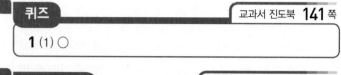

10. 인물의 말과 행동을 상상해요

퀴즈
교과서 진도북 **141** 쪽

1 (1) ○

진도 학습
교과서 진도북 **143~148** 쪽

1 ⑤　　**2** 별　　**3** ③　　**4** (2) ○

5 ㉡ → ㉠ → ㉢　　**6** (1) ㉠ (2) ㉡

7 ③　　**8** (2) ○　　**9** 꿀　　**10** (2) ○　　**11** (1) ○

12 ⑤　　**13** (1) 쫑긋쫑긋

(2) 북슬북슬

(3) 뾰족뾰족

(4) 길쭉길쭉

14 별　　**15** (1) 친구 (2) 빛나게　**16** 숲속

17 옷 만들기　　**18** (3) ○　　**19** ③　　**20** (3) ○

21 ②　　**22** (1) ㉠ (2) ㉢ (3) ㉡　　**23** 털, 눈

24 (1) ○　　**25** (1) ○

1 괴물이 별들을 모두 삼키고 사라져서 마을이 캄캄한 어둠으로 뒤덮였습니다.

2 세 아이들은 괴물이 삼킨 별을 되찾기 위해 길을 떠났습니다.

3 길을 떠난 아이들은 귀가 쫑긋쫑긋한 토끼를 만났습니다.

4 토끼는 괴물이 작은 소리도 잘 들을 수 있는 쫑긋쫑긋 귀를 가지고 있다고 했습니다.

5 아이들은 사자, 악어, 원숭이를 차례대로 만났습니다.

6 사자는 괴물이 북슬북슬한 갈기를 가지고 있다고 했고, 악어는 뾰족뾰족 날카로운 이빨을 가지고 있다고 말했습니다.

> **더 알아보기**
> 이야기에 등장하는 인물의 모습을 상상하며 이해하는 문제입니다. 재미있는 흉내 내는 말로 표현된 괴물의 모습이 어떠한지 그 특징을 떠올려 보아야 합니다. 사자, 악어, 원숭이는 괴물이 사자처럼 북슬북슬한 갈기가 있고, 악어처럼 뾰족뾰족한 이빨이 있고, 원숭이처럼 길쭉길쭉한 꼬리가 있다고 하였습니다.

7 사자는 갈기를 빗느라 괴물을 보지 못했다고 했습니다.

8 그림은 '살이 찌고 털이 많아서 매우 탐스러운 모양.'인 '북슬북슬'을 나타낸 것입니다.

> **더 알아보기**
> 동물들이 말한 괴물의 모습
> • 사자: 북슬북슬한 갈기
> • 악어: 뾰족뾰족 날카로운 이빨
> • 원숭이: 길쭉길쭉 긴 꼬리

9 곰은 꿀을 먹느라 괴물을 잘 보지 못했다고 했습니다.

10 곰은 괴물이 풍선처럼 **빵빵**한 배를 가지고 있다고 했습니다.

> **더 알아보기**
> 인물의 모습과 행동을 상상하며 이야기 듣기
> ① 인물의 모습을 나타낸 낱말을 떠올려 봅니다.
> ② 인물의 행동을 나타낸 부분을 떠올려 봅니다.
> ③ 인물의 모습과 행동을 나타낸 내용을 바탕으로 인물을 상상해 봅니다.

11 숲속을 잘 찾아보자고 한 다음에 초록이가 "찾았다!"라고 말했습니다.

12 괴물은 별을 먹고 멋있어져서 친구들과 뛰어놀려고 별을 내놓지 않으려고 했습니다.

13 귀는 쫑긋쫑긋, 갈기는 북슬북슬, 이빨은 뾰족뾰족, 꼬리는 길쭉길쭉하다고 했습니다.

> **더 알아보기**
> 괴물의 모습을 나타낸 표현
> • 귀: 쫑긋쫑긋
> • 갈기: 북슬북슬
> • 이빨: 뾰족뾰족
> • 꼬리: 길쭉길쭉
> • 배: 빵빵

14 주홍이는 괴물에게 배가 **빵빵**해서 뛰어놀기 힘들겠다고 하면 괴물이 별을 뱉어 낼 거라고 생각했습니다.

15 괴물이 별을 뱉어 내자 밤하늘은 다시 아름답게 빛나게 되었고, 괴물과 아이들은 사이좋은 친구가 되었습니다.

16 깊고 깊은 숲속에서 있었던 이야기입니다.

17 재봉사는 옷 만들기를 아주 좋아합니다.

18 옷을 만들 때 재봉틀을 돌리거나 가위질을 하거나 옷감을 만지고 바느질하는 모습을 표현한 것입니다.

> **더 알아보기**
> 이야기를 읽고 인물의 모습과 행동 상상하기
> ① 이야기 속 인물이 무엇을 하는 장면인지 살펴봅니다.
> ② 인물의 모습과 행동을 나타낸 부분을 찾아봅니다.
> ③ 인물의 모습과 행동을 상상해 봅니다.

19 재봉사는 쉬지 않고 옷을 만들었습니다.

20 옷 만들기와 관련 있는 물건은 ⑶의 재봉틀입니다.

21 땅속에 사는 작은 동물들은 글에 나오지 않습니다.

22 재봉사는 사자에게는 모자를, 토끼에게는 팔랑거리는 치마를, 오징어에게는 무지개 양말을 만들어 주었습니다.

> **더 알아보기**
> 재봉사가 동물들에게 만들어 준 것
> • 새: 춤출 때 입을 옷
> • 오징어: 무지개 양말
> • 사자: 모자
> • 토끼: 팔랑거리는 치마

23 사자는 바람 불면 털이 눈을 가려서 모자가 필요합니다.

24 무지개 양말에 구두를 신고 있는 그림은 ⑴입니다.

> **더 알아보기**
> 이야기 속 인물의 모습과 행동을 상상하며 이해하되, 이와 더불어 상상한 내용을 그림으로 확인해야 하므로 관찰력도 필요합니다. 글의 내용을 확인한 뒤 그림 속 오징어의 모습을 차근차근 말해 보면서 알맞은 그림을 찾아봅시다. 오징어는 무지개 양말에 구두를 신을 거라고 했습니다. 따라서 오징어의 모습을 상상한 그림으로 ⑴번이 알맞습니다.

25 이야기의 마지막 부분에 한바탕 잔치가 벌어졌다고 했습니다.

> **더 알아보기**
> 「숲속 재봉사」의 중심 내용
> ① 숲속 재봉사는 밤이나 낮이나 쉬지 않고 옷을 만들었어요.
> ② 많은 동물들이 재봉사가 만든 옷을 입고 한바탕 잔치를 벌였어요.

단원 평가

교과서 진도북 **149~152**쪽

1 괴물 **2** ⑤ **3** 예 쫑긋쫑긋 귀를 가지고 있다.
4 악어 **5** ⓒ **6** ⑤ **7** (2) ◯
8 ② **9** ② **10** ④ **11** 재봉사
12 오징어 **13** (2) ◯ **14** ③ **15** 예 걱정스러운 / 안
타까운 **16** ⑤ **17** ⑤ **18** (1) ◯ **19** (2) ◯
20 ⑤

1 무시무시한 괴물이 별을 삼키고 사라졌습니다.

2 세 아이들은 괴물이 삼킨 별을 되찾기 위해 길을 떠났습니다.

3 토끼는 괴물이 쫑긋쫑긋 귀를 가지고 있다고 했습니다.

채점 기준	
평가	답안 내용
상	정답 키워드 쫑긋쫑긋, 귀
	쫑긋쫑긋한 귀를 가지고 있다.
	→ 귀의 모습을 흉내 낸 말을 사용하여 잘 표현함.
중	쫑긋쫑긋하다.
	→ 무엇이 쫑긋쫑긋한지 자세히 나타내지 않음.
하	귀를 가지고 있다.
	→ 귀의 모습을 제대로 표현하지 않음.

4 괴물의 이빨이 뾰족뾰족하다고 말한 것은 악어입니다.

5 꼬리가 두껍다는 내용은 없으므로 ㉠은 알맞지 않고, 사자가 괴물의 갈기가 북슬북슬하다고 했으므로 ㉡도 알맞지 않습니다.

6 원숭이는 나무에 거꾸로 매달려 있느라 괴물을 잘 보지 못했다고 하였습니다.

7 괴물은 자기가 너무 못생겨서 아무도 좋아하지 않기 때문에 별을 먹고 멋있어져서 친구들과 뛰어놀고 싶다고 하였습니다.

8 별을 많이 먹으면 배는 빵빵해집니다.

9 재봉사는 깊고 깊은 숲속에서 살았습니다.

10 ㉠은 옷을 만들 때, 재봉틀을 돌리거나 가위질을 하거나 옷감을 만지고 바느질을 하는 모습을 표현한 것입니다.

11 옷을 만드는 일을 직업으로 하는 사람을 재봉사라고 합니다.

12 무지개 양말에 구두를 신고 다리를 뽐내고 싶어 하는 것은 오징어입니다.

13 토끼는 깡충깡충 뛰면 팔랑거리는 치마를 좋아합니다.

> **더 알아보기**
> 이야기 속 인물의 말과 행동 따라 하기
> ① 이야기 속 인물이 무엇을 하는 장면인지 살펴봅니다.
> ② 인물에 어울리는 목소리로 실감 나게 인물의 말을 따라 해 봅니다.
> ③ 상황에 알맞게 인물의 행동을 몸짓으로 흉내 내어 봅니다.

14 흥부는 다리가 부러진 제비를 보고 불쌍해하고 있습니다.

15 흥부는 제비의 다리가 부러진 것을 보고 안타까워하고 있으므로 걱정스러운 목소리가 어울립니다.

> **더 알아보기**
> 이야기 속 인물의 말과 행동에 어울리는 목소리를 파악하는 문제입니다. 먼저 인물이 처한 상황과 기분을 파악하고 그에 어울리는 목소리가 무엇인지 생각해 본 뒤 실감 나게 말할 수 있도록 연습해 봅시다. 흥부는 제비의 다리가 부러진 것을 보고 안타까워하고 있습니다. 따라서 걱정스러운 목소리나 안타까운 목소리가 어울립니다.

16 토끼가 앞서 달리며 뽐내고 있으므로 ⑤번의 말이 어울립니다.

> **더 알아보기**
> 「토끼와 거북」의 줄거리
> 옛날 옛적에, 토끼와 거북이가 살고 있었다. 토끼는 매우 빨랐고, 거북이는 매우 느렸다. 어느 날 토끼가 거북이를 느림보라고 놀려 대자, 거북이는 자극을 받고 토끼에게 달리기 경주를 제안하였다. 경주를 시작한 토끼는 거북이가 한참 뒤진 것을 보고 안심을 하고 중간에 낮잠을 잔다. 그런데 토끼가 잠을 길게 자자 거북이는 토끼를 지나친다. 잠에서 문득 깬 토끼는 거북이가 자신을 추월했다는 사실을 깨닫게 되고 빨리 뛰어가 보지만 결과는 거북이의 승리였다.

18 신호등이 빨간불일 때 ㉠과 같은 횡단보도 앞에 서면 멈추어야 합니다. (4)와 같이 찻길에 내려 서 있으면 위험합니다.

19 길을 건널 때에는 신호등을 잘 보고 횡단보도로 건너야 안전합니다.

20 신호등이 초록불로 바뀌면 먼저 차가 오는지 안 오는지 보기 위하여 왼쪽, 오른쪽을 살펴보아야 합니다.

1. 소중한 책을 소개해요

개념 확인하기

1 ㉡ **2** ㉠ **3** ㉡ **4** ㉢

정답을 확인하기 전에 자기가 푼 단원평가의 정답을 큐알을 찍어 올려 보세요.

단원 평가

문항 번호	정답	평가 내용	난이도
1	②	시의 내용 파악하기	보통
2	⑤	재미있는 부분 찾기	보통
3	①	만화의 주제 파악하기	보통
4	①	만화를 보고 생각 말하기	어려움
5	①	글의 내용 파악하기	보통
6	③	낱말의 뜻 파악하기	보통
7	②	글의 내용 파악하기	쉬움
8	⑤	글의 내용 파악하기	어려움
9	③	낱말의 받침 알기	쉬움
10	②	받침에 주의하며 문장 쓰기	보통
11	④	낱말의 받침 알기	보통
12	③	받침에 주의하며 문장 쓰기	보통
13	④	받침에 주의하며 문장 쓰기	쉬움
14	⑤	낱말의 받침 알기	보통
15	①	받침에 주의하며 문장 쓰기	보통
16	④	반대되는 뜻의 낱말 찾기	보통
17	①	글의 내용 파악하기	쉬움
18	②	그림의 내용 파악하기	어려움
19	②	책을 읽으면 좋은 점 알기	보통
20	②	책을 소개하는 내용 알기	보통

1 '서로서로 / 예쁘다, 예쁘다 / 꼼질꼼질.'에서 서로 칭찬해 주며 다정한 모습을 알 수 있습니다.

2 이 시는 발가락들이 움직이는 모습을 '꼼질꼼질'이라 표현하고, 발가락끼리 서로서로 예쁘다고 말해 주는 것이 재밌습니다.

3 온갖 전등이 다 켜져 있어서 아파하던 지구가 불을 끄자 편안한 모습으로 잠을 자고 있는 만화입니다.

4 아픈 지구를 위해 할 수 있는 일에는 '나무 심기, 일회용 종이컵이나 비닐봉지, 플라스틱 제품 사용하지 않기' 등이 있습니다.

5 돌잔치는 아기의 첫 번째 생일에 하는 잔치입니다.

6 아기가 상에 놓인 여러 가지 물건 가운데에서 한두 개를 잡는 것을 '돌잡이'라고 합니다.

7 돌잡이상 위에는 쌀, 떡, 책, 붓, 돈, 활, 실 등을 올려놓았습니다.

8 우리 조상들은 돌잡이에서 책을 잡는 아이는 공부를 잘하게 될 것이라고 여겼습니다. 엄마가 '공부를 잘하려나 보다.'라고 생각하는 것으로 보아 아기는 책을 잡았을 것입니다.

9 'ㅂ', 'ㅏ', 'ㄲ'을 순서대로 합치면 'ㄲ'이 받침이 되므로 '밖' 자가 됩니다.

10 '맛'과 '있다'를 합쳐 '맛있다'로 써야 합니다.

11 끈이나 줄로 매듭을 만드는 것을 뜻하는 낱말로, 받침 'ㄲ'이 들어가는 '묶다'를 써야 합니다.

12 '낚았다'의 첫 글자에는 'ㄲ' 받침이, 두 번째 글자에는 'ㅆ' 받침이 들어갑니다.

13 빈칸에 들어갈 글자는 'ㄲ' 받침이 들어가는 '섞'입니다.

14 '묶다'와 '닦다'는 모두 'ㄲ' 받침이 들어간 낱말입니다.

15 ②는 '벗었다', ③은 '잤다', ④는 '만들었다', ⑤는 '솟았다'라고 써야 합니다.

16 '두꺼운'과 반대되는 뜻을 가진 '얇은'이 알맞은 말입니다.

17 '나'는 책이 좋다고 하였습니다.

18 병풍처럼 펼칠 수 있으며, 동물의 무늬를 빈 곳에 넣어 알아볼 수 있게 만든 책입니다.

19 그림 속 아이는 책을 읽고 몰랐던 것을 알게 되었습니다.

20 책의 제목을 소개하는 내용입니다. 책을 소개할 때에는 책의 제목, 등장인물, 책의 내용, 책을 읽고 나서 드는 생각이나 느낌 등을 말합니다.

6 2. 소리와 모양을 흉내 내요

개념 확인하기

온라인 학습북 9쪽

1 ㉢ **2** ㉡ **3** ㉣ **4** ㉢

정답을 확인하기 전에 자기가 푼 단원평가의 정답을 큐알을 찍어 올려 보세요.

단원 평가

온라인 학습북 10~13쪽

문항번호	정답	평가 내용	난이도
1	④	흉내 내는 말 알기	보통
2	⑤	흉내 내는 말을 넣어 노랫말 만들기	어려움
3	③	흉내 내는 말 알기	보통
4	⑤	흉내 내는 말 알기	어려움
5	④	흉내 내는 말을 넣어 문장 만들기	어려움
6	②	흉내 내는 말 알기	보통
7	④	흉내 내는 말을 넣어 문장 만들기	보통
8	④	흉내 내는 말을 넣어 문장 만들기	보통
9	③	시 속 인물의 마음 파악하기	쉬움
10	④	시의 장면 떠올리기	보통
11	④	시를 실감 나게 읽기	보통
12	⑤	시의 내용 파악하기	보통
13	②	흉내 내는 말의 의미 파악하기	어려움
14	③	흉내 내는 말 알기	보통
15	②	흉내 내는 말 알기	쉬움
16	⑤	여러 가지 받침이 있는 낱말 알기	보통
17	③	여러 가지 받침이 있는 낱말 알기	쉬움
18	②	받침에 주의하며 문장 쓰기	보통
19	④	여러 가지 받침이 있는 낱말 알기	어려움
20	⑤	끝말잇기 하기	쉬움

1 동물의 울음소리를 흉내 내는 말입니다.

2 '뒷마당', '강아지', '멍멍'을 넣어 노랫말과 같이 쓰면 '뒷마당에는 강아지 멍멍'이라고 쓸 수 있습니다.

3 '솔솔'은 바람이 부드럽게 부는 모양을 흉내 내는 말입니다.

4 ⑤는 '오토바이가 부릉부릉 지나갑니다.' 등으로 자연스럽게 쓸 수 있습니다.

5 '쨍쨍'은 햇볕이 내리쬐는 모양을 흉내 내는 말입니다.

6 '반짝반짝'은 별이 빛나는 모습을 흉내 내는 말입니다. 바람이 부는 모습을 흉내 내는 말로 알맞은 것은 '솔솔', '살랑살랑' 등이 있습니다.

8 아이가 울고 있는 그림에 어울리도록 우는 소리나 모습을 흉내 내는 말을 넣은 문장을 찾습니다.

9 '가슴이 벌렁벌렁'에서 달리기를 앞두고 긴장한 마음을 느낄 수 있습니다.

10 '헉헉헉'에서 달리기가 끝난 뒤 숨을 몰아쉬고 있는 모습이 떠오릅니다.

11 천둥소리를 흉내 내는 말이므로 천둥을 떠올리며 큰 소리로 힘차게 읽는 것이 어울립니다.

12 '가르르릉 광 고양이 방귀'에서 방귀 소리가 고양이가 내는 소리와 비슷하기 때문에 엄마 방귀는 고양이 방귀라고 하였습니다.

13 '삘리리리'는 피리나 나팔 등의 소리를 흉내 내는 말로 어울립니다.

14 단풍잎이 여러 가지 빛깔로 물든 모양은 '울긋불긋'으로 표현할 수 있습니다.

15 '솔솔'은 바람이 부드럽게 부는 모양을 흉내 내는 말이고, '깔깔, 하하, 까르르, 싱글벙글'은 모두 웃는 소리나 모양을 흉내 내는 말입니다.

16 '모래밭에 앉아서', '많이 쌓았다'가 바른 표기입니다.

17 줄이 '끊어지다'의 '끊다'에는 'ㄶ' 받침이 쓰입니다.

18 '가엾다'에는 받침 'ㅄ'이 쓰입니다.

19 ①은 '앉다', ②는 '닮다', ③은 '삶다', ④는 '밟다', ⑤는 '없다'입니다. 이 중에서 받침 'ㄼ'이 쓰이는 것은 '밟다'입니다.

20 빈칸에는 '일' 자로 시작하는 낱말을 넣어야 합니다.

3. 문장으로 표현해요

1 ㉠   **2** ㉡   **3** ㉡   **4** ㉡

정답을 확인하기 전에 자기가 푼 단원평가의 정답을 큐알을 찍어 올려 보세요.

단원 평가
온라인 학습북 **15~18**쪽

문항 번호	정답	평가 내용	난이도
1	②	그림 속 내용 문장으로 나타내기	보통
2	②	그림 속 인물의 행동 파악하기	쉬움
3	③	그림 속 내용 문장으로 나타내기	보통
4	⑤	작은따옴표의 쓰임 알기	보통
5	④	큰따옴표의 쓰임 알기	보통
6	④	문장 부호의 기능 파악하기	보통
7	②	알맞은 문장 부호 사용하기	보통
8	⑤	문장 부호 바르게 쓰기	어려움
9	⑤	그림의 내용 파악하기	보통
10	④	생각을 문장으로 나타내기	보통
11	②	그림 속 내용 문장으로 나타내기	보통
12	⑤	문장으로 자세히 표현하기	보통
13	①	그림 속 내용 문장으로 나타내기	쉬움
14	③	받침에 주의하며 문장 쓰기	어려움
15	④	낱말의 받침 알기	보통
16	①	생각을 문장으로 나타내기	보통
17	③	이야기의 내용 파악하기	보통
18	①	이야기 속 인물의 생각 파악하기	쉬움
19	③	이야기의 내용 파악하기	쉬움
20	②	이야기 속 인물의 생각 파악하기	보통

1 학교 운동장에 모두 모여 운동회를 하는 모습입니다.

2 그림 속 남자아이는 만세를 부르고 있습니다.

3 그림 속 아이들은 줄넘기를 하고 있습니다.

4 인물이 마음속으로 한 말을 적을 때 문장의 앞과 뒤에 기호를 나누어 쓰는 문장 부호는 작은따옴표입니다.

5 큰따옴표는 인물이 소리 내어 한 말을 적을 때 문장의 앞과 뒤에 기호를 나누어 쓰는 문장 부호입니다.

6 작은따옴표 안에 있는 말은 마음속으로 생각한 것입니다.

7 마술사가 소리 내어 한 말이므로 큰따옴표 중 뒤에 쓰는 기호를 써야 합니다.

8 쉼표도 마침표와 같이 네모 칸의 왼쪽 아래에 씁니다.

9 여자아이는 남자아이가 자기 생각을 제대로 말하지 못해서 무엇을 말하려는지 알 수 없을 것입니다.

10 남자아이는 여자아이에게 책을 주워 주어서 고맙다는 인사를 하고 싶었을 것입니다.

11 두 친구가 사이좋게 지내는 그림과 서로 다투고 있는 그림이 있습니다. 비가 와서 쓸쓸하다는 말을 한 승민이가 그림의 내용과 관련이 없는 말을 하였습니다.

12 문장의 내용과 어울리는 말을 넣어 문장을 자세히 쓸 수 있습니다.

13 '호수를 잡다.'라는 문장은 바르지 않습니다.

14 ① '맑은', ② '굵은', ④ '얇은'이라고 써야 합니다.

15 '한곳에서 다른 곳으로 이동하게 하다.'라는 뜻의 낱말은 '옮기다'라고 씁니다.

16 ①은 있는 사실을 표현한 문장입니다.

17 원숭이가 나무 밑에서 잠을 자는데 기린이 나뭇잎을 먹어서 원숭이가 화를 내었고 기린도 물러나지 않았기 때문입니다.

18 기린은 맛있는 나뭇잎이 먹고 싶다고 했습니다.

19 사자는 기린은 배가 고파서 그런 것이고, 원숭이는 잠자는 데 방해를 받아 화가 난 것이라며 원숭이와 기린의 입장을 말해 주었습니다. 서로 조금씩 양보하라고 말한 사자 덕분에 기린과 원숭이는 화해할 수 있었습니다.

20 원숭이와 기린의 다툼을 해결해 준 사자에게 해 줄 칭찬의 말은 '지혜롭다'입니다.

4. 바른 자세로 말해요

1 ㉡　　**2** ㉡　　**3** ㉢　　**4** ㉠

정답을 확인하기 전에 자기가 푼 단원평가의 정답을 큐알을 찍어 올려 보세요.

단원 평가　　온라인 학습북 20~24쪽

문항 번호	정답	평가 내용	난이도
1	①	여럿이 함께 들을 때의 바른 예절	쉬움
2	②	여럿이 함께 들을 때의 바른 예절	보통
3	④	여럿이 함께 들을 때의 바른 예절	보통
4	④	이야기의 내용 파악하기	쉬움
5	②	이야기의 내용 파악하기	보통
6	④	이야기의 내용 파악하기	보통
7	④	이야기의 내용 파악하기	보통
8	⑤	이야기를 들을 때의 바른 자세	보통
9	③	이야기의 내용 파악하기	보통
10	⑤	바른 자세로 자신 있게 말하기	어려움
11	⑤	바른 자세로 자신 있게 말하기	보통
12	④	바른 자세로 자신 있게 말하기	보통
13	③	글의 내용 파악하기	쉬움
14	⑤	글의 내용 파악하기	보통
15	①	바른 자세로 자신 있게 말하기	보통
16	⑤	이야기의 내용 파악하기	쉬움
17	①	이야기의 내용 파악하기	보통
18	④	겹받침이 들어간 낱말의 뜻	어려움
19	④	인물의 마음 짐작하기	보통
20	⑤	이야기의 내용 파악하기	보통

1 ①번 친구는 선생님을 바라보며 이야기를 듣고 있습니다.

2 선생님을 바라보지 않고 땅을 보고 있습니다.

3 말하는 사람을 바라보며 집중하여 듣습니다.

4 선생님께서 말씀하실 때 토토가 딴생각을 해서 준비물을 잘못 들었습니다.

5 토토가 상자를 가져오지 못해서 토토네 모둠 것은 영 볼품이 없었습니다.

6 왱왱이 말 벌레는 토토가 딴생각을 할 때 귀로 쏙 들어가지 못하고 귀 밖에서 맴도는 말들을 먹고 살았습니다.

7 왱왱이 말 벌레의 먹잇감은 토토가 딴생각을 할 때 귀에 들어가지 못하고 밖에서 맴도는 말들이므로 딴생각을 많이 해 줘서 고맙다고 하였습니다.

8 토토는 엄마의 눈을 똑바로 쳐다보고, 귀를 기울여 엄마의 말을 잘 들었습니다.

9 토토가 딴생각을 안 하고 잘 듣자 왱왱이 말 벌레가 먹을 말이 없어졌습니다.

10 머리를 긁적이고 한쪽 다리를 삐딱하게 딛고 선 자세로 말하고 있습니다.

11 팔을 내리고 두 다리를 펴고 바르게 선 다음 듣는 사람의 눈을 바라보며 말해야 합니다.

12 맨 앞에 앉은 사람만 바라보는 것이 아니라, 여러 사람을 골고루 바라보아야 합니다.

13 효준이의 꿈은 요리사입니다.

14 효준이는 요리사가 되어 많은 사람에게 맛있는 음식을 만들어 주고 싶어 합니다.

15 모두가 들을 수 있는 큰 목소리로 말해야 합니다.

16 아버지는 세 딸들에게 할아버지 생신 선물을 준비해 보라고 하였습니다.

17 큰딸은 콩 한 알로 선물을 준비하는 것은 말도 안 된다며 콩을 창밖으로 던져 버렸습니다.

18 겹받침 'ㄼ'이 들어가는 '밟다'가 알맞습니다.

19 콩 한 알을 소중히 여기지 않은 큰딸과 둘째 딸에게 실망하셨을 것입니다.

20 막내딸은 콩 한 알로 송아지를 마련해 왔습니다.

5. 알맞은 목소리로 읽어요

온라인 학습북 25쪽

개념 확인하기

1 ㉡   **2** ㉢   **3** ㉡   **4** ㉠

정답을 확인하기 전에 자기가 푼 단원평가의 정답을 큐알을 찍어 올려 보세요.

단원 평가

온라인 학습북 26~30쪽

문항 번호	정답	평가 내용	난이도
1	③, ⑤	글의 내용 파악하기	쉬움
2	②	글의 내용 파악하기	보통
3	④	글의 내용 파악하기	쉬움
4	⑤	글의 내용 파악하기	보통
5	⑤	알맞은 목소리로 글을 읽어야 하는 까닭	어려움
6	①	알맞은 목소리로 글을 읽어야 하는 까닭	보통
7	④	글의 내용 파악하기	보통
8	⑤	글의 내용 파악하기	쉬움
9	④	알맞은 목소리로 글 읽기	보통
10	③	소리 내어 시 읽기	어려움
11	②	소리 내어 시 읽기	보통
12	②	시의 내용 파악하기	보통
13	⑤	소리 내어 시 읽기	어려움
14	⑤	이야기의 내용 파악하기	보통
15	②	인물의 마음 짐작하기	보통
16	⑤	이야기의 내용 파악하기	쉬움
17	③	이야기의 내용 짐작하기	보통
18	⑤	인물의 마음 짐작하기	보통
19	④	알맞은 목소리로 이야기 읽기	보통
20	⑤	알맞은 목소리로 이야기 읽기	어려움

온라인 학습북 19~30쪽

1 젓가락 두 짝과 윷가락 네 짝이 똑같다고 하였습니다.

2 '나'는 학교에서 공 굴리기 놀이를 하였습니다.

3 '나'는 호순이와 짝이 되었다고 하였습니다.

4 '공 굴리기 놀이'는 짝과 함께 큰 공을 빨리 굴리는 놀이입니다.

5 알맞은 빠르기와 크기의 목소리로 읽어야 합니다.

6 알맞은 목소리로 글을 읽으면 듣는 사람이 편안하게 들을 수 있고 글의 내용도 잘 이해할 수 있습니다.

7 차에 타면 안전띠를 매야 합니다.

8 차에서 내릴 때 옷이 문에 끼지 않게 조심해야 합니다.

9 민석이처럼 말끝을 흐리며 작은 목소리로 글을 읽으면 듣는 사람이 글의 내용을 잘 이해하기 어렵습니다.

10 즐겁고 행복한 마음을 느낄 수 있는 시이므로 화를 내는 모습은 떠올리기 어렵습니다.

11 시의 장면을 떠올리며 즐거운 마음을 담아 친구를 초대하듯이 부르는 말의 느낌을 살려 읽으면 더욱 실감이 납니다.

12 ㉠은 나팔꽃이 일어나라고 하는 소리, ㉡은 아침 이슬이 세수하라고 하는 소리, ㉢은 아침 해가 노래하자고 하는 소리라고 표현하였습니다.

13 이 시는 장면을 떠올리며 '똑, 똑', '뚜, 뚜', '방긋, 방긋'과 같은 흉내 내는 말의 느낌을 살려서 읽으면 좋습니다.

14 지금은 안 되고 새끼들이 알에서 나오면 가져가라고 하였습니다.

15 알을 빼앗길까 봐 걱정하는 마음을 담아 간절하고 다급하게 부탁하는 목소리로 읽을 수 있습니다.

16 아이는 새끼 새들을 보고 어떻게 가져갈지 즐거운 고민을 하였습니다.

17 어미 새는 새끼 새들과 도망가기 위해 새끼 새들에게 털이 날 때까지 기다려 달라고 한 것입니다.

18 나무는 아이 때문에 친구를 잃어서 슬프고 아이가 원망스러울 것입니다.

19 인물이 한 말이 아닌 이야기에 나온 설명 부분은 일어난 일을 설명하듯이 읽습니다.

20 목숨을 구해 준 것에 대해 고마웠을 것입니다.

6. 고운 말을 해요

1 ㉠   **2** ㉠, ㉢   **3** ㉠   **4** ㉠

정답을 확인하기 전에 자기가 푼 단원평가의 정답을 큐알을 찍어 올려 보세요.

단원 평가

문항 번호	정답	평가 내용	난이도
1	⑤	그림의 내용 파악하기	쉬움
2	①	고운 말을 쓰면 좋은 점	보통
3	④	고운 말 구별하기	보통
4	③	이야기의 내용 파악하기	쉬움
5	②	고운 말을 쓰면 좋은 점	보통
6	④	고운 말 구별하기	보통
7	⑤	인물의 마음 짐작하기	보통
8	④	이야기의 내용 파악하기	보통
9	④	내용에 어울리는 흉내 내는 말 찾기	어려움
10	③	인물의 마음 짐작하기	보통
11	⑤	고운 말을 쓰면 좋은 점	어려움
12	①	인물의 마음 짐작하기	보통
13	④	인물의 마음 짐작하기	쉬움
14	④	그림의 내용 파악하기	보통
15	②	듣는 사람을 생각하며 자신의 기분 말하기	어려움
16	⑤	기분이 잘 드러나게 말하는 방법	보통
17	③	듣는 사람을 생각하며 자신의 기분 말하기	보통
18	①	듣는 사람을 생각하며 자신의 기분 말하기	어려움
19	④	듣는 사람을 생각하며 자신의 기분 말하기	보통
20	④	듣는 사람을 생각하며 자신의 기분 말하기	보통

1 모자가 잘 어울린다는 칭찬과 노래를 잘한다는 칭찬을 들었습니다.

2 동수는 칭찬을 들어서 기분이 좋았을 것입니다.

3 ④와 같은 말을 들으면 기분이 좋지 않을 것입니다.

4 몽몽 숲에 살고 있는 박쥐를 만나러 동물들이 찾아왔습니다.

5 ㉠과 같이 고운 말을 들으면 기분이 좋을 것이고, ㉢과 같은 말을 들으면 속상할 것입니다.

6 달콤 박쥐는 고운 말로 동물들을 반겨 주었지만, 뾰족 박쥐는 마음을 상하게 하는 말을 하였습니다.

7 달콤 박쥐는 과일나무에게 감사하다는 말을 하였습니다.

8 뾰족 박쥐의 머리 위로 열매가 후두둑 떨어져서 ㉠과 같은 말을 하였습니다.

9 뾰족 박쥐가 가시나무에 매달려 울고 있었으므로, '훌쩍훌쩍'이 알맞습니다.

10 뾰족 박쥐는 달콤 박쥐가 해 준 고운 말을 듣고 고마운 마음이 들었을 것입니다.

11 고운 말을 쓰는 것과 솔직하게 말할 수 있는 것은 관련이 없습니다.

12 희동이는 세현이가 가진 새 장난감을 보고 부러워하며 자기도 가지고 싶다고 하였습니다.

13 희동이가 장난감을 던지고 노는 모습을 보며 장난감이 망가질까 봐 걱정하고 있습니다.

14 희동이가 장난감을 던지며 놀다가 장난감이 망가지고 말았습니다.

15 세현이는 새 장난감이 망가져서 속상할 것입니다.

16 그런 기분이 드는 까닭을 함께 말하면 기분이 잘 드러나게 말할 수 있습니다.

17 듣는 사람인 승혁이의 기분을 생각하여 고운 말로 자신의 생각을 말한 것은 ③입니다.

18 실수를 한 친구의 기분을 생각하며 ①과 같이 말할 수 있습니다.

19~20 듣는 사람의 기분을 생각하여 사과하는 말을 찾습니다.

7. 무엇이 중요할까요

개념 확인하기

1 ㄹ   **2** ㄴ   **3** ㄴ
4 ㄱ

정답을 확인하기 전에 자기가 푼 단원평가의 정답을 큐알을 찍어 올려 보세요.

단원 평가

온라인 학습북 **38~41**쪽

문항 번호	정답	평가 내용	난이도
1	③	설명하는 대상 알기	쉬움
2	③	글의 내용 파악하기	보통
3	①	글의 내용 파악하기	보통
4	④	일어난 일을 생각하며 글 읽기	어려움
5	②	인물의 마음 파악하기	쉬움
6	③	글의 내용 파악하기	쉬움
7	⑤	일어난 일을 생각하며 글 읽기	보통
8	④	글의 내용 파악하기	보통
9	⑤	글의 내용 파악하기	쉬움
10	⑤	일어난 일을 생각하며 글 읽기	보통
11	③	글의 내용 파악하기	쉬움
12	①	글쓴이의 생각 파악하기	보통
13	⑤	내용에 알맞게 제목 붙이기	어려움
14	⑤	글의 내용 파악하기	보통
15	①	내용에 알맞게 제목 붙이기	어려움
16	①	글의 내용 파악하기	쉬움
17	④	내용을 확인하며 글 읽기	쉬움
18	⑤	글을 쓴 목적 파악하기	보통
19	⑤	글의 내용 파악하기	보통
20	⑤	내용을 확인하며 글 읽기	어려움

1 모양이 둥글고 새콤달콤한 맛이 나며 빨간색이나 초록색인 과일은 사과입니다.

2 임금님은 백성을 아끼고 사랑했습니다.

3 사람들은 모였다 하면 너도나도 임금님을 칭찬했습니다.

4 맷돌은 임금님이 가진 것으로, 맷돌 앞에서 "나와라!" 하고 외쳐야 물건이 나왔습니다.

5 고약한 마음을 먹고 궁궐로 숨어든 도둑은 맷돌을 훔칠 생각을 하였을 것입니다.

6 도둑은 맷돌 앞에서 "나와라, 소금!"이라고 외쳤습니다.

7 도둑이 맷돌을 멈추는 말을 잊어서 소금이 배 안에 가득 찼고, 배가 가라앉게 되었습니다.

8 동생은 아버지와 함께 회전목마의 마차에 탔습니다. 솜사탕을 사 준 것은 어머니께서 하신 일입니다.

9 솜사탕을 먹은 일이 가장 나중에 있었던 일입니다.

10 회전목마를 타게 되어 설레고 신났으며, 처음에는 회전목마가 무서웠지만 조금 지나니 재미있었습니다.

11 학교에 소방관 아저씨께서 오신 것을 보았습니다.

12 불이 나면 크게 다칠 수 있다는 것은 소방관 아저씨께서 해 주신 말씀입니다.

13 '불조심' 등과 같이 글의 내용을 잘 드러내는 제목을 씁니다.

14 좋아하는 음식만 골라 먹으면 건강이 나빠질 수 있다는 것을 알려 주는 글입니다.

15 글의 중요한 내용과 관련이 있는 '음식을 골고루 먹자'가 이 글의 제목으로 어울립니다.

16 도서관에서는 조용히 말해야 합니다. 친구에게 말할 때나 자리에 앉을 때 큰 소리가 나지 않도록 조심해야 합니다.

17 도서관에서 지켜야 할 예절이 중요한 내용입니다.

18 연주회장에서의 예절을 알리는 글입니다.

19 글을 꼼꼼하게 읽고 글에 있는 내용인지 확인합니다.

20 중요한 내용을 확인하려면 글 전체의 내용을 알아보고, 중요한 내용을 정리하며, 글에서 알리고 싶은 내용이 무엇인지 생각합니다.

8. 띄어 읽어요

개념 확인하기

온라인 학습북 42쪽

1 ㉢ 2 ㉡ 3 ㉠
4 ㉠

정답을 확인하기 전에 자기가 푼 단원평가의 정답을 **큐알**을 찍어 올려 보세요.

단원 평가

온라인 학습북 43~46쪽

문항 번호	정답	평가 내용	난이도
1	⑤	글을 바르게 띄어 읽기	보통
2	④	글의 내용 파악하기	쉬움
3	②	글을 바르게 띄어 읽기	어려움
4	②	글의 내용 파악하기	쉬움
5	②	글쓴이의 생각 파악하기	쉬움
6	④	글의 내용 파악하기	쉬움
7	①	글을 바르게 띄어 읽기	어려움
8	④	글의 내용 파악하기	보통
9	③	글의 내용 파악하기	쉬움
10	③	무엇을 설명하는지 파악하기	보통
11	⑤	글의 내용 파악하기	쉬움
12	③	글의 내용 파악하기	보통
13	④	글의 내용 파악하기	쉬움
14	④	글의 내용 파악하기	보통
15	②	무엇을 설명하는지 파악하기	보통
16	①	무엇을 설명하는지 파악하기	어려움
17	②	글의 내용 파악하기	보통
18	⑤	글을 실감 나게 읽기	보통
19	①	글을 실감 나게 읽기	보통
20	③	글을 바르게 띄어 읽기	어려움

1 글을 바르게 띄어 읽으면 내용을 쉽게 이해할 수 있고, 어떤 내용인지 정확하게 알 수 있습니다.

2 추석은 가을에 있는 명절입니다. 모내기는 봄에 하는 일이고 가을에는 추수를 합니다.

3 문장 부호 다음에는 띄어 읽어야 합니다. 마침표 뒤에는 ∨를 합니다.

4 글쓴이는 개미들이 줄지어 가는 것을 보고 개미를 따라가 보았습니다.

5 글쓴이는 개미들이 줄지어 움직이는 모습이 참 신기했습니다. 슬프거나 무섭다고 생각한 적은 없습니다.

6 비사치기는 상대의 돌을 다 넘어뜨리면 이기는 놀이입니다.

7 문장이 끝나는 곳에 ∨를 해야 합니다.

8 비사치기는 상대의 돌을 가장 먼저 넘어뜨린 사람이 이기는 것이 아니라, 상대의 돌을 다 넘어뜨리면 이기는 놀이입니다.

9 지우개의 색깔이 여러 가지라는 것을 설명한 부분입니다.

10 명수는 글의 제목을 보고 무엇을 설명하는지 알았습니다.

11 우리는 종이를 자를 때 가위를 사용합니다.

12 우리가 가위를 사용할 때 잡는 곳은 날이 아니라 손잡이입니다.

13 이 글에 오이에 대한 설명은 나타나 있지 않습니다. 오이는 열매를 먹는 채소입니다.

14 우엉을 먹으면 변비에 잘 걸리지 않는다고 하였습니다.

15 눈에 좋은 영양소가 매우 많은 뿌리를 먹는 채소는 당근입니다.

16 그림책은 설명하는 글이 아닙니다. 설명하는 글을 읽을 때 무엇을 설명하는지 생각해야 합니다.

17 ②는 '내 이름을 쓸 때에도 나는 자라요.'를 읽고 떠올릴 수 있습니다.

18 나는 자란다고 하였으므로 키가 커지는 시늉을 하면서 자신감 있는 목소리로 읽으면 실감 납니다.

19 글을 실감 나게 읽으면 이야기가 훨씬 재미있고, 읽는 것이 즐겁습니다. 글쓴이를 떠올리며 읽는 것은 글을 실감 나게 읽는 방법이 아닙니다.

20 문장이 끝나는 곳에서 ∨를 하고 띄어 읽습니다.

9. 겪은 일을 글로 써요

개념 확인하기   온라인 학습북 **47**쪽

1 ㉠   **2** ㉡   **3** ㉢
4 ㉢

정답을 확인하기 전에 자기가 푼 단원평가의 정답을 큐알을
찍어 올려 보세요.

단원 평가   온라인 학습북 **48~51**쪽

문항 번호	정답	평가 내용	난이도
1	②	글쓴이가 겪은 일 파악하기	쉬움
2	②	글의 내용 파악하기	쉬움
3	④	글의 내용 파악하기	쉬움
4	②	글쓴이가 겪은 일 파악하기	쉬움
5	④	말하기의 상황 파악하기	어려움
6	③	겪은 일이 잘 드러나게 말하기	보통
7	④	글쓴이가 겪은 일 파악하기	쉬움
8	③	인물의 마음 파악하기	보통
9	④	상황에 맞는 생각 파악하기	쉬움
10	②	글쓴이가 겪은 일 파악하기	쉬움
11	③	글쓴이가 겪은 일 파악하기	쉬움
12	③	글쓴이가 겪은 일 파악하기	보통
13	④	인물의 마음 파악하기	보통
14	①	생각이나 느낌을 나타내는 표현 구분 하기	보통
15	④	글쓴이가 겪은 일의 순서 파악하기	어려움
16	④	인물의 마음 파악하기	보통
17	④	글에 알맞은 제목 정하기	어려움
18	③	글쓴이가 겪은 일 파악하기	쉬움
19	⑤	글쓴이가 겪은 일 파악하기	보통
20	③	기억에 남는 일을 일기로 쓰기	어려움

1 다솜이는 물고기를 산 일을 일기로 썼습니다.

2 다솜이는 물고기에게 '단풍'이라는 이름을 지어 주었
습니다.

3 여러 가지 일 중에서 가장 기억에 남고 재미있는 일
을 선택하여 일기로 씁니다.

4 민지는 다 함께 협동해서 줄을 당겼던 줄다리기가
무척 신이 났다고 했습니다.

5 높임말을 쓰는 것으로 보아 여러 사람 앞에서 발표
하는 상황입니다.

6 주고받은 대화도 함께 말하면 내용이 더 생생해집
니다.

7 동생과 놀이터에서 모래 장난을 하며 논 일을 쓴 글
입니다.

8 동생이 먼저 잘못했는데 '나'만 꾸중을 들어서 억울
했습니다.

9 자전거를 처음 배워 넘어질까 봐 두렵지만 꼭 배워
야겠다는 생각이 들 것입니다.

11 '나'는 운동회 때 달리기를 하였습니다.

12 '나'는 모둠 친구들과 장난감 가게를 꾸며 가게놀이
를 했습니다.

13 '나'는 자신의 물건이 팔릴 때 기분이 좋았습니다.

14 '기쁘다', '아쉽다', '신난다', '부끄럽다'는 생각이나
느낌을 나타내는 표현입니다. '뛰다'는 움직임을 나
타내는 표현입니다.

15 '나'는 운동장에서 이어달리기를 했습니다. 이어달리
기에서 우리 모둠이 꼴찌를 하였습니다. '나'는 실망
스러웠습니다. 하지만 친구들이 위로해 주어서 기분
이 좋아졌습니다.

16 '나'는 힘들게 달렸는데도 모둠이 꼴찌를 해서 실망
스러워했습니다.

17 달리기 1등은 하지 못했지만 친구들의 위로 덕분에
즐거운 체육 활동 시간이 되었으므로 '즐거운 체육시
간'이 제목으로 어울립니다.

18 '나'는 아빠와 함께 서점에 갔습니다.

19 서점에서 책을 보면서 들었던 생각이나 느낌을 쓴
부분입니다.

20 일기는 보통 자신이 겪은 일을 바탕으로 쓰기 때문
에 마음대로 상상한 내용을 쓰는 것은 알맞지 않습
니다.

온라인 학습북 **42~51**쪽

10. 인물의 말과 행동을 상상해요

개념 확인하기

온라인 학습북 52쪽

1 ㉠ 2 ㉡ 3 ㉠
4 ㉡

정답을 확인하기 전에 자기가 푼 단원평가의 정답을 큐알을 찍어 올려 보세요.

단원 평가

온라인 학습북 53~56쪽

문항번호	정답	평가 내용	난이도
1	⑤	글의 내용 파악하기	보통
2	②	인물의 모습과 행동 상상하기	보통
3	⑤	글의 내용 파악하기	쉬움
4	②	글의 내용 파악하기	보통
5	③	사진을 보고 상상하기	쉬움
6	②	글의 내용 파악하기	쉬움
7	③	인물의 모습과 행동 상상하기	보통
8	③	글의 내용 파악하기	쉬움
9	⑤	글의 내용 파악하기	보통
10	⑤	인물의 모습과 행동 상상하기	어려움
11	④	글의 내용 파악하기	쉬움
12	⑤	인물의 모습과 행동 상상하기	보통
13	④	글의 내용 파악하기	어려움
14	⑤	인물의 모습과 행동 상상하기	보통
15	①	글의 내용 파악하기	보통
16	④	그림의 내용 파악하기	보통
17	③	인물에 어울리게 말과 행동 하기	보통
18	⑤	인물에 어울리게 말과 행동 하기	쉬움
19	⑤	인물에 어울리게 말과 행동 하기	쉬움
20	⑤	인물의 모습과 행동 상상하기	어려움

1 괴물이 별을 삼켜 버려서 마을이 캄캄해지고 마을 사람들이 슬픔에 빠졌기 때문에 아이들이 별을 되찾기 위해 길을 떠났습니다.

2 귀가 쫑긋쫑긋한 토끼가 '나처럼'이라고 했으므로 괴물도 쫑긋쫑긋한 귀를 가지고 있을 것이라는 점을 알 수 있습니다.

3 토끼는 새가 노래하는 모습을 보느라 괴물을 보지 못했습니다.

4 빛나는 별이 사라지자 마을 사람들은 슬픔에 빠졌습니다.

5 사진은 비가 오는 모습입니다.

6 아이들은 사자와 악어를 만났습니다.

7 괴물의 이빨이 뾰족뾰족하다고 말한 것은 악어입니다.

8 악어는 이빨을 닦느라 괴물을 잘 보지 못했습니다.

9 괴물은 자신이 너무 못생겨서 아무도 좋아하지 않기 때문에 별을 먹고 멋있어져서 친구들과 뛰어놀고 싶다는 생각을 하였습니다.

10 주홍이는 괴물에게 배가 빵빵해서 뛰어놀기 힘들겠다고 하면 괴물이 별을 뱉어 낼 거라고 생각했기 때문에 ㉠과 같이 말했습니다.

12 '구불구불'은 이리로 저리로 구부러지는 모양을 나타낸 말이므로, 옷 만드는 모습을 나타낸 말로 알맞지 않습니다.

13 재봉사는 밤이나 낮이나 옷을 만들었으며, 새들이 멋진 옷을 부탁했다는 내용은 있지만, 새들이 옷 만드는 일을 구경했다는 내용은 없습니다.

14 오징어는 무지개 양말을, 사자는 모자를, 토끼는 치마를 부탁했습니다.

15 동물들은 모두 꿈꿔 왔던 옷을 입고 잔치를 했습니다.

16 사슴이 나무꾼에게 도와 달라고 급하게 달려오는 것으로 보아 「나무꾼과 사슴」 이야기일 것입니다.

17 그림 ㉮의 사슴은 사냥꾼에게 쫓기는 상황에 처해 있습니다.

18 제비의 다리가 부러진 것을 보고 흥부가 한 말이므로 걱정하는 목소리가 어울립니다.

19 두꺼비가 콩쥐를 돕겠다고 나서는 상황이므로 다정하고 믿음직한 목소리가 어울립니다.

20 인물의 모습과 행동이 자세하게 나타난 부분을 바탕으로 인물에 대해 상상합니다.

정답은
이안에
있어 !

꿈을위한 동행

축구선수, 래퍼, 선생님, 요리사...
배움을 통해 아이들은 꿈을 꿉니다.

학교에서 공부하고, 뛰어놀고 싶은 마음을
잠시 미뤄둔 친구들이 있습니다.
어린이 병동에 입원해 있는 아이들.

이 아이들도 똑같이 공부하고
맘껏 꿈 꿀 수 있어야 합니다.
천재교육 학습봉사단은
직접 병원으로 찾아가
같이 공부하고 얘기를 나눕니다.

함께 하는 시간이
아이들이 꿈을 키우는 밑바탕이 되길 바라며
천재교육은 앞으로도
나눔을 실천하며 세상과 소통하겠습니다.

천재교육

book.chunjae.co.kr

교재 내용 문의	·························	교재 홈페이지 ▶ 초등 ▶ 교재상담
교재 내용 외 문의	·························	교재 홈페이지 ▶ 고객센터 ▶ 1:1문의
발간 후 발견되는 오류	·············	교재 홈페이지 ▶ 초등 ▶ 학습지원 ▶ 학습자료실

63710

ISBN 979-11-259-6943-3

KC
어린이제품
안전 특별법에
의한 품질 표시

정가 15,000원

My name~

초등학교

학년　　　　　반　　　　　번

이름